四柱八字로 심리 파악하는

사주
진로적성분석

이부상 편저

사주진로적성분석

발 행 | 2024년 1월 23일

저 자 | 이부상

펴낸이 | 한건희

펴낸곳 | 주식회사 부크크

출판사등록 | 2014.07.15.(제2014-16호)

주 소 | 서울특별시 금천구 가산디지털1로 119 SK트윈타워 A동 305호

전 화 | 1670-8316

이메일 | info@bookk.co.kr

ISBN | 979-11-410-6714-4

본 책은 저작자의 지적 재산으로서 무단 전재와 복제를 금합니다.

사주팔자로 심리 파악하는

사주
진로적성분석

이부상 편저

타고난 선천적인 성향과

각자의 환경에 따른 후천적인

성향의 양면적인 특성을 파악하여

고차원적이고 심층적인 사주분석을 추구한다

책을 내면서

사주 진로 적성분석은 어린 자녀의 사주 길흉을 보는 것이 아니라 소중한 내 자녀의 성향과 적성을 참고하여 조기 진로 설정을 하는 데 목적이 있다. 경력 중심의 사회로 변화되는 시점에서 자녀의 소질을 조기에 발견하여 부모가 직접 자녀교육이 필요하다. 공교육이 무너진 환경에서 언제까지 비싼 사교육에 매달려 방관할 것인가? 결혼과 출산율이 저조한 이 시대에 어린 자녀들은 우리들의 보배이고 자산이다.

소중한 내 자녀가 원하는 대학만 합격하면 그만이라는 안일한 사고방식에는 이제는 벗어나야 자녀들도 의식이 바뀐다. 앞으로 인구 노령화와 출산율 저조가 보수적인 교육 제도가 무너지고 파격적인 교육 개편이 도래할 것이다.사주 진로 적성분석은 자녀교육의 역할에 큰 도움을 줄 것이라고 믿어 의심치 않는다. 그러나 보편적으로 어린 자녀를 사주를 본다고 하면 무속적인 점술 형태로 인식하여 부정적인 견해를 많이 갖는다.

사주 명리학은 신이 만든 학문이 아니라 인간이 만든 학문이고 일정한 세월과 시대의 흐름에 따라 고법과 신법으로 학문적으로 발전해 왔고 중국 송나라 때 서 자평 선생 이후 자평 명리학으로 이론 체계가 잡혀 지금까지 오고 있다. 최근의 사주명리학은 현실에 맞게 다양하게 해석하고 연구한 학자 중에 심리학과 명리학을 접목하여 사주를 새로운 각도에서 바라보고 연구하며 발전하고 있다.

자녀가 태어났을 때 자녀의 타고난 사주를 보고 부모가 알아야 하는 것은 대단히 중요하다. 단순히 사주팔자가 좋다 나쁘다는 인식에서 벗어나야 한다. 아이의 타고난 성향을 파악하여 적성을 분석하는 부모의 관찰이 중요하다.

유아 때부터 심리분석을 통하여 아이의 사주 속의 강점과 보완점 등을 파악하여 아이의 성장하는 모습을 지켜보면서 초등학교. 중학교 시기의 학습지도에 따라 진로를 설정하고 고등학교 때 아이의 공부 수준에 따라 진학에 신경을 쓴다면 이만큼 부모의 역할은 아이에게 행복을 줄 수 있는 직업을 선택하는 데 크게 도움을 준다.

막연히 학원을 보내고 학과를 선택하여 수능을 보고 다시 재수. 반수 삼수 등 도전을 하여 자식은 자식 대로 부모는 부모 대로 서로 갈등과 불신 속에 가족 간의 유대관계는 깨지고 답답하여 상담받으러 오신 부모들이 상당히 주변에 많다. 적성에도 맞지 않고 대학도 만족하지 못해 포기하고 도전하니 자녀에겐 기회 손실이 크고 부모에겐 경제적 손실이 엄청나다고 볼 수 있다.

현재 공교육에 대한 불신은 이미 나락에 떨어져 있고 사교육에 얼마나 치중하고 계신 지 누구나 공감할 것이다. 국가 교육 시스템이 제대로 바뀌려면 시간이 걸릴 수 있으니 먼저 가정 교육이 선행되어야 한다고 본다. 그러기 위해서는 부모의 자녀교육에 대한 인식 전환이 시급하다. 경쟁 사회에서 자식을 성공시키는 부모의 자세도 중요하겠지만 자녀에게 맞는 진로를 결정하고 직업을 선택해서 안정적 사회생활을 영위한다면 지금처럼 심각한 청년 실업자 위기를 극복하는 데 크게 도움이 될 것이다.

또한 사주 진로 적성분석을 통하여 대인. 이성 관계에서 심리적으로 상대의 성향을 파악하고 이해하는 데 큰 도움을 줄 수 있다. 사주 진로 적성분석은 서양의 MBTI 성격유형 검사보다 훨씬 다양하게 분석할 수 있는 동양의 심리검사라고 표현하고 싶다. 사주명리학이 남녀노소 대중적인 생활 사주학으로 자리 잡기 위해서는 누구나 쉽게 사주 진로 적성분석을 독학하여 심리 사주학적인 접근으로 인식해야 한다.

현업에 종사하는 역술인의 길흉 상담 방식의 공부법이 아닌 타고난 선천적인 성향을 쉽게 분석하여 각자 서로의 후천적인 환경에 적용하여 윤택한 삶을 지향하는 것이 목적이다. 사주 진로 적성분석은 주로 성향. 진로. 적성. 진학. 직업(업종)에 관한 내용을 사주 구조로 파악하는 것이 목적이지 타고난 사주로 부귀 빈천의 그릇이나 육친 관계. 사건 사고를 예측하고 운세 길흉을 파악하는 것이 아니다.

따라서 복잡한 사주 이론을 배제하고 사주의 기본 이론을 가지고 쉽게 접근할 수 있기 때문에 왕초보 지식만 있으면 독학하기도 쉽고 단기간에 마스터 할 수 있다. 그러므로 사주 진로 적성분석은 왕초보 사주학을 마친 분이 필수적으로 공부해야 할 단계이다. 또한 사주 기초가 탄탄하게 완성 시킬 수 있는 단계이기 때문에 기초가 부족하신 학인에게도 큰 도움을 줄 수 있다. 완전히 체득될 때까지 반복 숙달하시면 사주 명리학의 완성이 한 걸음 다가서는 희열을 느낄 것이다.

여명(黎明) 이부상(李扶相)

목 차

사주 진로 적성 분석

1

사주 진로 적성 분석의 이해

1] 사주 진로 적성 분석의 이해

1. 사주 진로 적성분석의 특징

1. 월지 계절 특성과 천간합과 지지합(삼합,방합)만 참고하고 생극관계로 판단한다.

2. 음양오행과 십신의 특성과 구조로 성향. 진로. 적성을 판단한다.

3. 복잡한 사주 이론과 운세 길흉은 배제, 참고하지 않는다.

4. 누구나 동일하게 판단할 수 있고 역량에 따라 심층 분석도 할 수 있다.

5. 적성에 맞는 전공. 업종이나 대인관계(이성 포함) 심리 파악할 수 있다.

6. 유아기. 유년기. 청소년기 자녀교육에 활용할 수 있다.

7. 사주, 타로, 심리상담사. 직업상담사. 교사. 인사업무 등 직업에 응용할 수 있다.

8. 사주 안목이 달라지고 사주 공부 방법을 터득하게 된다.

9. MZ세대 통하는 새로운 운명학 패러다임으로 대체할 수 있다.

10. 각자의 역량에 따라 상담 매뉴얼과 앱 사주 프로그램을 만들 수 있다.

사주 진로 적성분석은 주로 성향. 진로. 적성. 진학. 직업(업종)에 관한 내용을 사주 구조로 파악하는 것이 목적이지 타고난 사주로 부귀 빈천의 그릇이나 육친 관계. 사건 사고를 예측하고 운세 길흉을 파악하는 것이 아니다. 따라서 복잡한 사주 이론을 배제하고 사주의 기본 이론(오행.십성)을 가지고 쉽게 접근할 수 있기 때문에 사주 기본만 있으면 누구나 독학도 가능하다.

사주 진로 적성분석은 운세를 적중시키는 학문이 아니고 타고난 사주 십성 구조를 보고 자신의 성향(성격)을 파악하여 진로 적성 및 직업을 유추하는 학문이기 때문에 현재 답답한 문제나 육친 관계. 금전. 궁합. 운세 성패 시기 등을 파악하는 것은 어렵다.

간혹 진로 적성 심리 사주 기본 이론을 가지고 운세 파악을 할 수 있지만 여명(필자)의 주관적 판단으로는 운세 파악은 기존 사주학의 복잡하고 입체적인 사주 이론을 종합적으로 대입해야 한다.

장기간 시간과 투자가 소요되고 시행착오를 걸쳐야 한다. 그러나 요즘은 정보 홍수 속에서도 어렵지 않게 사주 공부를 할 수는 있지만 십중팔구는 결국 포기하고 불신한다. 사주 공부하기 전 타고난 사주팔자의 개념부터 파악하고 공부 방향성 목표를 설정해야 한다.

동일 사주라도 동일한 삶을 살지 않고 각자의 환경이나 만나는 인연. 직업에 따라 삶의 형태는 다르게 살아갈 수도 있고 비슷한 운명으로 살아갈 수 있다. 이런 가변성을 이해하는 자세가 사주명리학 공부의 첩경이다.

2. 시기별 5단계 진로 적성분석

1. 유치원생: 재능 조기 발견 => 적절한 조기 교육

2. 초.중등생: 올바른 진로 탐색 및 성격에 맞는 학습법 =>성적 향상

3. 고교생: 대학 전공 및 학과 선택 => 진학지도

4. 취업. 창업운: 자신에게 맞는 직업(직무) 선택 => 능력의 극대화

5. 전직. 퇴직 예정자: 제 2의 직업 => 안정된 노후생활

3. 사주팔자를 통하여 자녀 학습지도

1. 유치원, 초등학교

타고난 생년월일시를 바탕으로 자녀의 성향과 적성을 파악하여 개별적 재능을 조기 발견하여 조기 교육하는 데 도움이 된다.

2. 중학교

자기의 소질과 적성에 맞는 미래를 설계할 수 있는 시기이다. 특목고, 특성화고. 인문고 등 고교를 선택하여 진학과 직장을 선택하는데 중학교 시기는 진로 적성분석이 매우 중요하다.

3. 고등학교

진학과 전공선택의 시기로 성적만으로 대학 진학도 필요하지만 자신에게 적합한 전공선택의 대학 진학은 졸업 이후 사회진출 가능한 직업에서 출발하는 데 더 중요하다.

4. 사주 진로 적성분석을 공부하는 자세

타고난 사주팔자 십신(十神) 구조를 보고 자신의 성향을 파악하여 진로. 적성 및 직업을 유추하는 학문으로 동양 심리 사주에 속한다. 그러나 현재 답답한 문제나 육친 관계. 금전. 궁합. 운세. 성패 시기 등을 파악하는 것은 어렵다.

이런 경우는 기존 사주학의 복잡하고 입체적인 사주 이론을 대입해야 한다. 단순히 격국용신이나 오행의 생극제화로 운세의 길흉 모든 것을 해결할 수 없고 수많은 선생과 비용. 시간이 소요되고 시행착오를 걸쳐야 한다.

그러나 요즘은 정보 홍수 속에서 쉽게 사주 공부는 하지만 열에 아홉은 결국 포기하고 불신하게 된다. 동일 사주라도 동일한 삶을 살지 않고 각자의 환경이나 만나는 인연에 따라 삶의 형태는 다르게 살아갈 수도 있고 비슷한 운명으로 살아갈 수 있다.

결론적으로 동양 심리 사주학을 대중화를 시키기 위해서는 평면적인 규격화와 표준화(프로그램)를 시켜 역술인이 아닌 남녀노소 누구나 사주를 쉽게 접근할 수 있다. 스스로 독학을 할 수 있으며 자녀교육이나 대인관계. 직업 선택을 판단하는 데 많은 도움이 될 것이다.

사주 진로 적성 분석

2

사주 기본 통변으로 보는 법

2] 사주 기본 통변으로 보는 법

1. 음양(陰陽)의 특성

1. 양(陽)의 특성

자신의 특성이나 성향을 적극적으로 밖으로 드러내려고 하는 것으로서 외향적이고 능동적이며 행동 지향적이다.

2. 음(陰)의 특성

자신의 특성이나 성향을 내적으로 다지거나 성숙시키려고 하는 것으로서 내성적 수동적이며 사고 지향적이다.

양(陽)	음(陰)
행동적	사고적
모험적	안정적
미래지향	현실지향
빠름의 심리	느림의 심리
진취적	보수적
감정적	이성적
표현적	침묵적
공격적	방어적
실천형	준비형
장점	보완점

3. 천간(天干)의 음양

陽: 甲丙戊庚壬

陰: 乙丁己辛癸

4. 지지(地支)의 음양

陽: 寅辰巳申戌亥

陰: 子丑卯午未酉

5. 오행(五行)의 음양

陽: 木火(甲乙丙丁戊. 寅卯辰巳午未)

陰: 金水(己庚辛壬癸. 申酉戌亥子丑)

木火가 많으면(陽) 활동적이고 감정적이다.

金水가 많으면(陰) 이성적이고 분석적이며 차분하고 침착하다.

6. 음양통(陰八通). 양팔통(陽八通)의 특성

음팔통: 신중하고 소극적 성향을 띠며, 매사 늦게 이루어지는 특징이 있다.

양팔통: 적극적이고 능동적인 성향을 띠며, 성격이 급하고 매사 빨리 이루어지는 특징이 있다.

陽의 성분이 강한 男命의 사주에 陰의 기운인 金水가 없거나 부족하면 결과를 보기 어려우며, 반대로 陰의 성분이 강한 女命의 사주에 陽氣인

木火가 없거나 부족하면 일의 성공이 늦게 이루어지는 경향이 있다. 남자의 경우에는 원래 陽의 기운이 강하므로 陰의 기운인 金水가 있어야 좋고, 木火의 기운이 다소 부족해도 크게 해롭지 않다는 것이다.

여자의 경우에는 陰의 기운이 많으므로 陽의 기운인 木火가 많아야 좋고, 金水의 기운은 다소 부족해도 크게 해롭지 않다는 것이다. 그러나 반대의 경우에는 해롭다. 특히 남자는 水, 여자는 火가 부족하면 성공이 늦고 매사 늦게 이루어진다. 따라서 음양의 균형이 맞지 않으면 남자는 양팔통 사주가 안좋고 여자는 음팔통 사주가 안 좋다.

2. 오행(五行)의 특성

사주팔자 명식을 보고 다섯 가지 오행의 태과(太過). 무(無)에 따라 특성을 살펴본다. 오행이 적당한 경우(1~2개)와 중화(中和), 오행의 태과는 3개 이상이고, 오행의 無는 오행이 전혀 없는 경우를 말한다.

1. 木

木의 기본적 특성은 木은 한자로 곡직(曲直)이라 하여, 하늘 위로 솟는 형상이고 팽창하려는 기질이 강하다. 목표를 가지고 쭉 뻗어나가려는 기질이 있어 새로운 출발과 시작을 한다. 따라서 木의 성향은 진취적이고 의욕적인 성향으로 미래지향적인 양(陽)의 기운이다.

木은 오행 중에서 유일한 생명체로 살아있는 기운이다. 인간으로 비유하자면 유년기 시절을 나타내며, 이 시기에는 진취적이고 도전적인 의욕적인 성향을 지니고 있다. 그러나 이 시기에는 직선적이고 솔직하고 싫증을 잘 내는 단순한 면도 있지만 순박하고 어진 성품이고 솔직하다.

木이 중화를 이루면 자신에게 맞는 실현 가능한 계획을 세운다. 그만큼 현실적이고 안정을 추구하며 가능성을 보고 움직인다. 木이 태과하면 급하여 무슨 일이든 벌여야 직성이 풀리는 스타일이다. 그러나 시작은 잘하지만, 마무리가 약하고 쉽게 포기도 잘한다.

순간 감정조절이 안 되어 불의를 보면 참지 못한다. 또한 木은 바람풍(風)에 속하여 바람기가 다분하며 여러 사람을 만나는 것을 좋아한다. 木이 태과(太過) 하여 많으나 生 하는 火가 없으면 정신적인 문제가 생긴다. 오히려 火보다 木이 강하면 고집과 자존심이 강하고 지기 싫어한다.

木이 없으면 시작하는 기운이 약하니 의지가 약하고 소극적이며 의욕이 적다. 목적의식이 없고 소심하니 답답하다. 추진력과 창의력이 떨어지고 木이 태과 하는 성향처럼 木이 없는 경우도 감정 기복이 심하고 싫증을 잘 낸다. 木은 한자로 인(仁)을 의미하므로 자비로운 마음인데 없으니 어질고 자비심이 약하다.

1-1. 木 多 (태과)

① 마무리가 약하고 불안정하며 신경이 예민하고 불의를 보면 참지 못한다.
② 일을 잘 벌이고 벌려야 마음이 편한 스타일이다.
③ 호기심이 많아 창의력이 발달하여 아이디어가 풍부하고 아이 같은 순

수함이 있다.

시주	일주	월주	년주
丙	甲	戊	乙
寅	子	寅	未

木	火	土	金	水
4	1	2	0	1

木 기운이 전체적으로 강하다. 木이 많으면 무슨 일이든 잘 벌려 불안정하다. 金 기운이 없어 木을 제어해주지 못한다. 많은 木을 生 해주고 있는 약한 水는 힘이 빠지고 있어 유연성이 부족하고 마무리가 약하다.

1-2. 木 無 (없다)

① 의지와 의욕이 약하여 소극적이다.

② 적극성. 창의성. 기획. 새로운 일을 추진하는 능력이 약하다.

③ 새로운 일을 하거나 창의적 활동력은 다소 부족하다.

시주	일주	월주	년주
己	丙	乙	庚
亥	申	酉	申

木	火	土	金	水
1	1	1	4	1

金 기운이 가득하여 뿌리 없는 木이 힘들다. 감정 기복이 심하고 짜증을 잘 내고 스트레스를 많이 받는다. 木을 생 하는 水도 왕한 金 기운이 생하여 水 기운이 약해진다. 만약 火 기운이 힘이 있어 金 기운을 제어해주

면 충분히 水 기운이 木을 생 해준다. 이 명조는 金의 태과 성정과 木의 無 성정으로 보면 강한 고집과 유연성이 부족하고 냉정한 성향이 나온다.

2. 火

火의 기본적 특성은 木의 기운이 직선으로 올라와 옆으로 퍼지고 팽창하고 확산하는 작용을 말한다. 火의 속성은 활활 타오르는 염상(炎上)을 의미한다. 火는 무엇인가를 발산하려는 마음이 강하여 급하고 화끈하며 열정적이다. 그러나 火는 불같이 타오르다 어느 순간에 쉽게 꺼져 열정적인 시작은 강하나 결과가 약하니 인내심이나 끈기 부족한 것이 火의 단점이다.

火가 적당히 중화를 이루면 만물을 비춰주는 태양처럼 희생. 봉사 정신이 있다. 진취적이고 용감하며 긍정적이고 낙천적인 성격이다. 예의와 공경심이 있고 사리분별력이 분명하고 뒤끝이 깔끔한 성격이 나타난다. 태양이 천지를 두루 비추듯이 매사 일 처리가 공정하다.

火가 태과 하다면 너무 급하여 산만하고 정리 정돈이 잘 안된다. 火가 많으면 모든 것이 다 타버리니 건강에 유의해야 한다. 생각과 말이 급한 다혈질 스타일로 지속력이 떨어지고 말은 잘하나 경박하고 불손하다. 욕심. 욕망도 강렬하고 즉흥적 바람기도 있다. 화끈하게 일하는 스타일이며 감정 기복이 심하고 예의와 법규를 무시한다. 火가 없다면 활동력. 변화. 변동. 발전. 예의에 약하다. 소극적이고 활동성 저하가 오며 실질적 행동이나 실행이 어렵고 결실도 미미하다. 애정이 없고 성취력도 약하다. 이별

수가 많고 우둔한 면이 있고 시작은 있으나 마무리가 안 된다.

2-1. 火 多 (태과)

① 의협심이 강하고 명랑하며 다혈질이며 건드리면 폭발한다.

② 고집이 세고 조급하며 인내심 부족하다.

③ 산만하고 정리 정돈이 안 되고 감정 기복이 심하다.

④ 열정과 남을 배려하는 따뜻함이 있고 청년의 기백이 있다.

2-2. 火 無 (없다)

① 소극적이고 활동성이 저하되고 실질적 행동이나 실행이 어렵고 결실이 미미하다.

② 뜨거운 열정이나 따듯한 온정이 부족할 수 있고 건강에 신경을 써야 한다.

③ 감정에 치우치지 않고 이성적. 차분. 침착하다.

시주	일주	월주	년주
乙	壬	壬	乙
巳	子	午	巳

木	火	土	金	水
2	3	0	0	3

여름에 태어나 火 기운이 태과하니 성급하여 시작은 잘하지만, 마무리가 약하다. 왕한 火 기운에 의해 오히려 水가 손상을 받고 있다.

2. 사주기본통변으로 보는 법

시주	일주	월주	년주
丙	丁	丙	己
午	巳	寅	酉
木	火	土	金	水
1	5	1	1	0

火氣가 강하며 寅木은 火氣를 더욱 부채질하고, 己土는 火氣에 메말라버리고 酉金은 완전히 녹아버리고 木火의 정신적인 문제가 발생한다. 木火土金水 오행의 속성으로 인간사나 사물에 대입하여 다양하게 적용할 수 있다. 그러나 처음부터 한꺼번에 소화하기 힘드니 우선 오행의 중화·태과·無의 핵심을 파악하는 것이 중요하다.

3. 土

土의 기본 특성은 쉽게 변하지 않고 항상 그 모습을 유지하고 있는 산의 모습이 土의 형상이며 기운이다. 어느 한쪽으로 치우치지 않고 묵묵히 중립을 지키며 민감하게 반응하지 않고 중심을 잡고 있어 土의 기운은 믿음. 희생, 신뢰의 특성을 가지고 있다.

土 오행의 특성은 태산같이 만물을 포용하는 너그러운 마음을 지니고 있어 중후하고 원만하고 모성애적 마음을 가지고 있다. 그러나 土의 단점은 중립적으로 움직이지 않으니 결단성이 부족하여 우유부단한 성향을 보인다. 뭔가 드러내는 것을 싫어하며 감추기 좋아하고 비밀이 많다.

土 오행이 중화를 이루면 어느 한쪽으로 치우치지 않는 중립과 중용을 지닌다. 신의와 신앙심이 강하고 성실하며 무게감이 있다. 또한 土가 중

화되어 적당히 있으면 포용력이 있어 너그러운 마음을 가지고 있다.

土 오행이 지나치게 태과 하다면 답답하고 완고하며 고집과 아둔한 성향을 보인다. 생각이 많고 근심 걱정이 늘 떠나지 않는다. 土 오행이 전혀 없으면 중심이 없고 목적이 불분명하여 유동적인 삶을 산다. 한곳에 정착하기 힘들며 방황을 한다. 또한 중재력이 약하고 신용이 부족하다. 결단성이 부족하여 우유부단한 성향을 보인다.

3-1. 土 多 (태과)
① 중재와 타협 능력이 떨어지며 완고하고 고집이 있다.
② 근심 걱정, 생각이 많고 희생적이며 손해를 보고 산다.
③ 쉽게 변하지 않는 묵묵함이 있다.

3-2. 土 無 (없다)
① 중재력이 약하고 자기 손해를 받아들이지 못한다.
② 중립적인 입장을 취하지 못하고 희생하는 면이 부족하다.
③ 중심을 잡지 못하고 목적이 불분명하며 유동적이다.

시주	일주	월주	년주
己	己	戊	壬
未	巳	申	戌
木	火	土	金	水
0	1	5	1	1

土 오행이 지나치게 많아 金이 묻히고 고집스럽고 답답하며 완고하다. 土가 많으면 水를 극하여 水는 지혜를 의미하니 水가 손상이 된다. 土를

2. 사주기본통변으로 보는 법

제어하는 木이 없고 설기하는 金도 합으로 묶여 약하다.

[상생상극(相生相克)의 중요성]

사주 명식을 보고 오행의 개수가 몇 개가 되느냐에 따라서 중화, 태과. 無로 설명하고 있지만 이것은 가장 기본적인 내용이고, 실제 木火土金水의 상생상극에 따라 개수와 상관없이 오행의 성향은 또 달라진다. 예를 들어 木이 태과해도 木이 金에 의해서 제극(制剋)을 받고 있느냐, 火로 生을 하느냐에 따라 木의 태과의 성향을 가감해야 한다.

또한 木이 없을 때 木을 生 하는 水가 없거나 극하는 金의 기운이 많으면 확실하게 木이 없는 성향이 강하게 나타난다. 이처럼 오행의 상생상극에 따라 달라질 수 있으니 강약을 분석해야 한다. 처음에는 사주팔자 8글자 오행 개수를 보고 판단하지만, 해당 오행이 태과 하거나 없을 때도 다른 오행과 상생상극을 분석해 보아야 한다. 그만큼 오행의 상생상극에 따라 차이가 나는 경우가 많다. 따라서 오행 木火土金水 순서대로 상생상극으로 오행의 강약을 보는 습관을 길러야 한다.

4. 金

金의 기운은 결집력과 강건함을 의미한다. 가을에 곡식과 과일이 단단하게 결실을 맺게 되는 것이 金의 기운을 받고 있기 때문이다. 金의 기운을 받고 있는 사람이라면 결단력, 의리, 강한 집중력, 냉정하고 이성적인 특성을 보이게 된다. 金 기운은 결과적 마무리를 중시하는데 金 기운이 부족하면 성격이 우유부단한 사람이 될 수 있다.

27

그러나 너무 金氣가 강하면 유연성이 부족하기도 하다. 金은 계절적으로는 가을을 의미하고 인생의 중·장년기에 해당하므로 중후하고 무게감은 있으나 고집을 가지고 있다. 또한 가슴 속에 한 번 기억한 것을 쉽게 지워지지 않는 것도 金의 영향력이 있기 때문이다.

金 기운은 한없이 흩어진 火의 발산하는 기운을 무력으로 막아내야 하므로 강제하고 억압하는 성격이 나타난다. 金 오행 기운은 엄격하고 원리원칙이면서 칼과 같으므로 결단력이 강하고 일 처리에 있어 마무리를 잘하며 바위처럼 순박한 면이 있어서 눈물과 정이 의외로 많고 의협심이 강하여 의리를 잘 지킨다.

또한 완숙한 면이 있어 성정이 침착하며 매사를 심사숙고하여 신중하게 처리하는 노련함이 돋보인다. 이러한 사람의 단점으로는 보석과 같이 뽐내기 좋아하고 칼날처럼 날카로워서 너무 깐깐하게 구는 면이 있다. 또한 金 오행은 쇠나 돌처럼 단단하므로 고집이 강하며 강인하고 차가운 인상을 풍기게 되는데 순발력이나 융통성이 부족하여 무모하고 만용을 부리는 것이 단점이라 할 수 있다.

그러나 金이 중화를 이루면 결단력과 의리를 따지고 담백하고 깔끔한 성격이다. 엄격하고 원리원칙을 따지며 마무리를 잘한다. 침착하고 신중하며 이지적이고 합리적인 성격이다.

金이 태과한다면 살기를 지니고 결단성. 과감성이 강하고 권모술수를 잘

한다. 차갑고 쟁투를 즐기며 욕심이 많아 손해 보는 일을 안 한다. 고집스럽고 독불장군식이며 시시비비를 따지니 유연성이 부족하다. 金이 없다면 노력에 비해 결과물이 적고 일관성이 부족하고 결단력이 약해 일 처리가 용두사미이다. 오히려 의지력이 약하고 우유부단하다.

4-1. 金 多 (태과)

① 유연성이 떨어지고 융통성 부족하며 기질이 강하다.
② 가슴에 새겨두는 신념이 있고 냉철한 자기 절제력과 단호한 결정을 할 수 있다.
③ 살기가 있고 결단성. 과감성이 있으며 권모술수. 쟁투. 고집이 있고 독불장군 식이다.
④ 뒤끝이 있고. 깡다구가 있다.

4-2. 金 無 (없다)

① 우유부단하여 용두사미이고 결단력이 부족하며 노력에 비해 결과물이 적다.
② 가슴에 새겨두고 잊지 않는 기억이나 확고한 신념 등이 부족하다.
③ 인색하고 의지력이 약하다.

시주	일주	월주	년주
乙	庚	壬	甲
酉	戌	申	辰

木	火	土	金	水
2	0	2	3	1

사주에 金이 많으면 차갑고 고집스럽고 지나친 자기주장과 자신이 제일 주의 성향이 강해 남들과 불화하기 쉽다. 매사 적극적이고 용감하게 밀어 붙이는 경향이 있으나 화끈하고 용맹하고 거칠고 무모하고 폭력적인 자신의 성정을 잘 다스려 마음의 평정을 찾는 것이 중요하다. 명식에 火가 없으니 적극적으로 표현하는 활동성은 조금 떨어진다.

5. 水

水의 기운은 응고·응축의 의미를 가지고 있다. 모든 생명체는 물에서 생성되고 그 생명의 씨앗을 물속에 저장하고 있다. 따라서 水의 기운을 받은 사람은 지혜롭고 생각이 깊으며 사고의 유연성을 가지는 특성을 가지게 된다. 또한 포용력과 자기의 감정을 절제하는 균형감각과 이성적인 면이 강하다. 반면에 물처럼 차갑고 냉정한 심리 구조를 가지기도 한다.

水는 인생의 노년기에 해당하니 지혜롭고 이성적인 모습을 보이지만 노인의 옹고집을 의미하는 일방통행적인 사고와 행동을 보이기도 한다. 水의 기운을 타고난 사람은 무언가를 보면 작게 축소 시키고 감추고 저장하는 능력이 뛰어나다. 따라서 水 오행의 특성은 물욕에 집착하며 저장, 보관, 수집 등을 좋아하게 되고 언제나 생각이 많아 궁리를 많이 하는 편이 된다. 작은 공간 속에서도 많은 유전정보를 담는 능력이 있으므로 두뇌 회전이 아주 뛰어나다.

실제로 水는 지혜(智)를 상징하는데 水의 기운을 타고난 사람은 두뇌가 명석한 편이고 꾀도 많다. 또 물은 높은 곳에서 낮은 곳으로 흘러다니기를 좋아하는데 물은 한곳에 있어 고이면 썩기 때문에 항상 움직이는 것을 좋아한다.

이러한 성질로 인하여 水의 기운을 타고난 사람들은 변화를 좋아하고 한곳에서 뭉치는 것을 좋아하여 단결력도 뛰어나다. 그리고 물은 흘러가다가 장애물이 생기면 곧바로 돌아가는 지혜를 가지고 있는데 이것은 사람에게 풍부한 융통성과 포용력, 임기응변의 자질을 갖게 하고 타협하는 성품이 뛰어나다.

水의 기운을 타고난 사람의 단점이라고 한다면 깊은 물을 닮은 사람은 속을 알 수 없는 물처럼 음흉하게 보일 우려가 있으며 얕은 물을 닮은 사람은 잔꾀를 잘 쓰는 편이라 하겠고 또한 굽이치는 물처럼 인생에 굴곡과 풍파가 많고 어디든지 흘러 다니므로 변화가 심하여 일관성이 없는 것이 단점이다

水가 중화를 이루면 유연성 있게 화합하는 성향이 있고 저장하고 보관하는 기질이 있다. 유연한 사고력으로 총명하고 생각이 깊고 지혜로우며 시비를 분명히 가리며 속이 깊다. 水가 많아 태과한다면 모사가 있거나 변심을 잘하고 불안정하여 떠돌아다닌다. 경박하게 행동하고 권모술수에 능하다. 변화가 심하여 일관성이 없고 속을 알 수 없으나 음흉하다.

水가 없다면 융통성이 없거나 지혜가 약하며 고지식하여 유연성이 떨어진다. 주변 상황에 적응력이 약하니 매사 막히는 일이 많다. 지속성. 연속

성이 떨어지고 마무리가 약하다.

5-1. 水 多 (태과)

① 차갑고 냉정한 심리이며 유연성이 있고 균형감이 있지만 옹고집이 있다.

② 자신의 감정을 다스리는 이성적 평정심과 주어진 여건을 받아들이는 수용성이 있다.

5-2. 水 無 (없다)

① 융통성이 없고 지혜가 약하며 고지식하고 유연성이 떨어진다.

② 유연하게 대처하거나 자신의 감정을 조절하고 누를 수 있는 면이 부족하다.

③ 지속성이나 연속성이 부족하고 감정억제가 어렵고 조급하다.

시주	일주	월주	년주
乙	甲	壬	壬
丑	申	子	子
木	火	土	金	水
2	0	1	1	4

뿌리가 약한 木은 이리저리 불안정하게 떠돌아다니는 형상이다. 물은 유연하고 부드럽게 흘러야 하는데 경직되고 융통성이 결여되어 있으니 자신을 잘 다스려야 한다. 사주에 火가 없으니 소극적이고 시작하면 폭발적으로 뻗어나가야 하는데 그렇지 못하므로 사회적 진출이나 성취가 늦어지기도 한다.

시주	일주	월주	년주
丁	丙	乙	己
亥	子	亥	亥
木	火	土	金	水
1	2	1	0	4

亥월의 丙火 일간이 지지에 물바다를 이루었고 乙木은 물 위에 떠 있고 己土는 물속에 유실되었다. 불안정하고 변덕이 심하다.

3. 월지(月支) 계절별 오행의 성향

월지(月支)는 태어난 月로 크게 사계절에 따라 판단할 수 있다.

음력 1. 2. 3월생(봄)은 성향이 어떠한가?

음력 4. 5. 6월생(여름)은 성향이 어떠한가?

음력 7. 8. 9월생(가을)은 성향이 어떠한가?

음력 10. 11. 12월생(겨울)은 성향이 어떠한가?

1. 봄은 寅卯辰월으로 木의 성향이 나타난다.

木은 위로 뻗어나가려는 기질이 강하다. 꿈과 이상을 위해서 늘 미래지향적이고 새로운 것을 개척하기 위해서 동분서주 노력을 하며 목표를 향해서 추진하는 성질이 강하다. 그래서 청소년 시기에 이러한 성향이 많이 나타난다. 또한 木은 오행 중 유일하게 생명체가 되니 木은 길러내고 창조하는 것인데 직업으로 유추하면 교육. 기획. 디자인. 출판 등 새롭게 창조하는 성분과 인연이 많다.

2. 여름은 巳午未월으로 火의 성향이 나타난다.

木이 수직 상승으로 뻗어가는데 火는 강한 양기를 펼치고 드러내고 벌어지고 화려하게 발산하려는 기질이 강하다. 陽이 최고조에 달하는 상태가 午월인데 이때부터 땅속에서는 음(陰) 기운이 나오기 시작한다. 그래서 木火가 양(陽) 기운 중에서 오히려 木이 火보다 더 고집이나 집념이 더 강하다.

火는 처음에는 불같이 폭발하지만 뒤 끝이 없다. 이것을 다른 측면으로 비유한다면 화려한 것은 그 생명력이 짧을 수 있다는 말과 같다. 火는 청년 시기로 가장 열정을 나타내는 시기이다. 그러므로 火의 성향은 활동적이고 표현력이 좋고 열정이 많다. 그러면 직업적으로 드러내고 뽐내고 활동적인 직업이 무엇일까? 언론. 연예. 방송. 정치. 홍보. 마케팅. 미용 등이다.

3. 가을은 申酉戌월으로 金의 성향이 나타난다.

가을은 결실을 거두는 수렴작용으로 단단한 열매 모양이 金을 의미한다. 가을은 서늘한 기운이 나타나고 인생으로 치면 중년의 시기이다. 이 시기는 가족의 가장으로서 책임감과 이성적 판단과 행동하지 않으면 안 되는 시기이다.

따라서 金의 성향은 매우 냉정하고 예리한 칼 같은 마음을 가지고 있어

아주 섬세함과 합리적인 성향이 아주 강하다. 그러니 과정보다는 결과를 중시하고 현실적인 실속을 따진다. 그러면 金을 직업적으로 유추해 보면 정밀기기. 반도체. 의료 관련. 보석 등 아주 섬세함이 필요한 직업이나 金을 철이나 금속 분야. 금융 분야 등과 인연이 많다.

4. 겨울은 亥子丑월으로 水의 성향이 나타난다.

겨울은 한기(寒氣)로서 봄이 오기 전까지 갈무리하고 저장하는 것을 의미한다. 인생으로 치면 노년의 시기이다. 노인의 인생은 육체적 활동보다는 뛰어난 지혜로 살아가는 것이 노인의 인생이다. 水는 물을 의미하고 물은 단순한 마시는 물이 아니라 지혜를 의미한다.

지혜는 정신세계가 발달하여 종교나 철학과도 인연이 있고 보이지 않는 미지의 세계 이상적 가치관에 관심이 많다. 水는 정적이며 고요하고 소극적이며 밖으로 드러나기보다는 안으로 숨기려는 기상이 강하고 조용하다. 따라서 水를 직업으로 유추하면 연구. 기획. 무역, 물류. 음악. 유흥. 수산업 등이다.

그렇다면 계절별로는 양(木火) 음(金水) 오행으로 성향을 알 수 있지만 土는 사계절에 모두 들어가 있고 木火土金水 오행에 있어 木火 양 기운과 金水 음 기운 사이 중간에 자리 잡고 있어 음과 양을 서로 조정해 주는 중간자 역할을 한다.

따라서 土의 성향은 한쪽으로 치우치지 않고 남의 이야기를 잘 들어주며 화합에 능하며 중립적인 입장을 늘 취하여 자신의 의견을 잘 내세우지 않는다. 그러나 남의 이야기는 잘 들어주나 늘 자신의 모양을 바꾸지 않고 지키려는 것이 土의 성향이다._이런 土의 직업을 유추해 보면 감리. 감독. 중개. 비서. 건축. 부동산 등과 인연이 있다.

4. 대운(大運) 계절별 해석

1. 대운의 방향이 순행(順行)이냐 역행(逆行)이냐 판단한다.

대운이 순행으로 흐르면 과거에 크게 연연해하지 않아 과거 정리를 잘하는 경향이 많다. 대운이 역행으로 흐르면 과거에 크게 연연해하여 과거 정리를 잘 하지 못한다. 항상 과거를 뒤돌아보고 과거에 일어났던 일들을 추억한다.

2. 봄(寅卯辰). 여름(巳午未). 가을(申酉戌). 겨울(亥子丑)

[寅卯辰 대운]

寅卯辰은 봄이고 유년기라 꿈과 희망을 갖고 미래 지향적이다. 봄이라 철이 없어지고 새롭게 시작한다. 나이가 어린 소년, 소녀들처럼 공상이 많아지게 된다. 새로운 것을 찾으려고 하고 철부지 같은 행동을 많이 하게 되는 경향이 있다.

[巳午未 대운]

巳午未는 여름이고 청년기라 열정과 행동력이 강해지는 시기이다. 운이 여름으로 가면 성격이 강해지고 활발해진다. 집에 있으려 하지 않는다. 자연히 문밖의 출입이 많아지게 되니 외국에도 많이 나가게 된다. 자신감이 넘쳐서 일은 추진하나 책임감은 떨어지는 경향도 있다.

[申酉戌 대운]

申酉戌은 가을이고 중년기라 결과를 중시하고 안정을 추구한다. 운이 가을로 흐르면 물질에 대한 관심이 많아지고 현실적으로 변하는 기성세대이다. 목표를 돈에 두는 경우도 많아진다. 가정에 대한 애착도 많아진다. 미혼인 경우는 가을은 철(鐵)이라 결혼에 대한 관심이 높아진다. 크게 변화를 싫어하면서 안정을 찾고 싶어 한다.

[亥子丑 대운]

亥子丑은 겨울이고 노년기라 변화를 싫어하며 행동하지 않는다. 운이 겨울로 흐르면 노인들과 같은 성격으로 변하는 경우가 많다. 집에 일찍 들어가기를 바라고 모든 것이 귀찮아져서 움직이기가 싫어지게 되고 큰 변화를 주지 않으려고 한다. 우울증에 걸리기 쉬우며 공상을 많이 하게 된다. 과거를 회상하면서 지나간 것에 관심을 둔다. 겨울은 봄으로 가는 길목이다. 봄을 기다리는 마음으로 희망을 품고 산다. 대운이 亥子丑으로 흐르면 이혼도 쉽게 되지 않는다. 과거와 주위를 돌아본다. 그동안 이루어 놓았던 모든 것들과 이별을 할 수가 있어서 쉽게 결정을 못 내린다.

3. 초년 亥子丑대운 -> 중년 寅卯辰대운

대운이 어릴 적에는 亥子丑으로 흘렀다면 어릴 적에는 어른스러웠고 현실적인 성격이고 결혼을 일찍 하려는 마음이 있다. 돈에 일찍부터 관심이 많다. 40대부터는 寅卯辰으로 유년기의 대운이 온다면 보수적인 성격이 점차 바뀐다. 나이가 어린 소녀처럼 마음이 들뜨고 안정을 찾지 못한다. 외출이 잦아지고 혼자서 누구를 짝사랑하고 그리워한다. 이런 상황이 계속되면 결국 이혼을 하게 된다.

4. 초년 寅卯辰대운 -> 중년 亥子丑대운

대운이 봄에서 겨울로 흘러가면 여름하고 가을을 겪지 못한다. 어린애가 바로 어른이 된 것처럼 항상 무엇인가 부족하면서 찜찜하다. 그러면서도 큰 변화를 주지는 않으려고 한다. 노년기 운이 오면 노인들의 행동이 굼뜨는 것처럼 마음은 먹는데 행동이 잘 안 따른다.

5. 대운이 바뀌는 말: 辰戌丑未대운
   대운이 바뀌는 초: 寅申巳亥대운

대운이 바뀌는 시기에 이혼을 많이 한다. 丑 대운 말이나 寅 대운초에 이혼하고 미혼인 경우는 결혼을 많이 한다. 겨울에 얼었던 땅이 봄, 여름 대운을 만나면 새싹들이 나오는 형상이 되어 연하 남자들이 많이 따른다. 木.土.水일주가 겨울에 태어나 대운이 寅卯辰, 巳午未로 간다면 항상 희망을 품고 산다. 농사를 짓는 사람들이 봄날에 씨를 뿌려놓고 가을에 추수하는 때를 기다리는 것처럼 때를 기다린다.

6. 대운 천간 여름(丙丁火) 대운 지지 가을(申酉戌)

대운의 천간은 丙丁火 여름의 운이며 지지는 申酉金으로 가을의 운이다. 남들이 볼 때는 밖에서 활동을 잘하고 사람들과 잘 어울리는 것 같지만 자신은 일찍 집으로 들어가 쉬고 싶고 안정을 추구하려고 한다.

7. 사주 원국 계절과 대운 계절 응용 통변

예를 들어 丙火가 봄에 태어나면 활동적이다. 그러나 대운이 역행으로 겨울로 흘러간다면 어린 丙火가 나이를 먹는 丙火로 변한다. 대운이 이러하면 어려서부터 철이 든다. 일찍 결혼을 하나 丙火가 원하는 봄, 여름을 만나지 못하면 항상 뒤를 돌아보곤 한다. 결혼을 일찍 하나 결국은 실패할 수 있다고 추리할 수 있다.

★ 사주통변 달인 되기 위한 10가지 팁

실전 상담을 잘하기 위해서는 우선 처음에는 상담순서 매뉴얼이 중요하다. 상담 경험이 풍부해지고 사주 간명에 자신이 생기면 사주 핵심 파악을 할 수 있으며 자유자재로 상담이 가능해진다.

---

1. 상담순서 매뉴얼을 작성한다. (예: 성격. 직업. 애정....)

2. 본인 수준에 맞게 운세별 답안을 작성한다.(운세별 프로그램)

3. 처음에는 간단하게 답안을 작성하고 점차적으로 확장시켜 나간다.

4. 간명지에 상담 통변을 손으로 직접 기입하여 연습한다.

5. 간명지에 사주 명식만 보고 상담 통변을 녹음하여 연습을 한다.

6, 유튜브 영상을 비공개 처리하여 자신의 모습과 음성을 모니터링 하면서 연습한다.

7. 운세별 한 분야를 특화시켜 홍보해야 한다.(예: 합격운.애정운.매매운 도사 등)

8. 일간별 寅월~丑월생 120개 분류. 고객상담노트를 작성하여 고객 관리한다.

9. 연령별로 고객 질문 매뉴얼을 구체적으로 작성한다.

10. 역학 이론을 평생 다 배울 수 없으니 본인 수준에 맞는 이론을 가지고 임상하여 비교. 검증. 통계를 내어 확신 있게 상담해야 고객이 반응한다.

사주 진로 적성 분석

3

십천간(十天干)의 특성

3] 십천간(十天干)의 특성

타고난 사주팔자로 진로 적성을 분석하기 위해서는 음양오행의 유무에 따른 성정, 천간, 지지, 십성의 특징과 구조 등을 파악하여 자신의 사주팔자 속에 나타난 심리적 분석을 통하여 진로를 결정하고 진학 선택 및 직업을 유추해 내는 데 목적이 있다.

사주 기본 핵심이 되는 내용이기 때문에 단순한 이해보다는 반복 숙달하여 완전히 체득하시길 바란다. 오행론(五行論)에 이어 천간 10개(甲乙丙丁戊己庚辛壬癸)의 특성인 천간론을 공부해 보고자 한다.

1. 갑목(甲木)의 특성

1. 활동적이고 호기심 많아 창의력이 있다.
2. 미래지향적이고 1등 기질이 있다.
3. 아이 같은 마음(착하고 순수)
4. 교육자적 기질, 논리적. 강의 잘함
5. 용두사미(뒷정리 못함)
6. 자존심이 강하여 꺾이지 않는다.
7. 새로운 환경 적응력이 약하다.

2. 을목(乙木)의 특성

1. 생동감이 있고, 실속형이다.

2. 현실적이며 이해타산에 민감하다.

3. 환경 적응력이 뛰어나다.

4. 강인한 생명력

5. 은근히 잘난척한다.

6. 성실하지만 까칠하다.

7. 강박 관념이 강하다(경쟁심, 오기)

3. 병화(丙火)의 특성

1. 열정적이고 급하고 직선적이다.

2. 자신이 최고다.

3. 옳고 그름을 따진다.

4. 솔직담백하고 의협심이 강하다.

5. 용두사미로 뒷심이 부족하다.

6. 다혈질이지만 뒤끝이 없다.

7. 겉은 화려하고 밝지만 내면은 예민하다.

4. 정화(丁火)의 특성

1. 따뜻한 성품

2. 사교적. 열정적이다.

3. 남을 먼저 배려한다.

4. 건드리면 폭발한다.

5. 정이 많고 다정다감하다.

6. 직감, 영감. 예감이 빠르다.

7. 고소공포증

8. 겉과 달리 내면은 강인하다.

5. 무토(戊土)의 특성

1. 무던하고 변함없다.

2. 신용, 중간역할 잘한다.

3. 입이 무겁고 보수적이다.

4. 신뢰성과 희생정신이 있다.

5. 사색적, 염색적, 종교적 성향이다.

6. 융통성 부족, 우직, 중립적이다.

7. 아집, 독선, 고독하고 자기 세계에 빠져 있다.

8. 남과 다툼이 많다.

9. 비사교적이고 남의 사생활을 침해 안한다.

6. 기토(己土)의 특성

1. 포용력, 자애로움. 정이 많다.

2. 내성적, 수동적. 현실적, 성실함

3. 이해타산적, 속을 알 수 없다. (겉과 다름)

4. 우유부단, 개성 부족. 자기 보호본능 발달

5. 기록, 교정, 기획, 편집이 좋다.

6. 법으로 해결, 교육, 시간 약속을 잘 지킨다.

7. 경금(庚金)의 특성

1. 강직. 소신. 의리. 이성적. 냉철하다.
2. 신념이 강하고 자신만만하다.
3. 의협심. 충성심, 희생정신이 있다.
4. 추진력, 조급. 난폭하다.
5. 유연성 부족하여 고집이 세다.
6. 설득이 어렵고 독선적 기질이 있다.
7. 반복이 많이 해야 기억이 난다.

8. 신금(辛金)의 특성

1. 야무지다. 폼생폼사형이다.
2. 자기 스타일을 유지한다.
3. 치밀하고 냉정하다.
4. 깡이 있고 소신 강하다.
5. 뒤끝이 있고 강박관념이 있다.
6. 칭찬을 해주어야 한다.
7. 까다롭고 결벽증이 있다.
8. 신비스러운 것을 좋아한다.

9. 임수(壬水)의 특성

1. 유연하고 대범한 성품이다.
2. 창의력. 이성적이고 지혜롭다.

3. 고요하면서 활발히 움직인다.

4. 균형감이 있어 받아들이는 포용력이 있다.

5. 옹고집. 일방통행적 사고나 행동을 한다.

6. 겉은 차분하고 이성적이지만 속은 갈등. 고민한다.

7. 박학다식. 역마성 기질. 해외여행. 적극적. 외향적

10. 계수(癸水)의 특성

1. 명랑사교형이고 외유내강형이다.

2. 응집력이 있어 대인관계가 좋다.

3. 어떤 상황에서도 바로 적응한다.

4. 행동양식은 약하나 소신은 강하다.

5. 속을 알 수 없다.

6. 신앙심, 교육, 비밀 후원을 한다.

7. 질투심, 욕심이 많다.

Tip. 출산 택일을 함부로 해서는 안된다

택일의 종류는 결혼. 이사. 개업. 출산 택일 등이 있다. 해마다 발행하는 책력에 나오는 일반적인 택일법이 있고 본인의 사주팔자를 보고 길흉을 판단하여 보는 택일법이 있다. 또한 일반적인 택일법은 사주 프로그램 중에 택일을 잡는 내용이 자세히 나와 있다. 여기서 주의해야 할 택일은 출산 택일이다. 제왕절개로 출산해야 하는 산모들은 출산 택일하려고 철학관에 간다. 대부분 출산 택일 비용이 만만치 않다.

태아는 부모의 유전인자와 모친의 10개월 동안 태교에 의해서 사주팔자의 기질이 형성되고 집안의 공덕이 있으면 기대되는 자식이 출생한다고 본다. 비용을 들여 출산 택일을 잘한다고 훌륭한 자식이 태어난다고 생각하면 참으로 어리석은 부모이다.

역술인이 신생아 택일을 함부로 잡아 출생 후 문제가 생기면 평생 원망을 받게 된다. 설상 택일을 잡아주어도 한날한시에 태어나지 못하는 경우도 많다. 부부 사이가 원만하지 않아 갈등 속에서 아이를 출산하면 그 아이는 그대로 부모를 닮고 태어난다고 한다.

부모의 마음가짐이 올바르고 태아에게 안정을 주면서 부모에게 효도하면 굳이 택일을 안 해도 훌륭하고 건강한 자식을 출산할 수 있다고 생각한다. 출산 택일을 잘못하여 역술인을 원망하는 분을 뵌 적이 있다. 평생 후회하는 우를 범하지 마시고 또한 함부로 출산 택일을 권유하신 일부 역술인도 스스로 자만과 오만에서 벗어나시길 바란다.

사주 진로 적성 분석

4

십신론(十神論)의 이해

1) 십신(十神)의 특성

1. 비견론　　2. 겁재론

3. 식신론　　4. 상관론

5. 편재론　　6. 정재론

7. 편관론　　8. 정관론

9. 편인론　　10. 정인론

4] 십신론(十神論)의 이해

십성론(十性論) = 십신론(十身論)

나를 기준으로 음양 생극의 개념에 따라 10개 기운으로 구성 되는 것을 십신(十身)이라고 하는데 최근에는 십신을 이해하기 쉽게 십성(十性)이라고 하여 10개의 성질(성향)을 구분하기도 한다.

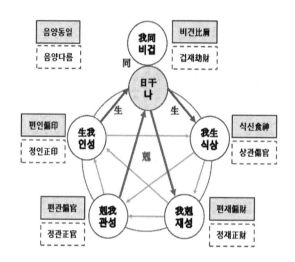

[참고사항]

여명(필자)의 사주진로적성분석 공부 순서를 크게 5가지로 구분해 보면

1. 음양오행론

2. 천간론

3, 십신론

4. 육십갑자론

5, 십성 조합론으로 형성되어 있다.

사주명리학의 가장 핵심적인 골격이다. 사주팔자. 대.세운 6주 12자의 간지(干支) 배합인 육십갑자(六十甲子)를 통하여 진로 적성을 파악하는데 자신에게 맞는 학과, 업종, 대인관계 등을 분석하는 것이다. 이번 장에는 십신(십성)론으로 10개 십신의 특성을 먼저 다루고 십신의 태과(지나칠게 많을 때)와 無(없을 때)의 특성에 대해서 설명하고자 한다.

1) 십신(十神)의 특성

십신 즉. 십성(十性)은 10가지의 성질을 분석한다는 의미로 기존의 십성(十星). 십신(十神). 육친(六親)론을 개인적인 심리 구조로 연계한다는 점에서 차이가 난다. 십성의 심리 구조는 자신의 타고난 기질과 성향을 주로 파악한다는 것이다. 그러나 기존의 사주 구조 파악과는 별 차이가 없으며 단지 여러 복잡한 사주 이론을 대입하지 않고 음양오행과 십성의 특성과 구조를 통하여 분석하는 것이다.

사주 진로 적성분석이 기존의 사주명리학과 큰 차이가 있는 것이 아니고 단지 운세 길흉의 판단과 육친. 건강. 재물 등은 고려하지 않고 주로 진로 적성을 통하여 전공과 직업 판단하는 데 그 목적이 있다. 그리고 심리 분석을 하는데 제일 먼저 일주의 특성을 고려하고 월지의 계절적 특성을 파악하지만 경우에 따라서는 지지에서 천간으로 투출하는 가장 강한 오행이 그 사람의 대표적인 성향으로 나오는 경우가 있으니 그 변화성을 잘 판단해야 한다.

월간이나 시간, 월지, 일지의 오행의 십성을 가지고 고정된 심리 특성를 파악해서는 안 된다. 가령 월지를 사회궁으로 보고 일지를 가정궁으로 판단하며 월간을 표현궁이나 시간을 수용궁으로 고정하여 바라보는 자세는 참고는 하지만 항상 변화된 십성 오행에서 표현하는 식상의 강약과 수용하는 인성의 강약을 먼저 판단하는 것이 중요하다.

또한 오행에서도 받아들이고 수용하는 음적인 金水 기운과 표현하고 발산하는 양적인 木火 기운으로도 판단하고 또한 천간의 오행 특성에 따라서도 더 세부적으로 판단해야 한다. 그만큼 심리분석은 세밀한 판단이 요구되기 때문에 입체적 분석이 필요한 것이다. 이번 시간에는 십성의 심리적 특성을 좀 더 세밀하게 판단해 보기로 하자.

1. 비견론(比肩論)

비견(比肩)은 나(일간)와 음양이 동일한 오행이라 나라는 생각이 강하게 작용하는 주체성이 된다. 자신감과 자존심이 있는 것으로 자신이 힘이 있다는 것이다. 따라서 살아가면서 고난이 왔을 때 비견이 있으면 역경을 이겨내는 힘을 가지고 있다. 그러나 비견이 많은 경우라면 자신의 힘이 강하여 오히려 고집스러움과 성급하고 감정조절이 안 되어 융통성이 떨어지는 단점이 있다.

모든 십성의 특징은 십성의 有無 강약에 따라 장단점이 있으니 이점 유념해야 한다. 다시 비견이 사주팔자에 있다는 것은 나와 동일한 오행이 하나 더 있는 것이니 믿을 수 있는 상대가 생기니 스스로 강하다고 느끼고 남에게 약한 모습을 보이지 않는다. 이렇게 비견(比肩)은 자존심이 강하니 남의 간섭을 받아들이지 못하며 굴복하는 것을 힘들어한다.

비견이 강하면 강할수록 독선과 오만으로 흐르는 단점도 있지만 겁이 없고 일을 두려워하지 않으며 업무처리 능력이 잘하는 장점도 있다. 비견은 남에게 의지하지 않고 스스로 해결하는 것이고 솔직 담백한 성격으로 하는 일이 분명하고 매사에 공정하다.

비견이 적당하면 오만하지 않고 나대지도 않으며 자기 주관이 확실하다. 여기서 비견을 심리적인 면으로 본다면 자기주장을 내세우지 않는 내성적인 성향인 사람은 내면은 오히려 자신의 주체성이 강하다. 따라서 실전상담에서 자녀가 비견이 강한 명식을 보고 외향적인 성향이라고 하면 틀렸다고 말하곤 한다.

오히려 자기 자식은 내성적인 성향이라고 한다. 그러나 어느 순간에 내면의 주체성이 폭발하여 겉으로 표현하기도 한다. 내성적인 자식이 '나 간섭하지 마'하고 부모에게 반응하여 놀라게 하는 것이다. 십성에서 일간과 음양이 동일한 오행인 비견과 음양이 다른 겁재(劫財)가 있는데 이렇게 음양이 같은 것은 직선적이고 감정적이고 즉흥적인 면이 있지만 그러나 겉과 속이 다르지 않고 단순하고 솔직하여 잔머리를 굴리지 않는다.

그러나 겁재는 상황에 따라 겉과 속이 다르게 표현하는 경우가 있으니 비견은 융통성이 없다고 할 수가 있으며 겁재는 융통성이 있다고 할 수 있다. 이렇게 음양이 동일한 경우는 한쪽으로 치우치고 음양이 다르면 양쪽을 다 생각한다는 것이다. 비견은 자기의 생각이 강하여 타인에게 표현하는 성분이 약하고 주체성이 강해 내 방식대로 해야 하는데 남에게 무조건 자신이 따르지 않는다. 비견(比肩)은 일간과 오행은 물론 음양도 같은 것으로 형제·자매·친구와 같이 가장 가깝고 잘 이해하는 관계로서 같은 직장의 동료나 선·후배 등을 의미한다.

비견의 또 다른 성향은 드문 경우이지만 앞의 내용과 정반대되는 성향으로 대인관계나 조직 내에서 항상 필요한 사람으로 남과 협력할 줄 아는 스타일로 자기주장을 관철하려는 마음이 강하다 보니 자연히 공공심리(公共心理)에 따라 움직이면서도 항상 공사(公私)를 철저하게 분별하여 자기 자신의 사리사욕은 털끝만큼도 챙기지 않는 솔직 담백한 특성이 있다.

따라서 비견(比肩)은 때로는 너무 솔직하게 입바른 소리를 잘하거나 윗사람에게 아부와 아양을 떨지 못하여 흠이 되기는 하나 허황한 생각이나 분수에 넘치는 생활을 하지 않는 깔끔한 성격으로 자기의 잘못은 자기가 책임지는 특성이 있고 또 자기와 맞는 사람에게는 어떤 희생과 봉사도 아끼지 않고 잘해 주나 만약에 자기의 의견과 판단에 위배되는 사람에게는 인정사정 보지 않고 절교도 서슴지 않는 매서운 일면을 가지고 있는 것도 이 타입의 특성이다.

비견은 자존심과 책임감, 주체성, 자신감, 독립성이 강하다. 비견이 약하면 이러한 특성이 약화되니 주관성이 결여, 인내력 약화, 소극적 행동, 우유부단한 성향이 된다. 비견이 강하면 독립적이고 경쟁성이 강한 심리로 안정된 환경보다는 모험과 무모한 추진력으로 주변 사람들을 힘들게 한다.

비견(比肩)의 두 가지 타입 중에서 어디에 속하는가를 판단하는 것은 월
지의 비견을 가지고 보는데 이때에는 사주에 비견이 왕하게 짜여져 있는
지와 약한지를 참고하며 비견의 왕한 기운을 제어해주는 관성이 있는가와
비견의 기운을 적절하게 사용할 수 있도록 잘 설기시켜 주는 식신과 상
관이 있는가를 두루 살펴야 한다. 비견이 강하면 자신감이 넘치니 타협을
안하고 강한 추진력으로 승부수를 던지는 데 실패를 두려워하지 않는다.

★ 비견(比肩)의 심리

[긍정적 심리]

1. 자존심과 추진력이 강하다.

2. 자신감이 있고 주관이 뚜렷하며 사리사욕이 없다.

3. 불의와는 타협하기 싫어하고 솔직담백하다.

4. 주어진 일에 대해 책임을 완수한다.

5. 입바른 말을 잘하고 아부하는 것을 싫어한다.

[부정적 심리]

1. 자존심이 강해 시비와 투쟁을 참지 못한다.

2. 간섭을 매우 싫어하고 충고나 권유를 무시한다.

3. 매사에 걱정, 근심이 많고 감정의 기복이 심하다.

4. 참을성이 없고 조급하여 즉흥적이고 실수를 잘한다.

5. 의심이 많아서 잘 믿지 않는 성격이다.

6. 혼자 독식하려는 성향이다.

7. 비겁이 많으면 자기중심적이며 고집이 세다.

2. 겁재론(劫財論)

겁재(劫財)는 일간과 음양이 다른 동일한 오행을 말한다. 일간과 같은 오행이란 측면에서는 비견과 같지만, 합리적이고 타협심과 경쟁심리가 강한 점에서 비견과 차별이 된다. 겁재는 매사에 상황판단이 빠르고 이성적 판단하는 심리가 나타난다. 비견은 자기 생각에 어긋나면 강력하게 반대하지만 겁재는 속으로 인정하기 싫더라도 자신의 현재의 실리를 위해서는 상대를 인정하고 한발 물러서는 속성을 보이게 된다. 따라서 비견은 한 가지 마음이라면 겁재는 두 가지 마음이 존재한다.

비견은 자신의 판단에 의해 다른 사람의 의견을 수용하게 되면 상대를 의견에 따르지만 그러나 겁재는 겉으로는 수용하지만, 속으로는 여전히 상대를 인정하지 않으려는 심리를 가지고 있다. 이런 점이 겁재는 솔직한 면이 부족하고 이중적인 성향을 나타낸다. 학생 명조에 겁재가 있으면 경쟁심이 강해서 식상이 없거나 약한데도 불구하고 학업 성취도가 높은 경우가 많다. 비겁이 많은 경우에도 강한 주체성 때문에 수용력이 약해져서 자기 입장만 고수하는 형태로 되기 때문에 발전이 더딜 수 있다. 그러나 비겁은 명식에 한두 개쯤 있는 것이 추진력이란 면에서도 어느 정도 도움이 된다.

겁재의 기본 성품은 비견과 비슷하다. 비견이나 겁재가 있는 사람은 분배하는 것을 좋아하는데 비견은 공평하게 반반씩 나누는 성향이라면 겁재는 반반씩 나누기는 하는데 속으로는 자신이 좀 더 갖고 싶어 한다. 겁재(劫財)는 재물을 빼앗아 가는 십성이므로 도둑놈에 비유하기도 한다. 따라서 겁재가 있는 사람은 특히 재물에 대한 욕심이 비견보다 강하다.

또한 겁재(劫財)는 계산적이고 이중적인 성향을 띠어 속을 알 수 없고 상황에 따라 자신의 이해타산을 따진다. 때로는 재물이나 이성 문제에 있어서는 양보하기보다는 강한 집착을 보이기도 한다. 집착이 강해지면 교만심과 포악성으로 인해 타인을 배척하며 모든 문제를 자기본위 적으로 해석하는 극단적인 이기심을 나타내기도 한다.

겁재의 성격은 비견과 마찬가지로 자존심이 강하고 고집이 센 것 등으로 비슷한 점이 있으나 비견과 다른 점은 겁재는 자존심을 표면에 노골적으로 나타내는 일이 없고 대인관계도 비교적 원만하다. 비견처럼 노골적으로 자신의 주장을 노출하지도 않고 양보를 해야 할 때는 서슴없이 양보하기도 하여 언뜻 보기에는 비견보다 양보심이 많아 보이기도 하나 근본은 비견과 같이 자존심이 강하고 독선적인데 다만 그것을 표면에 노출시키지 않을 따름이다.

그만큼 집념이 대단히 강한 것이 겁재의 특성이다. 손윗사람이나 강자에게는 얌전하게 순종하는 듯하지만 내심으로는 고개를 숙이지 않고 불만을 가지고 있으며 약자나 손아래에 대해서는 절대로 자기주장을 양보하려 하지 않는다. 그러나 겁재(劫財)의 장점은 한번 올바른 길을 정하고 나아가면 놀랍도록 끈기 있게 밀어붙이는 추진력이 있다.
다시 말해 겁재는 자신의 실리를 추구하기 위해 타협을 하고 한발 물러서지만, 마음속에는 기필코 이기고자 하는 경쟁심이 있다. 비견보다 눈치가 빠르고 매사 냉정하게 판단한다. 강자에는 약하여 비굴할 수 있고 약자에게는 강하여 측은지심으로 대하기도 한다. 자신의 이익을 위해서 상대를 대하는 것이 다르다. 내 생각은 확고하고 다른 사람과 어울려 다니며 산다.

내 생각이 있더라도 저 사람과 어울려 나에게 이익이 된다면 자기 생각을 감추고 그렇게 하는 것이다. 비견은 우선은 자기 고집을 부리지만 겁재는 먼저 생각해 보고 난 후 상대방의 의견이 옳으면 수용한다. 겁재는 이야기하는 도중에 내 의견과 다르더라도 상대방을 배려하며 나에게 이익이 되는가를 따진다.

비견은 이야기 중 싫으면 말이나 아니면 표정으로 나타나지만, 겁재는 속과 겉이 다르므로 알기 힘들다. 따라서 비견은 자기 의견과 다르면 타협하기 힘들지만, 겁재는 타협이 가능하다. 그만큼 계산적이고 실리 추구에 강하다는 것이다.

★ 겁재(劫財)의 심리

[긍정적 심리]

1. 겁재는 자존심이 강하며 성취욕과 추진력이 강하다.
2. 실리 추구를 위하여 타협심이 있다.
3. 앞장서서 행동하기를 좋아하고 독립적인 행동을 한다.
4. 직무에 최선을 다하고 타인과 경쟁력이 강한 성향이다.
5. 주어진 일에 대해 최대한 책임을 완수하려 한다.

6. 부지런하고 고생을 감내하는 능력이 있다.

7. 매사에 상황 판단이 빠르고 이성적 판단을 한다

[부정적 심리]

1. 자존심이 강하므로 타인을 쉽게 무시하는 경향이 있다.

2. 투쟁심이 강하며 한편으로 투기와 요행을 바란다.

3. 이중인격자 기질이 다분하고, 도벽이 강하다.

4. 감정 변덕이 심하고 냉정하고 경쟁심이 강하다.

5. 욕심 때문에 겉과 속이 다른 이중적 성향이 있다.

6. 겁재가 약하면 우유부단하고 소극적 행동이 나온다.

7. 겁재가 강하면 무모한 모험으로 갈등을 초래한다.

8. 집착이 강해지면 교만과 포악성으로 변한다.

9. 자기본위 적으로 해석하는 극단적인 이기심을 나타낸다.

3. 식신론(食神論)

일간 내가 생 하는 십성은 식신(食神)과 상관(傷官)이 있는데 식상(食傷)은 자신의 내면을 밖으로 표현하는 심리 구조이다. 식신(食神)은 일간이 생 해주는 오행 가운데 음양이 같은 것을 말한다. 식신(食神)은 한 가지 일에 몰두하여 연구하고 탐구하려는 성향을 가지게 된다. 즉, 식신(食神)은 상관보다 다소 느리지만 어떤 일이든 파고 들어가서 그 뿌리를 완전하게 파헤쳐 보아야 직성이 풀리는 심리 구조이다.

식신(食神)은 호기심이 강하여 연구하고 궁리하여 독창적인 결과를 창조하며 성급하지 않고 여유로움을 가지고 있어 여유 있게 기다린다. 일간과 음양이 같아 느리고 천천히 온다. 식신(食神)은 한 가지에 깊이 있게 집중력을 발휘하며 특히 손 재능이 발달하여 기술. 연구. 탐구. 음악. 미술. 춤. 스포츠. 몸으로 하는 모든 것. 만드는 것 등 전문가적 직업에 속한다. 식신(食神)이 공부할 때 처음에는 느리나 한번 빠지면 몰입한다.

식신을 한 개쯤 가지고 있는 학생은 스스로 공부하는 모습을 보이지만 환경에 따라서 잡기에 빠질 수도 있다. 그래서 교육하는 환경이 중요하다. 식신은 사람을 사귀면서도 쉽게 친해지지 못하지만, 인연이 맺어지면 오래가며 순수하다. 식신(食神)은 인정이 많고 비계산적이며 한 우물만 파는 완벽 추구하는 성정이다. 정신노동 직업을 선호하며 논리적이고 총명하다. 식신(食神)은 낙천적 여유가 있어 호인이며 온화, 예의 바르고 대인관계가 원만하다. 그러나 식신의 단점으로는 한곳에 집착하는 성향이 있고 융통성이 부족하다.

식신(食神)은 치밀하지도 않고 두뇌 회전도 느린 편이다. 식신은 어떤 문제점을 받게 되면 스스로 곰곰이 궁리를 해보고 나서야 비로소 결론을 내리는데 일단, 결론이 나오기만 하면 다른 사람의 충고도 무시해 버리는 독단적인 성분이 있는 것이 특징이다. 금방 들었던 이야기도 나 자신이 스스로 타당한지 안 한지 생각을 해봐야 한다. 그래서 타당하다고 생각이 들면 이야기할 수가 있는데 시간이 걸린다는 것이다. 남의 것을 받아들이면 각색해서 내 것인 것처럼 만들어 버리는 것이 식신의 특성이다. 특히, 일지에 식신이 있으면 자기 마음대로 하고 싶어 한다. 식신(食神)은 하다 보면 언젠가 된다는 심리이고 꾸준하고 반복하는 집중력을 지니고 있다. 식신은 변화를 즐기지 않으며 성실하고 꾸준하다. 식신(食神)이 천간에 있으면 학술적 연구 쪽으로 발달한 정신세계이고 지지에 있으면 제조. 손재능이 발달한다. 특히 식신이 寅木에 해당하면 창의성이 탁월하여 뭔가를 연구해서 만들어낸다. 식신이 辛金이면 여유가 없고 집요하며 끝을 본다.

이렇게 식신과 천간 지지 오행에 따라 성향이 달라진다. 식신과 상관의 차이점이라면 상관은 순간 번뜩이고 즉흥적 애드리브. 벤치마킹(모방)을 잘하며 식신은 꾸준히 연구하여 전문성을 만들어내는 창의성이 있다. 따라서 식신은 사소한 것에도 깊이 파고드는 성분이다. 넓게 보지 않고 한쪽으로 깊이 판다. 토론에서도 남의 의견을 듣는 게 아니라 자기주장만 끝까지 고집을 부리니 융통성이 결여된다.

여기에 비겁까지 있으면 이기적인 성향이 된다. 이러한 성향으로 식신(食神)은 한 가지를 깊게 연구하는 학자에게 어울린다. 식신은 말이 없고 내성적이다. 식신의 표현은 간결하고 함축적이다. 타인이 남을 험담하는 것도 식신은 싫어한다. 식신은 연구하다가 깊이가 없으면 흥미를 잃는다. 바둑은 깊이 파길 좋아하는데 화투와 장기와 같은 가벼운 게임은 곧 싫증내고 안 한다. 그리고 화투판이나 장기판의 소란함을 싫어한다.

식신(食神) 밥을 먹는다는 원래 의미보다는 지식을 먹는 것이다. 식신은 이치에 맞지 않으면 남의 것을 쉽게 받아들이지 않는다. 그러나 식신도 많으면 깊이 파고드는 식신이 많다는 말은 결국 깊이가 없어진다는 말이다. 식신은 처음에는 자신의 감정을 잘 드러내지 않아 무뚝뚝하고 차게 느껴지지만 일단 친해지면 꾸준하게 잘하는 성향이다.

식신은 부끄럼을 잘 타 여성적이다. 내성적이기 때문에 자기방어적이다. 만일 잘못했다가는 걷잡을 수 없이 빠져든다는 것을 알기 때문에 자기를 방어하는 것이다. 알다가도 모를 사람, 사람 속은 모른다는 말은 식신에 관한 것이다. 식신이 있는 사람은 육체적인 활동보다는 정신노동을 통한 직업을 선호하며 대단히 논리적이어서 내면적인 총명함이 있다. 식신의 장점으로는 누가 뭐래도 내 갈 길을 가며 한 우물을 파고 완벽을 추구하는 성정이다.

★ 식신(食神)의 심리

[긍정적 심리]

1. 예절과 겸손을 알고 온화하다.
2. 인기가 좋고 인간관계도 원만하다.
3. 성격이 관대하고 예절이 바르며 서비스 정신이 좋다.
4. 도량이 넓으며 문예와 기예에 능하고 식도락가이다.
5. 허영과 이상보다는 현실적인 면을 추구한다.
6. 과감한 결단력보다는 주변과의 화합을 도모한다.
7. 총명하며 박학다식하고 창조적이다.
8. 집중력, 탐구력이 강하다.

[부정적 심리]

1. 식상이 태과하면 성격이 괴팍하다.

2. 쉽게 만족할 줄 모른다.

3. 내 일에만 신경 쓰고 단체심이 없다.

4. 융통성이 없고 외골수이다.

5. 스스로 고독하고 잘 어울리지 않는다.

6. 사소한 것에도 목숨을 건다.

7. 역동성이 부족하고 정신적 에너지를 낭비한다.

4. 상관론(傷官論)

상관(傷官)은 내가 生하는 글자로 일간과 음양이 다른 경우이다. 상관(傷官)은 관(官)을 상(傷)하게 한다는 의미로 이는 십성 중에서 정관을 해친다고 하여 붙여진 이름이다. 물론 식신도 정관(正官)을 해치는 작용을 하지만 상관이 더욱 강하게 작용한다. 상관(傷官)의 기본 성품은 인심이 많고 활동적이며 과시욕과 폼잡기를 좋아하며 동적이며 화려한 것을 좋아한다.

식신이 정신적인 활동을 추구한다면 상관은 육체적인 활동을 좋아하는데 이것은 부지런함과 실천성으로 나타난다. 상관(傷官)은 한 가지를 깊게 파고드는 식신과는 달리 많은 것에 관심이 많고 변화를 추구하며 한 가지 집중하거나 반복을 싫어한다. 여러 방면으로 다재다능한 것이 상관(傷官)의 특징이다. 순간적인 언변이 발달하여 임기응변과 재치와 순발력에 능하다. 상관(傷官)은 어린아이같이 언제 튈지 모르는 럭비공과 같고 도전적이고 도발적이다.

상관(傷官)은 일간과 음양이 달라 빠르고 변화가 많아 현대는 아이템이 빨리 바뀌는 시기이므로 상관이 각광 받는 시기이다. 자신의 능력을 외부로 표현하는 기능이 탁월하여 현대의 사회생활에서 상관은 단연 돋보일 수 있는 성분이다. 상관(傷官)은 승부욕이 강하여 경쟁에서 지기 싫어하며 욕심을 부리는 성분이지만 한 가지 일에 전념하는 성향보다 다양한 방면에서 다재다능한 재능을 보이게 되며 창의력이 뛰어나지만, 반복적인 일을 좋아하지 않는다. 이처럼 상관이 강한 학생이라면 공부를 짧은 시간에 집중적으로 하는 훈련을 시켜야 한다.

상관(傷官)은 사교적이라서 사람을 잘 사귀고 다른 사람이 알아주는 쪽에 관심을 두게 되며 선동적이고 정열적인 성향도 보인다. 그리고 감정이 풍부하여 슬픈 영화를 보면 눈물을 펑펑 쏟아내는 모습을 보이게 된다. 상관(傷官)은 급하여 공격적이고 이기적인 성향과 즉흥적이고 끈기가 부족하고 싫증을 잘 내는 단점이 있다. 남에게 보이는 과시욕과 폼생폼사, 화려함을 추구한다.

상관은 육체적인 활동을 추구하니 일지에 상관이 있으면 활동력과 실천력이 왕성하다. 상관은 호기심이 많고 간섭을 잘하고 자유분방한 성격이며 신중치 못하여 덜렁거리는 면이 많다. 때로는 법을 무시하고 명예. 체면에 얽매이는 것을 싫어한다. 상관(傷官)은 변덕이 많고 자기 잘난 맛에 살고 실컷 잘해주고 입으로 공을 갚아 욕을 얻어먹는다. 상관은 식신에 비해 더 비판적이고 참견하기를 좋아하고 의협심이 강하고 비밀을 간직하지 못한다. 상관은 예의를 가르치고 인내하게 만드는 관성을 극 하여 말버릇이 나쁘거나 윗사람과 갈등이 일어날 수 있다. 상관의 성격은 급하고 직선적이니 빨리빨리 서두르는 사람은 상관성이 강하다고 보아야 한다.

이렇게 상관은 총명하고 추리력과 화술이 좋으며 상황 판단이 민첩하고 빠르며 무엇보다도 상관은 자신의 의견이나 감정을 신속하게 잘 표현하는 재능이 있다. 상관(傷官)은 다재다능한 표현력을 바탕으로 한 예술적 자질과 기예를 나타내기도 하며 뛰어난 화술과 강의. 연설 능력을 나타내기도 한다.

상관의 단점인 남을 얕잡아보는 오만한 태도와 허영심만 버린다면 자신의 재능을 최대한 발휘할 수 있는 능력이 있다. 자기 능력을 외부로 표현하는 기능이 탁월하여 현대의 사회생활에서 단연 돋보일 수 있는 성분이 상관(傷官)의 특성이다.

직업의 폭이 넓어 조직 생활은 한곳에 오래 하지 못하고 변화에 민감하며 직업 변동이 심하다. 화술과 육체적 활동을 기반으로 한 직업을 선호하게 된다. 상관(傷官)은 식신과 마찬가지로 자신을 외부로 표출하는 성분인데 그 수단으로서는 손이 아닌 입을 빌린다. 두뇌 회전이 빠르고 특히 정재를 보면 상당히 치밀해진다. 표현력이 혀끝에 있기 때문에 굉장히 신속하고 빠르다. 따라서, 금방 옆에서 들은 것을 금방 옆에 가서 써먹는다. 자기가 마치 오래전에 알았던 것처럼 표현한다.

그래서 상관의 교묘함이란 남이 흉내를 잘 내지를 못하게 되는 것이다. 상관은 연예인이나 정치인 기질을 이해하면 된다. 자기를 포장하는 기술도 뛰어나서 같은 성분인 식신과는 이렇게 차이가 크다. 상관(傷官)은 외향적이고 남과 잘 어울리고 처음 본 사람도 오래된 친구처럼 행동한다. 그래서 보스 기질이 있다. 열심히 듣는 척하지만, 마음속으로는 잔머리 굴리며 상황판단이 민첩하다. 상관은 새로운것은 개혁으로 통하는데 개혁이란 기존의 것을 무너뜨리는 것인데 기존의 것이란 관(官)이다.

상관은 감정이 풍부하다. 슬프면 울고, 기쁘면 웃고 솔직하다. 그래서 사람이 따른다. 체면이 별로 없고 거짓말을 하며 작은 것도 크게 포장하여 사이비 교주처럼 큰소리 빵빵 친다. 사교계의 여왕도 상관이다. 상관은 결혼 상대를 고를 때도 주변을 의식하며 내세울 게 있는가 보고 고른다. 주변을 의식하고 과대 포장, 사치성을 좋아한다는 말이다. 사교적이고 외향적이며 상황 판단이 빠르고 눈치가 빨라 주변에 인기가 있다. 장사를 잘하려면 상관에게는 화끈하게 말해야 하고 상관은 이론보다는 화끈함을 좋아한다.

상관은 일단 마음에 들면 포장까지 하여 주변 사람들에게 널리 알려준다. 아랫사람에게는 잘해주고 윗사람에게는 대드는 성분은 반항 기질이 상관이다. 남편에게 큰 소리로 대드는 사람도 상관이다. 상관은 반항 기질 개혁 기질이다. 상관은 가볍게 느껴지고 성의가 없어 보인다. 감정이 수시로 변하는 변덕으로 새로운 생각을 들고 와서 우기는 경우도 있다. 상관은 라이벌이 있어야 더 힘이 난다.

★ 상관(傷官)의 심리

[긍정적 심리]

1. 총명하고 영리하며 박학다식하다.

2. 승부욕이 매우 강하며 부지런하다.

3. 임기응변이 좋아 현실 대처 능력이 좋다.

4. 새로운 아이디어를 잘 창출해낸다.

5. 화려하고 세련된 멋쟁이다.

6. 화술이 뛰어나 상대방을 말로 잘 설득한다.

7. 발명가, 연예계 및 예술가가 많다.

8. 사교성이 좋아서 대인관계에 능력을 발휘한다.

9. 처세술과 설득력이 뛰어나 업무처리에 능숙하다.

[부정적 심리]

1. 잔머리를 굴리고 과대포장한다.

2. 오만하고 불손하고 변덕스럽다.

3. 비밀을 간직하지 못하고 말이 많다.

4. 다른 사람의 자존심을 상하게 한다.

5. 이해타산이 빠르며 목적 달성을 위해 빠르게 행동한다.

6. 용두사미이고 너무 나댄다.

7. 즉흥적이고 감정 기복이 심하다.

8. 사치성과 허영심이 강하다.

9. 시비를 가리는 것을 좋아한다.

5. 편재론(偏財論)

편재(偏財)는 일간이 극 하는 오행 중에서 음양이 같은 것을 말한다. 편재와 정재는 일반적으로 재물을 나타내는데 큰 재물을 뜻하고 정재(正財)는 정해진 재물로 비교적 작은 재물을 의미하지만 이런 의미로 국한시켜 보아서는 안 된다. 편재는 재물에 대한 욕심이 많아서 큰 사업가 기질을 발휘도 하지만 한 번 실패하면 재물 가정 모두가 파탄 나는 경우도 많다. 특히 물질을 아끼지 않고 돈을 잘 쓰며 있으면 쓰고 없으면 마는 형이라 경제관념이 희박하고 직업과 재물이 늘 불안정한 것이 편재의 특성이다.

편재(偏財)는 음양이 같기 때문에 감정적이다. 감정적이라는 말은 이성적이지 못하고 기분대로 즐기고 즉흥적이라는 것이다. 편재(偏財)의 기본 성품은 다욕 다정하며 낭비를 잘하고 감정 또한 즉흥적인 면이 있어서 충동구매도 잘하지만, 편재(偏財)의 장점이라면 탁월한 표현능력이다. 자신의 내재된 본질을 잘 표현하는 예술가적인 기질도 있어 표현력이나 공간 배치 능력이 뛰어나다. 편재는 일간이 극 하는 성분이라 내가 마음대로 지배하는 성향이다.

편재(偏財)는 크게 보는 거시 경제적이며 리더십이 있고 스케일이 크다. 자기 주도적 성향으로 꼼꼼하지 못하고 대충 하지만 물질을 잘 다루며 숲을 보는 것과 같은 공간구조 개념이 발달했다. 편재는 재화를 운용하는 능력을 의미하기도 한다. 편재를 지키려면 우선 비겁이 강해야 한다. 또한 재물은 식상이 있어야 된다.

정재는 식상이 없어도 되지만 편재는 반드시 식상이 있어야 한다. 편재성은 한꺼번에 큰돈을 벌고 싶어 하는 성급한 마음에서 비롯된 투기적 성향이다. 항상 가능성에 승부수를 던지게 되므로 더욱 투기적인 모습이 된다. 즉흥적이고 충동적인 편재는 무질서한 가운데서도 자신만의 질서를 가지고 있기도 한데 그것은 편재성이 물질 통제 능력과 공간구조 개념이 발달하여 지도나 도면을 읽는 능력이 탁월함으로 나타난다.

편재는 감정형으로 성격이 급하고 때로는 실속이 없어 보인다. 편재(偏財)의 강점은 결단력이 있고 대담성이 있어서 돈을 투자하고 운용하는 능력이 탁월하며 조직관리에도 능력을 발휘한다. 일지에 편재가 있으면 매사를 내 마음대로 하려는 심리 즉, 자기주도 적인 성향이 강하다.

월지에 편재가 있으면 목표 의식과 성취욕구가 강하지만 결과에 성급함을 가지고 있다. 직업으로서는 관리 업무, 건축, 디자인, 사업가 등에 필요한 심리구조이다. 편재에게 마음이 중요하냐 물질이 중요하냐 물으면 바로 물질이라고 한다. 편재는 형이상학적 사고방식은 싫어하고 형이상학도 물질로 표시한다. 편재는 물질을 가지고 놀길 좋아하는데 만들기, 그림, 장난감 등을 복잡한 것을 조목조목 분류도 잘하고 정리도 잘한다.

편재의 성격은 다욕 다정한 사람이라고 할 수 있는데 마음속에 돈과 애정 문제가 큰 비중을 차지하고 있어, 돈도 맘대로 가지고 싶고, 여자도 가지고 싶어 하는 것이 이 타입의 성격이다. 수단과 사교성이 좋고 의협심과 동정심이 많으나 풍류와 낭비벽이 심한 것이 단점이다. 친구나 주변 사람들과 어울리기를 좋아하며, 호탕하고 지루한 느낌을 주지 않기 때문에 친구나 애인으로 사귀기에는 최상의 타입이다.

또 의리를 중히 여기고 재물을 가볍게 생각해 남에게 돈을 잘 빌려주기도 하고 또 금전 융통도 잘하지만, 그렇다고 재물이 많고 재물복이 좋은 것은 아니다. 오히려 금전 출입이 빈번할 뿐 실속이 약하고 금전 손실이 빠르게 나타나는 경우가 많다. 겉보기에는 금전에 대한 집착이 없고 헤픈 것 같지만 절대로 그렇지만은 않다.

도리어 남보다 몇 배 금전에 대한 집착이 강하고 수단은 있지만 노출하지 않을 뿐인데 이런 타입의 사람은 자기의 이권 쟁취를 위해서는 타인의 입장이나 체면 같은 것은 아예 안중에도 없으며 자신의 이익을 위해서는 수단 방법을 가리지 않게 되므로 비난의 대상이 되는 수가 있다.

아무튼 편재란 매사에 요령과 수완이 좋아 거래나 외교에 뛰어나며 모사를 잘하나 필요에 따라 거짓말도 서슴지 않는 면도 가지고 있다. 편재(偏財)는 항상 가능성을 생각하고 승부를 건다. 상상력이 풍부하고 항상 상상을 많이 한다. 월급을 타면 며칠 못 가서 다 써버리고 그다음 쫄쫄 굶는 경우가 발생한다. 낭비가 심하므로 항시 주머니에 있으면 쓰게 된다. 반면에 공간 배치 능력이 뛰어나므로 상상력으로 생각했으면 그대로 재현하는 능력이 있다.

편재가 사업을 할 때는 실내장식 등의 초기 투자는 투자 개념으로 생각하기 때문에 돈이 모자라면 빚을 내서라도 자기 나름의 한도 내에서 일류로 호화스럽고 사치스럽게 장식하게 된다. 이처럼 편재는 가능성에 승부를 걸게 되므로 될 때는 정재와 비교가 되지 않을 정도로 투자를 잘하게 된 것이라 돈을 벌게 되지만 손해를 볼 때는 왕창 무너지고 한방에 끝날 수도 있게 되는 것이다.

편재는 힘이 없으면 겉만 강하고 실속이 없고 허풍이 심하다. 즉흥적이지만 전체를 보는 안목이 넓고 내 마음대로 관리 감독하는 마음이 강하다. 또한 편재는 영역을 확보하려는 심성이 강하다. 자신이 관심이 있는 대상에 대해서는 물질적으로나 물리적으로 이해하려 한다. 편재는 수리 계산이 빠르고 실현을 목적으로 행동하기 때문에 이상과 공상 같은 것은 어울리지 않는다. 편재는 판단이 신속하며 성격이 매우 급하다.

편재를 가지고 있는 학생에게는 설계, 시공, 개척, 물리적인 변화에 매력을 느끼는 학과가 좋다. 활동 범위가 넓어서 역마성이 있게 되므로 앉아서 사무 행정을 보는 것은 적성에 맞지 않는 부분이다. 편재는 물질의 특성을 잘 파악하고 있어 설계도를 작성할 적에는 적재적소에 소용될 물건들을 잘도 파악한다.

특히 전통가옥을 지을 적에는 이것이 두드러진다. 무에서 유를 창조하는 특성을 마구 발휘하는 사람들은 편재이다. 순식간에 움직이는 기지를 발휘해서 그 속성을 파악해 버리는 기술을 가지고 있다. 편재는 자신의 돈보다는 남의 돈을 더 많이 활용할 줄 알고 재물을 운용하며 이득도 챙기는 전형적인 사업가 체질이다.

★ 편재(偏財)의 심리

[긍정적 심리]

1. 재물을 유용하는 방법이 탁월하다.

2. 호탕하고 스케일이 크다.

3. 두뇌 회전이 빠르고 총명하다

4. 거시적 안목과 공간개념을 가지고 있다.

5. 탁월한 표현능력을 가지고 있다.

6. 자기주도 적이고 모험심이 강하다.

7. 계산이 빠르며 돈 버는 기술이 탁월하다.

8. 요령이 많은 재주꾼이며 개척정신이 뛰어나다.

9. 민첩하고 순발력이 있다.

10. 대인관계가 좋고 배려한다.

[부정적 심리]

1. 투기성이 강하여 일확천금을 노리는 기질이 강하다.

2. 분주하고 여유가 없다

3. 즉흥적이고 성급하며 섬세하지 못하다.

4. 이성에 대한 집착이 있다

5. 비계획적이고 분산적이다

6. 지구력이 약하다.

7. 낙천적이며 과장, 경솔한 면도 있고 사기성도 있다.

8. 대체로 말주변이 좋고 허풍과 큰소리도 잘 친다.

6. 정재론(正財論)

정재(正財)는 일간이 극 하는 오행으로 음양이 다른 것을 말한다. 정재(正財)는 성실하게 노력한 대가로서 얻는 재물을 말하는데 정해져 있는 고정 수입인 월급이나 정당하게 얻는 수익을 말하는 데 비교적 안정된 재물이 정재에 해당한다. 편재는 끊임없는 무리한 욕심을 추구하지만, 정재(正財)는 필요 이상 무리하게 재물에 대한 욕심보다는 현실적인 안정을 더 추구한다.

정재(正財)의 장점은 계산이 빠르고 분명한 것을 좋아하며 미래지향적이라기보다는 현실에 안주하려는 성향이 강하다. 현실에 충실하여 변화를 원하지 않으며 확실한 곳에만 투자하는 성향을 보이고 매사에 계획적이고 계산적이며 안정을 중시한다. 정재(正財)는 편재처럼 전체적인 숲을 보는 것이 아니라 나무를 보는 특성으로 수리적 개념이 뛰어나고 정밀하고 예민한 것에 강한 심리 구조를 나타낸다.

따라서 정재는 편재의 투기적 성향보다는 확실한 손익계산을 따지며 매사 정확하고 분명한 투자를 원한다. 정재는 낭비를 싫어하며 돈을 지출하는 데 철저하게 계획하에 소비하는 성향을 가지고 있다. 정재의 특성은 성실과 안정, 신용, 고지식, 검소, 저축, 수전노, 합리주의, 분명한 계산 등으로 나타난다. 옛 속담에 부자는 망해도 3년 간다는 말이 있는데 이는 정재를 두고 하는 말이며 있는 것이 한정인 편재는 이 말이 해당하지 않는다.

따라서 정재(正財)는 물질에 대한 욕심이 많고 확실한 계산적이라 인간미가 없다고 느껴질 수도 있지만, 매사에 정확하므로 실수를 잘하지 않는다. 직업으로 정재의 업무는 꼼꼼한 정밀분야에 어울린다. 이렇게 정재도 지나치면 탐심이 많고 수전노가 되거나 정재가 너무 많으면 오히려 재물에 대하여 편재 성향이 나타나기도 한다.

편재가 물질의 구조나 본질에 관한 관심으로 본다면 정재는 물질 그 자체에 관심을 두는 것이다. 그래서 정재는 물질에 대한 집착이 강한 특성으로 나타난다. 정재(正財)는 편재보다 물질 자체에 관심이 많아 집착을 보이는 데 삶의 기준이 물질이다. 돈을 빌려도 편재는 그냥 사람을 믿고 빌려주는데, 정재는 차용증이라도 쓰고 빌려준다. 돈을 못 받을 경우가 생기면 법적 소송을 해서라도 돈을 받으려고 한다. 그러면 왜 정재는 아까운 돈을 빌려주는가? 이자에 대한 욕심 때문이다.

정재는 물질에 대한 집착이 강한 특성으로 나타나고, 현실에 충실하여 변화를 원하지 않으며 확실한 곳에 투자하는 성향을 보이지만 이자가 높으면 돈에 대해 집착하게 된다. 정재(正財)는 소유욕이 강하며 정밀하고 꼼꼼하여 계산이 빠르다. 정재는 식상이 없어도 되고 기가 약해도 된다. 치밀하고 집착성이 강하며 마무리가 확실하여 대충하는 법이 없다. 무엇보다도 약속을 어기는 일이 없다. 확실한 것을 좋아하여 확실한 계산이 나오지 않는 것에는 매력을 못 느낀다.

장사를 할 때도 재고 없는 장사를 선호하여 실패할 확률이 줄어든다. 꾸준하고 안정된 걸 좋아하므로 월급을 적게 받아도 잘 살아가게 되는 것이 정재의 특성이다. 사업을 시작할 때도 절대 무리하게 투자하지 않는다. 편재와는 달리 정재는 안정적이고 소극적이며 성실하고 정직하게 계획적으로 움직인다. 따라서 현실에 안주하는 성향이고 탁월한 경제 관념을 가지고 있어 여성적인 성향을 보인다.

학습하는 경우에도 치밀하게 시간표를 만들고 효과적인 방법을 찾아 경제적으로 공부한다. 공부의 방향도 심사숙고하여 최대한 효율적인 것에 맞추어 결정한다. 결과에 비중을 두는 것은 편재와 같지만, 그 방법에서 차이가 있다. 편재와는 달리 정재는 치밀하고 정확하고, 객관적이고 합리적이며 실리적인 결과에 대하여 매력을 느낀다.

정재(正財)는 직장에서 일의 성취감을 느끼기보다 월급에 관심이 많다. 자신의 노력에 대한 결실에 관심이 많기 때문이다. 다소 힘든 일이라도 정당한 월급만 제공해 준다면 일에 몰두해서 능력을 발휘하는 성향이 있다. 정확한 수치를 좋아하기 때문에 관리자의 역할도 적성에 맞다. 직장도 한번 인연이 되면 쉽사리 창업이나 전환을 시도하지 않는다. 그래서 안정적인 직장생활과 가정생활을 영위할 수 있다.

정재는 '샐러리맨'이라는 말이 가장 잘 어울리며, 근검절약의 성격이 관찰된다. 정재(正財)는 변수가 많은 사업에 대해서는 쉽게 달려들지 않는다. 그만큼 사업을 하기에는 어렵다. 다만 사업을 한다면 결과가 확실하고 안정된 분야에 대해서만 가능하다. 취미 분야로는 돈이 되는 무언가를 모으는 것에 관심이 많다. 우표나 화폐, 골동품, 도자기 등은 취미도 되면서 저축성도 있기 때문이다. 이처럼 정재는 실속파이며 물질을 중시하고 실리적인 이익 창출에 탁월한 능력이 있다.

★ 정재(正財)의 심리

[긍정적 심리]

1. 탁월한 경제관념을 가지고 있다.

2. 정리 정돈을 잘하고 계산이 정확하다.

3. 직장생활에 충실하고 시간 약속을 어기는 법이 없다.

4. 부당한 재물이나 노력 이상의 재물은 원하지 않는다.

5. 검소한 저축 생활로 주변 사람들로부터 존경을 받는다.

6. 꼼꼼하고 치밀하여 실언과 실수를 하지 않는다.

7. 숫자에 정확성이 있어 경리,기획, 회계업무 등에 능하다.

8. 단정하고 신용이 있고 검소하고 신중하다.

[부정적 심리]

1. 정재가 태왕하면 주관과 결단성이 없다.

2. 이해득실은 빠르나 결론을 내리는 적기를 놓친다.

3. 고지식하여 원리원칙을 고수하고 융통성이 없다.

4. 너무 정확한 계산으로 인심이 박하고 인색하다.

5. 양보심이 적고 자신의 실리에 집착하여 큰 것을 놓친다.

6. 물질에 대한 집착이 심하다.

7. 지나친 계산적 행동으로 구두쇠 기질이 강하다.

8. 너무 편협되고 현실에 안주하려는 성향이다.

9. 눈에 보이는 소유욕이 강해 넓게 보는 안목이 부족하다.

7. 편관론(偏官論)

편관(偏官)은 일간을 극 하면서 음양이 같은데 천간의 배열에서 7번째에 해당한다고 하여 편관을 칠살(七殺)이라고 한다. 편관(偏官)은 나를 극하니 통제하는 성분이다. 그러나 너무 강한 통제는 억압받는 심리로 나타난다. 편관(偏官)의 심리는 원칙주의, 의무감, 책임감 등으로 나타난다. 편관은 어려운 환경에 대응하는 인내심이 강하나 자신을 어떤 규범이나 틀에 묶어 두려는 성향으로 사교성이 부족해서 대인관계가 원활하지 못해 사람을 사귀는 데 시간이 오래 걸리지만 한번 사귀면 의리와 인정이 있으며 우직하고 추진력이 있다.

편관(偏官)은 위엄과 권위. 깡다구. 희생 봉사 정신. 절제력이 있으며 승부욕이 강하다. 그러나 편관이 너무 강하면 소신이 너무 뚜렷하여 예리하니 지적을 잘하고 융통성이 없고 고집스럽게 보이어 일을 독단적으로 처리하는 경우가 있다. 그렇지만 편관(偏官)의 특성은 남을 먼저 생각하는 이타적 정신이 있고 이것저것 따지는 것과 우유부단한 것을 싫어한다. 또한, 이미 입력되어있는 것을 활용하는 능력이 탁월하다. 한번 입력된 사항을 바꾸기에는 어려우며 시종일관 변함이 적은 편이다. 식상은 그때그때 상황에 따라서 변경이 될 수 있지만 편관은 받아들인 자체를 그대로 운용하는 성향이 강하므로 자신의 기준점으로 판단한다는 것이다.

예를 들어 글을 쓸 때도 식상은 이말 저말 늘려서 재미있게 하는 편이지만 편관의 글을 보면 함축된 요점정리 스타일로 재미없는 글을 쓰게 된다. 따라서 편관(偏官)은 분명히 내 생각이 옳다고 생각했으면 끝까지 그것을 밀고 간다. 비교적 단순하고 무모하고 모험성을 즐기게 된다. 편관(偏官)은 주관이 뚜렷해서 자신이 생각이 객관적으로 보편성을 띤다고 스스로 생각한다.

편관(偏官)은 한번 직장에 들어가면 움직일 마음이 전혀 없다. 무엇보다도 일에 대한 책임감과 사명감이 투철하기 때문이다. 주어진 일을 성실히 수행하고 누가 알아주기를 바라지 않으며 비교적 뒤로 물러나 있는 것 같지만 자기 일에만 전념하기 때문에 언젠가는 두각을 드러낼 것이고 그에 합당한 대우를 받을 수 있다.

편관(偏官)은 일정한 틀 속에서 갇혀서 안정된 생활을 원하므로 스스로 명령에 복종을 잘한다. 또한 자신이 질서를 유지하고자 할 때는 자기 부하에 대해서도 복종을 강요하며, 그 방식이 강압적이요, 폭력적이다. 편관은 겉은 복종을 잘하는 부하직원과 같지만, 속은 두려움과 체념으로 이미 주체성을 상실하여 어떤 임무가 주어져도 투덜댈 뿐 거역하고 반항할 힘이 없다. 그러나 맹목적인 복종 내면에는 역성혁명을 할 반항적 기질도 꿈틀거리고 있다.

편관(偏官)은 원칙. 소신이 강하고 예리한 판단력과 신속한 결정력으로 경찰, 검찰, 법관 같은 권위적이 적성이나 감당할 수 없을 때는 노동력을 활용하는 일을 하게 된다. 편관이 있어야 끈기가 있으니 직장에 오래 다닐 수 있고 주어진 일을 열심히 한다. 맡은 일에 충실하여 업무시간 중에 일이 끝나지 않으면 야근해서라도 하고 간다는 압박감을 가질 수 있다. 편관은 기억력이 좋아서 오래된 일도 잊지 않고 기억하기도 한다.

편관(偏官)은 일간 나를 극 하는 관이기 때문에 봉사 정신 즉 남을 생각하는 정신이 강하다. 그리고 차갑고 냉정하다. 편관은 그릇이 크다고 말하는 것은 나를 희생하면서도 공익 성분을 위하기 때문이다. 편관은 남을 위해야 한다는 생각이기 때문에 명분이 있어 용감하다. 고자질도 안 하고, 고문을 해도 비밀을 지킨다고 한다.

★ 편관(偏官)의 심리

[긍정적 심리]

1. 인내심과 책임감이 강하다.
2. 희생적이고 조직 생활에 적합하다.
3. 시종일관 변함이 없다.
4. 강한 의협심으로 강자에게서 약자를 보호하는 기질이다.
5. 권위적이고 총명하며 결단성이 뛰어나다.
6. 자신의 감정표현을 분명히 하고 담백한 면이 있다.
7. 우직하고 기억력이 좋다.
8. 무관으로 성공하거나 명성을 얻는 자가 많다.

[부정적 심리]

1. 독단적이고 직선적이다.

2. 타협을 싫어하고 투쟁심과 야당성의 기질이 강하다.

3. 다른 사람에게 부탁하는 것을 싫어하며 성질이 급하다.

4. 권모술수에 능하다.

5. 목적달성을 위해 수단과 방법을 안가린다.

6. 이론과 타협보다는 먼저 행동으로 해결하려 한다.

7. 난폭하고 깡패의 기질이 있다.

8. 융통성이 없고 고지식하다.

9. 억압심리가 있고 자학성. 열등감이 있다.

8. 정관론(丁官論)

정관(正官)은 일간을 극 하는 오행 중 음양이 다른 것을 말한다. 관(官)은 관리한다는 뜻으로, 정관(正官)은 편관과는 달리 합리적이며 질서, 법, 도덕, 윤리, 제도, 권위, 명예, 관공서, 문서, 자격증 등을 뜻한다. 정관(正官)은 스스로 자제할 수 있고 원칙적이며 합리주의이고 객관적이며 타협적이다. 정관(正官)은 준법정신과 일을 공명정대하게 처리하려는 성향을 보여 명예와 관련이 있다. 그래서 대인관계도 원만하고 융통성 있게 이끌어 간다.

그러나 정관의 단점은 자칫 우유부단하게 보일 수 있고 때로는 기회주의적 성향을 나타내기도 한다. 지나치게 원리원칙을 고수하여 인간미가 없고 무뚝뚝하다는 것이다. 또한 실속보다는 명예를 중시하기에 체면치레가 강하다. 정관이 있는 사람은 순종적이며 공익을 위한 봉사 정신이 높게 나타나는데 체면과 명예, 신용과 안정을 생명처럼 중시하며 특히 여성은 현모양처로 가정을 모범적으로 잘 돌보는 성격이다.

정관(正官)은 신용과 책임을 생명처럼 여기는 까닭에 무책임한 행동을 한다거나 남에게 폐를 끼치는 일은 절대로 하지 않는다. 계획을 세워서 실행하는 타입으로 낭비는 싫어하나 쓸 때는 쓸 줄도 아는 타입인데, 매사에 너무 세밀한 계획을 세우다 보니 실행력이 따르지 못한 결함이 있다. 소탈해 보이면서도 융통성이 없고, 모험을 좋아하는 것 같으나 실제로는 그렇지 않으며, 따라서 내면보다는 외면이 더 좋다는 표현을 할 수 있는 것이 이 타입의 특성이다. 그러나 이러한 성격을 좀처럼 표면에 나타내지 않는 것이 정관의 또 다른 특성이다.

정관은 애인으로 사귀기에는 재미없는 스타일이나 책임감 있고 성실하다. 편관은 강제적인 봉사 정신이고 정관은 합리적 설득을 통해 공익을 추구한다. 정관이 공무원이 되면 말썽이 없다. 시간이 걸리면 걸리더라도, 돈이 들면 들더라도 원칙적으로 일 처리를 한다. 정관이 일하면 편법이 없고 모든 사람을 공평하게 동등하게 한다. 비겁은 주관적 생각을 하는데 官은 객관적으로 생각한다. 정관은 예술이나 취미생활도 거부한다. 그런 것은 너무 개인적이어서 공익에 어긋난다는 것이다. 준법정신이 강하고 악법도 지켜야 한다고 생각하는 것이 정관의 특성이다. 자기 자신을 낮추고 공익을 중요시한다. 관성이 없으면 자기 자신밖에 모른다. 남을 생각할 줄 모르는 사람들이 바로 관성이 없는 사람들이다. 인성은 받아먹는 것에 능숙하고 비겁은 주관이 강해 그래도 남을 생각하고 관성이 없으면 남을 돕는 일에는 절대로 나서지 않는다. 관살이 멀리 있을 때는 봉사할 마음은 있지만 자신의 이익을 먼저 생각한다.

관이 너무 가까이 있으면 적극적으로 남을 위해 봉사한다. 정관(正官)은 즉흥적이지 않고 항상 이성적이고 합리적이라 고리타분하다. 한 번 더 생각해 보자는 식으로 똑똑 부러지는 맛은 없어서 어쩌면 우유부단하게 보일 수도 있다. 반면에 편관은 우유부단한 것을 제일 싫어한다. 싫고 좋음을 분명하게 해주는 그것을 좋아한다. 그야말로 똑똑 부러지는 것이다. 그래서 외교관은 정관이 적격이다. 정관은 남과의 관계에서는 우수하지만 반면에 자기의 주관은 좀 떨어지게 된다. 항상 머리로 냉정히 판단하고 감정을 앞세우지 않고 이성적이다. 나름대로 기준이 서 있으므로 남을 이해하기도 하고 손해를 볼 수 있다. 정관은 딱 잘라 버리지 못하므로 남과의 대결하는 현장에서는 우세하지 못하다. 이처럼, 잔머리 등의 쓸데없는 생각을 많이 하게 되는 것이다.

★ 정관(正官)의 심리

[긍정적 심리]

1. 합리적이고 이성적이며 원리 원칙적이다.
2. 준법정신이 강하고 공익적이다.
3. 보수적이고 자비와 도덕심이 강하다.
4. 모든 일에 모범적이고 청렴결백하다.
5. 조정을 잘하는 중용의 정신이 있다.
6. 책임감이 강하고 조직에서 상사를 잘 모신다.
7. 호기심이 없고 감정에 흔들리지 않는다.

[부정적 심리]

1. 자존심이 강하고 지나치게 원리원칙대로 한다.

2. 관용과 이해가 부족하다.

3. 정확한 자기관리로 주변 사람들이 피곤할 수 있다.

4. 융통성이 부족하여 큰일에 방해가 된다.

5. 수단이 없어서 한 가지 일에만 집중한다.

6. 소심하고 옹졸하며 변화에 취약한 성격이다.

7. 환경에 적응 능력이 부족하여 갈등을 많이 겪는다.

9. 편인론(偏印論)

편인(偏印)은 일간을 생 하는 오행 중에서 음양이 같은 것을 말한다. 편인이든 정인이든 인성은 나를 생 하여 도와주는 존재이다. 그러나 편인(偏印)은 의문이 많고 수동적이고 부정적이다. 받아들이면서도 거부하고 싶은 심리이다. 편인(偏印)은 항상 이면을 생각하고 사물의 본질을 이해하므로 자신이 관심 분야 공부는 이해력이 탁월하지만, 일반적인 공부에는 이해력이 늦다.

따라서 학생이라면 특별한 개인지도가 필요하다. 편인(偏印)의 기본 성향은 특별한 분야에 관심이 많다. 즉 편인은 치우친 지혜, 학문, 교양, 수양, 시발점이 되므로 현실을 벗어난 이상세계와 신비주의를 지향한다. 편인(偏印)은 재치 있고, 순발력이 있으며, 신비주의적 성향이 강하고 정신적 성향이 깊은 종교에 심취하거나 예술적 성향이 많다. 보이지 않는 곳에 흥미를 느낀다. 항상 두 가지 이상을 동시에 생각한다. 재성은 능동적인데 인성은 받아먹으니까 수동적이다.

편인(偏印)은 매사 부정적이라 드라마나 예능 방송을 보고도 모두 짜고 하는 방송 컨셉인데 왜 이리 울고 웃고 빠지냐고 한다. 그래서 대중과 어울리지 못하는 성분이다. 고독이다. 그래서 역학 공부나 종교나 수행하는 데 잘 어울린다. 편인(偏印)은 번잡한 것을 싫어하고 세상 복잡한 것을 모두 세속적이다고 표현한다. 편인은 신비함에 몰두하는 성분이라 비현실적이다. 사물을 과학적으로 분석하지 않고 직관으로 판단한다. 복잡한 과정 싫다는 것이다. 순간의 느낌, 깨달음 그래서 수행에 좋다는 것이다.

편인은 폐쇄적이고 고독하여 남들이 보면 재미가 없다. 편인은 직관이 뛰어나지만, 자신의 판단이 최고라고 믿기 때문에 잘못하면 많은 사람이 피해를 본다. 다른 사람과 다투기도 싫고 다 아는 것 뭐 하려 하고 다 꾸민 것 보고 왜 그리 좋아할까 이런 성분이다. 편인(偏印)은 폐쇄적이고 남과 어울리지 못하고 잘난 체하여 눈에 띄고 세상일에는 냉소적이고 방관적이다. 그러나 편인(偏印)의 장점으로는 탁월한 영감과 직감력과 재치가 있어 순간 임기응변의 명수라 하겠다. 편인의 특징은 예리한 직관력으로 일부를 보고 전체를 파악하는 능력이 탁월한데 이것은 복잡한 것을 단순화시키는 능력이기도 하다. 편인의 또 다른 면은 고독으로 표현되며 남들과 어울려서 활발하게 행동하는 데는 뭔가 어울리지 않는 구조를 보이고 있는데 본성이 수행자 같은 모습으로 표현될 수 있다.

따라서 편인은 영감의 발달이 동반되어 있다. 신비주의적 성향과 꿈을 먹고 사는 비 현실주의자 같이 폐쇄성과 태만함을 보이게 되며 둥글둥글하게 살지 못하는 아쉬움이 있다. 특수한 분야의 직업 즉, 종교인, 한의사, 예술인, 철학, 연구실험, 경찰(수사계통) 등에 필요한 성분이다. 편인은 성질은 조급하고 완고하여 쉽게 예측할 수 없다. 한편 머리 회전이 대단히 빨라 상대방의 나오는 태도에 따라 재빨리 대책을 생각하는 임기응변의 명수이기도 하며, 한번 마음먹은 일은 누가 무슨 말을 해도 밀어붙이는 경향이 있다.

편인(偏印)은 연애 문제에서도 처음에는 목숨을 걸다시피 불같은 사랑으로 최상의 행복을 맛볼 수 있으나 일단 자기 사람이 되면 열정이 식어버려 결국 배신을 하여 눈물을 흘리게 할 수도 있다. 편인은 강한 집착으로 인해 한 번 마음 먹으면 누가 뭐래도 해내고 마는 특성이 있으며 다방면에 재능을 나타내어 대성하는 경우가 많다. 그렇지만 편인은 외골수 기질로 조직 내에서는 왕따가 되기도 하는데 고독과 희생의 대명사이고 우울증에 걸릴 가능성이 크다.

매사에 수동적이며 부정적이고, 폐쇄적이며, 비현실적인데 지나치면 사이비 종교에 빠져들어 헤어나지 못하는 경우도 많다. 편인이 지나치게 많으면 활동력이 없어지며 게으른 성격이 되고 직업을 갖기가 힘든 경우도 많다. 매사 불안감을 느끼거나 우울증이나 조급함에 안정을 잃고, 때로는 분수에 넘치는 허세를 부리거나 종교나 특이한 일에 심취하기도 한다.

편인은 생각이 많고 무조건 수용(정인)하는 것이 아니라 조건부 수용을 하여 자기본위 적이다. 편인(偏印)은 오로지 나의 길만을 가는 외고집의 직업이 좋다. 편인(偏印)은 의심이 많고 쓸데없는 걱정을 사서 한다. 받아들이면서도 나한테 무슨 이익이 있는가를 생각하고 받아들이면서도 부정적이다. 남이 볼 때는 기본 바탕이 수동적이기 때문에 겉으로는 잘 안 드러나므로 가장 이해하기 힘든 십성이 바로 편인이다. 잡념이 많고 생각의 연속이다.

그러나 편인이 있어야 독창적인 예술성을 만들어낸다. 편인은 예술적으로 대기만성이 많고 독창성이 강조된다. 학업으로 본다면 일반적인 학문보다는 이면의 학문에 관심을 더 기울이는 유형이다. 심오하고 고독한 성향을 보이면서 일방적인 수용성을 지니기 때문에 종교 분야나 철학 분야에 관심을 두게 되고, 순수학문보다 답이 없는 특수한 분야에 관해 관심을 둔다.

편인은 수용은 하면서도 한 번쯤은 의구심을 가지고 뒤집어 보고 받아들이는 특별한 성향을 보인다. 공부하는 과정에서도 엉뚱한 질문을 많이 하고, 질문의 꼬리를 찾아다니다가 종교에 심취하기도 한다. 이렇듯 답이 없는 문제를 추구하며 끊임없이 공부에 열중하는 것이 편인이 특징이다.

이익을 추구하는 직장에서는 별 흥미를 느끼지 못한다. 직장 생활로는 큰 만족을 하지 못한다. 그러나 편인이 식상을 동반하게 되면 상황은 달라진다. 전문 분야에서 두각을 나타낼 수 있다. 독특한 학문이나 전문적인 재능을 발휘하는 직업에서 능력을 발휘한다.

★ 편인(偏印)의 심리

[긍정적 심리]

1. 순발력과 민첩성이 뛰어나다.

2. 뛰어난 영감과 잠재 능력이 탁월하다.

3. 재치 있고 순간의 발상과 임기응변이 탁월하다.

4. 기회 포착을 잘한다.

5. 예, 체능에서 탁월한 능력을 발휘한다.

6. 종교에 심취하고 신앙심이 두텁다.

7. 복잡한 것을 단순화 시킨다.

8. 자신의 관심 분야에는 이해력이 탁월하다.

9. 자신이 원하는 일에는 매우 적극적이다.

10. 두 가지 직업을 잘 소화하는 능력이 있다.

11. 예리한 직관력으로 일부를 보고 전체를 파악하는 능력이 탁월하다.

[부정적 심리]

1. 의심이 많고 부정적이다.

2. 신비주의에 빠져 비현실적이다.

3. 매사에 기회주의적이며 자기 것만 챙기는 성향이 있다.

4. 사치와 허례허식이 강하고 고독하며 외로운 성격이다.

5. 불평불만이 많아서 인간관계가 불안하고 고독하다.

6. 시작은 잘하지만 용두사미이다.

7. 신경이 예민하고 남의 탓을 잘하는 성격이다.

8. 솔직하지 못하고 비밀이 많고 숨기는 것이 많다.

9. 나서기 좋아하고 남의 일에 참견을 잘한다.

10. 눈치가 빠르고 위선적이며 임기응변에 능하다.

11. 즉흥적인 일을 벌여 힘들게 한다.

10. 정인론(正印論)

정인(正印)은 일간을 생 하는 오행으로 나와 음양이 다르다. 정인을 다른 말로 인수(印受)라고도 한다. 십신(十神)의 의미는 다양하지만 여기서는 십성(十性) 즉 특성과 성향 위주로 언급하고자 한다. 정인(正印)의 심리 구조는 편인과 마찬가지로 수동적인 성향을 나타내고 있지만 대부분 받아 드리는 경향이 있기도 하다.

정인은 상황판단이 빨라서 학생이라면 선생님 말씀이 있는 그대로 받아들이기 때문에 수업 태도가 좋다. 정인은 정신적인 안정성 면에서는 아주 필요한 성분인 것은 확실하다. 정인(正印)을 情이라고 표현하기도 한다. 실제로 정인은 정이 많아 보인다. 그리고 정인은 정신적 인내심이 강하여 어떤 일을 참고 묵묵히 자신의 처지를 지켜나가게 된다.

명예와 안정을 추구하며 학생은 학문에 전념한다는 것이다. 침착하고 여유가 있으며 지식을 바탕으로 한 명예로운 삶을 추구한다. 그러나 정인(正印)의 단점이라 한다면 자기본위 적이어서 타인을 배려하고 이해하는 마음이 없다는 것이다. 정인도 지나치면 편인과 마찬가지로 활동력이 부족하며 게으른 성격이 된다. 정인과 편인의 차이점이라면 정인은 아이가 엄마 젖을 자연스럽게 먹지만 편인은 먹으면서도 인상 쓰고 망설이고 짜증을 낸다. 정인이나 편인은 둘 다 받아먹는 수동적이고 수용성인데 정인은 순수하게 받아들이지만 편인은 삐딱하게 따지면서 받아들인다. 심리적으로는 수동적이라 아이의 마음이다. 정인(正印)이 없는 사주는 세상일을 그대로 받아들이는 것이 아니라 의심하고 받아들인다는 것이다. 정인은 순진무구하여 아이의 심정이라 수동적이다.

정인이 강한 사람은 적극적이지 못해서 경쟁력이 강한 작업에는 힘들다. 정인(正印)을 가지고 있는 학생이 마음에 드는 선생을 만나면 무조건 믿고 시키는 대로 한다. 정인도 인성이라 편인처럼 직관력이 있다. 정인은 선량하고 순수, 영감에 의한 판단이 신속하다. 정인의 성격은 학자와 선비 유형이라 지혜와 진리를 뜻하므로 두뇌가 명석하며, 탐구심이 강하고 또한 노력가이며, 성질도 선량하나 일면에는 까다로운 점도 있다. 다분히 보수적으로 예절과 덕망을 갖추지만, 너무 정통성을 따지거나 외골수적인 특징이 있다.

정인은 자기 자신을 과시하거나 자존심이 강하고 콧대가 센 것도 정인의 특성인데, 칭찬을 해주거나 실력을 인정해주면 남보다 몇 배 좋아하지만 자존심을 건드리거나 조금이라도 무시한다고 생각되면 남보다 몇 배로 싫어하거나 반항한다. 자기본위 적이거나 항상 자기 제일주의를 고집하는 경향이 문제이다. 정인(正印)을 정(情)이라고 표현하기도 한다. 실제로 정인은 정이 많아 보인다. 정인은 이해력과 상황판단이 빨라서 학생이라면 선생님 말씀 있는 그대로 받아들이기 때문에 수업 태도가 좋다. 단순하고 잔정이 많아 속임수에 잘 넘어가서 사기를 당할 수 있는 약점이 있다. 정인의 심리 구조는 긍정적인 순수한 수용성이다. 명예와 안정을 추구하지만, 재물을 운용하는 능력은 약하다.

따라서 정인은 경쟁이 심하거나 체면이 손상되는 직업은 적합하지 않다.

지식을 바탕으로 한 직업이 적합하다. 맛있는 과일이나 음식을 봤을 때 정인은 맛있겠다. 또는 먹어보니깐 맛있다고 순수하게 긍정적으로 받아들인다. 그러나 편인은 따지기 시작하는데 이건 어디에 좋을까? 이걸 먹으면 배탈이 나는 게 아닐까? 이러한 생각들을 순간적으로 하게 된다. 이러한 현상은 내부적으로 부정적인 바탕이 깔려 있기 때문이다. 그러니 잘해주고도 욕을 먹는 스타일이 편인이다. 또한 정인은 남에게 순수하게 주고 싶은 마음이 있다면 편인은 자기하고 코드가 맞아야 확실하게 따른다.

그러나 인성이 전혀 없으면 자기 방식대로 정을 주어 방향성이 떨어지니 상대는 정이 없다고 한다. 정인(正印)이 식상이 있으면 아이디어가 풍부하고 직관성을 발휘하여 글을 잘 쓴다. 그리고 간결한 것을 좋아하여 과학보다는 수학에 더 가깝다. 정인은 새로운 것은 위험해서 건드리지 않으려는 성향이 있어서 지적 정신적 가치를 추구하는 직장이 좋다. 정인과 편인은 정신적 가치를 추구 하기 때문에 학문성을 바탕으로 하는 직업이면 가장 좋다. 학생이 정인 대운에 와 있다면 이 시기에는 안정적이고 차분한 성격이며 배움에 대한 열정이 있다. 주변에서 조금만 관심을 기울여 준다면 학습의 욕이 강하여 자기 능력을 크게 발휘할 수 있다. 꾸준하게 자신의 지적 욕구를 채워가고 싶은 욕심이 발휘되는 시기이다.

★ 정인(正印)의 심리

[긍정적 심리]

1. 순수하고 선량하다.
2. 보수적이며 편안하고 지혜로우며 단정하다.

3. 직관력이 뛰어나고 상황 판단이 빠르다.

4. 성품이 인자하고 마음이 너그럽고 사려가 깊다.

5. 생각이 깊고 총명하며 윗사람을 섬길 줄 안다.

6. 정직하며 예의가 바르며 효심이 강하다.

7. 인정이 많고 군자형이다.

8. 학문에 재능을 발휘하고 명예. 명분을 중시한다.

9. 있는 그대로 받아들인다.

[부정적 심리]

1. 수동적이고 의타 적이다.

2. 자기본위 적이고 배려심이 약하다.

3. 인성이 태과 하면 자존심과 고집이 세다.

4. 자신의 실력을 너무 믿고 외골수적 편협한 생각을 한다.

5. 계획과 설계는 좋으나 실천력이 약하고 행동이 느리다.

6. 정직하나 매사에 고지식하며 융통성이 부족하다.

7. 나태하고 게으르며 의존적이다.

8. 재를 운용하는 능력이 서둘다.

Tip. 적성을 알아야 진학. 애정. 직업을 알 수 있다

유아 때부터 아이의 타고난 성향을 관찰하여 적성을 분석하면서 아이들에게 만족할만한 진로 선택을 결정하면 청소년 시기에 각자 공부 역량에 따라 진학에 많은 도움을 줄 수 있고, 또한 한 가정에 부모.자식과 소통할 수 있는 가정으로 교육이 이루어질 수 있다고 확신한다. 현재 대부분 학교에서나 심리센터에서 서양 심리학 MBTI 적성검사 등 다양한 심리검사를 하지만 학생 진로적성분석을 사주명리학으로 분석하는 경우의 수는 서양 심리학보다는 타의 추종을 불허한다.

심지어는 서양 심리학으로 알 수 없는 타고난 운세의 흐름으로 자기의 그릇을 알 수 있다. 궁합은 꼭 남녀궁합만 해당 사항이 아니고 모든 서로 상대와의 관계가 궁합이라고 생각하는 것이 현명하다. 지금도 겉궁합. 속궁합 따져가면서 인연론을 내세우지만 우선 자기 사주와 배우자 사주에 나타난 각자 성향을 살피면서 소통할 수 있는 구조인지 아니면 각자 마인드를 바꾸는 상태를 조성해야 하는지 아니면 최종적으로 결과에 대한 선택은 본인들이 결정해야지 역술인들이 선택해 주어서는 안된다.

살다 보면 언제쯤 지긋지긋한 직장 생활 그만두고 사업할 수 있을까 생각하신 분들이 있을 것이다. 타고난 사주 구조의 특징을 보면 직장 생활을 잘 할 수 있는지, 사업가 스타일인지, 아니면 모두 잘할 수 있는 기질을 가지고 있는지 다 파악할 수 있다. 주변에 능력을 갖추고 준비를 철저히 갖추고 노력을 해도 사업 실패한 분도 있을 수 있고, 전혀 능력이 없어도 주변 도움으로 승승장구하신 분도 있을 것이다. 일단 사업가는 타고난 사주에 주체성을 가지고 역경을 극복할 수 있는 기질이 강해야 하고, 운이 충분히 뒷받침 되어 준다면 성공할 수 있다. 직장인은 조직에 충실하게 수행하면서 자기희생이 따르고 운까지 받쳐 준다면, 어느 정도 직위까지 보장이 될 것이다.

사주 진로 적성 분석

5

십신(十神)의 유무(有無)에 따른 이해

5] 십신의 유무(有無)에 따른 특성

십성(十性)이 혼잡되어 많다는 것은 명식에서 일반적으로 같은 오행이 2~3자 이상을 의미한다. 태과(太過) 된 오행은 그 오행이 의미하는 부분이 강한 작용을 한다고 보는 것이 일반적이지만 주변의 다른 십성과 생극 관계에 따른 그 강약을 살피는 것이 중요하다.

1. 비겁(比劫)이 많은 경우

비겁(比劫)이 많은 경우는 일간인 나의 기운과 동일한 오행이 많다는 것으로 자신감이 넘쳐 자만하기 쉽고 무리한 추진력으로 실패할 수 있어 수양이 필요하다. 자신의 기운이 강하다 보니 주체성과 자존심이 강하고 고집과 기분파가 된다. 매사 속전속결을 좋아하고 독립, 개척. 자립정신이 강하다.

비겁이 많으면 우선 관살이 제어해주고 있는가 아니면 식상으로 설기 해주고 있는가를 판단한다. 비겁이 많아도 주변 십성의 강약으로 인하여 비겁 태과의 성향이 달라질 수 있다. 비겁(比劫)이 많으면 주변에 나와 같은 사람이 있다는 것으로 친화력. 동화력이 뛰어나다. 여자가 비겁이 많으면 남성다운 모습이 나타나고 남녀 불문하고 비겁이 많으면 영웅심리가 있다. 비겁(比劫)이 많으면 공권력 관련된 일이 좋고 동네 반장. 선도위원이라도 한다.

비겁이 많아 자신의 힘이 있으니 천상천하유아독존 할 수 있다. 비겁이 많으면 상대방을 존중하고 배려하는 마음을 지녀야 한다. 서로 다 같이 함께하는 법을 지녀야 하고 일의 경중을 가리는 혜안과 자기 절제가 필요하다. 스스로 우월의식이 강하여 탈이 되고 타인과 경쟁적 갈등 현상 발생한다. 또한 독단, 독선으로 인한 내면적 고독감이 발생한다.

비견보다 겁재가 태과 하면 경쟁심이 더 변질 되어 맹목적 추진 및 사욕 촉진으로 나타나기도 한다. 자기주장과 고집이 세고 무모하며 무리하게 속전속결로 추진하려는 성향을 보인다. 비겁이 많은 청소년 시기에는 자신이 잘난 체 할 수 있으니 친구들과 문제가 생길 수 있다. 친구를 먼저 존중하고 배려하는 마음을 갖도록 교육해야 한다.

비겁이 많다는 것은 타인과의 경쟁적 갈등을 이루는 심리가 있다는 것이다. 또한 독립심이 강하고 자기 위주로 생각하며 이기적인 면이 강하다. 매사 혼자 결정하고 모두 경쟁상대로 의식하기에 외롭고 고독할 수 있다. 그러나 슬픈 속내를 갖고 있으나 자존심이 강하여 표현하지 않으려 한다. 너무 자신감이 넘쳐 자만하게 행동하다 어려움을 겪는다.

비겁이 강하면 경쟁심이 강한 심리로 안정된 환경보다 모험과 강행의 의지가 강하다. 무모한 실천력으로 갈등을 겪는다. 따라서 부모 입장에서는 자녀가 비겁이 많으면 자신의 주관적 사고가 강하여 외부 통제나 간섭에 반발하니 개성을 존중해 주고 유연한 칭찬이 필요하다. 그러나 되고 안되는 일에 대해서는 분명한 선을 지키고 장점을 살리며 타협과 양보하는 심성을 길러준다. 지나친 통제보다는 칭찬하고 배려하며 인간애를 심어준다. 비겁이 많으면 자기중심적인 성향이 강하므로 서로 팀워크를 강조하고 단체생활에 적응할 수 있는 교육이 필요하다. 비겁이 많으면 집적 성향이 강하므로 직장에서는 독자적 영역을 구축할 수 있는 전문성을 가져야 한다. 관공직, 서비스 등 명령체계에서는 부적합하고 개인적 공간에서 주관적으로 개척할 수 있는 직업이 적합하다.

다시 말해서 비겁이 많아 강하게 투출되어 있으면 상당히 진취적이고 적극적인 경향이 있고 어떤 일에 있어서 든지 지기 싫어하는 경향이 있으며 자존심이 강한 모습으로 나타난다. 비겁이 많다는 것은 나와 동일한 존재가 많다는 것으로 혼자 독식하는 것보다는 상호 화합하여 나누어 가지는 습관을 지녀야 한다. 따라서 비겁이 많은 사람이 먼저 관용과 이해로 남을 포용하면 인기는 이루 말할 수 없다.

따라서 비겁이 많으면 먼저 베푸는 자세나 상대를 조언하기 보다는 귀담아듣는 자세가 우선 필요하다. 비겁은 독창성의 특성을 가지고 있지만 비견의 특성은 자존심이 겁재 보다 더 발달 하였고 협동적이며 열정적이지만 따로는 직선적이고 자기결정을 중시한다. 그러나 겁재는 경쟁심이 비견보다 더 강하며 주관적이고 직선적이면서도 결과를 지향한다.

이러한 비견과 겁재가 혼잡하면 오히려 비견보다 겁재의 성향이 더 강하게 나타난다. 다른 십성도 마찬가지다. 비겁의 혼잡하면 겁재의 경쟁심과 비견의 추진력이 때로는 타협할 수 있지만 그 타협하는 겁재의 특성이 때로는 다른 사람에게 뒤처진다는 생각을 하기 쉬우며 그래서 2 인자 같은 처신을 하는 경우가 많다.

2. 비겁(比劫)이 없는 경우

비겁(比劫)이 없거나 아주 약하면 스스로 의지가 취약하여 인내심이 약하고 소극적이고 독립심과 경쟁심이 부족하다. 비겁이 없다는 것은 나와 동일한 십신이 없다는 것으로 주변에 사람이 없고 주체성과 추진력이 부족하다. 여럿이 어울리는 것보다 혼자 있는 것을 좋아한다. 공동으로 하는 것보다 혼자 하는 일을 더 선호한다.

따라서 비겁이 없거나 아주 약하다면 경쟁성과 사회성이 약하고 자기중심적이라 남을 배려가 부족하다. 의존성이 강하고 투쟁성이 약화되어 때로는 대인관계가 불리할 수 있으니 어려움이 생겼을 때는 홀로 감당해야 한다. 경쟁력이 약하여 현실 안정 성향으로 사업을 불리하다. 비겁(比劫)이 없으면 배짱이 부족해서 자신의 소신을 밀고 나가는 힘이 약해서 강한 추진력이 필요한 직업이나 사업을 할 때 비겁이 없는 命은 불리하다. 현실 안주 성향과 어려운 현실에 대한 적응력이 부족하기 때문이다.

비겁이 없는 사람은 주관성이 결여되고 인내심이 약하고 소극적이니 우유부단한 성정을 지닌다. 비겁(比劫)이 없는 사람은 대체적으로 친구들이 많지 않다. 억지로 사귀어 보려고 해도 잘 안된다. 친구도 억지로 많이 사귈 필요 없이 몇 명의 친구로 만족을 하는 것이 좋다. 비겁이 없는 사람들은 외로움을 많이 탄다. 누구라도 찾아오면 반갑기는 하지만 조금 시간이 지나면 지겨워지는 경향이 있다.

여기서 비견과 겁재로 구분해 보면 비견이 없으면 어려움을 헤쳐 나가는 강한 추진력이나 버티는 힘이나 베짱이 부족하다. 겁재가 없으면 이기기 위해 한발 물러서서 힘을 기른 경쟁심이나 타협하는 면이 부족하다. 자녀가 비겁(比劫)이 약하거나 없다면 현실 도피가 일어날 수 있으니 강한 자긍심과 할 수 있는 기회 또는 특기 개발을 위한 교육이 필요하다. 긍정적인 마음가짐과 자신감을 길러주어야 하고 자신이 하는 일에는 크든 작든 책임을 지고 결과물이 나올 수 있도록 격려한다. 비겁이 없으면 공동의식이 부족할 수 있으니 친구들과 어울리도록 도움을 주어야 한다.

비겁이 없는 자녀교육 방법은 주입식 교육보다 객관적인 전개 방식의 시청각 교육이 필요하다. 스스로 상황에 몰입할 수 있도록 유도한다. 이론보다는 행동의 결과를 우선하는 현장 학습과 체험 학습을 우선 적으로 한다. 비겁(比劫)이 아주 약하면 지구력이 약하기 때문에 가급적이면 개인사업보다는 조직체계의 직장생활이 최선이다. 자신감과 강한 추진력이 부족하므로 어느 한 분야에 집중하여 성취감을 가지게 하는 것이 필요하고 억압하지 않도록 해야 한다.

비겁이 없으면 자신감이 부족하여 겁이 많고 피해의식과 억압심리를 가진다. 따라서 자신감을 가질 수 있는 주특기 배양하는 것이 아주 중요하다. 비겁이 없다는 것은 자신 즉 일간밖에 없다는 것인데 모든 문제를 혼자서 해결해야 하니 어려운 문제가 있으면 남에게 도움을 부탁해야 하는데 그러지도 않는다.

비겁이 없으면 외톨이가 될 수 있고 자기밖에 모르니 사회성이 없고 대인관계가 없는 경우가 많다. 어울리기가 쉽지 않고 조직이나 단체에 가입하려고 해도 갈 데가 없고 들어가서도 활동을 안 한다. 경쟁성과 사회성이 약하고 생각과 행동 방식이 자기중심적이다. 항상 자기 위주의 삶을 살다 보니 남을 위한 배려가 부족하고 치열한 경쟁구조에서 살아보지 않아 독립심, 경쟁심이 떨어진다.

3. 식상(食傷)이 많은 경우

식상(食傷)이 혼잡하거나 태과(太過) 하는 경우는 다양한 분야에 재능을 발휘할 수 있고 총명하고 아이디어가 뛰어나지만, 논쟁하는 구조이다. 한 곳에만 오래 꾸준하지 못하고 목표가 분산되어 다방면에 관심이 생겨 산만한 심리를 보여 집중력은 떨어진다. 허세를 부릴 수도 있고 자기 방식대로 하려는 성향을 보이기도 한다.

따라서 사교적이고 총명하고 언변이 좋지만, 상대를 자극하여 공격적인 모습을 보인다. 그러나 동정심과 인정이 많아 봉사 정신과 희생정신이 강한 스타일이다. 식신이 많은 사람은 인정이 더욱 많고, 상관이 많은 사람은 희생정신이 더 많은 것으로 구분할 수 있다. 식상(食傷)이 혼잡하게 되어 있으면 때로는 자신이 좋아하거나 원하는 일에는 어떤 희생도 감수하며 봉사하거나 돕는데 자기 눈밖에 벗어나거나 싫어하는 스타일은 얼굴을 보는 것조차도 싫어하는 이중성격과 극단적인 면이 있다.

식상(食傷)이 많으면 속에 있는 말을 해야 직성이 풀리기 때문에 비밀이 없고 비밀을 지켜줘야 할 경우에도 발설하여 손가락질받기도 한다. 그리고 식상을 통제하고 억압하는 관살을 극 하기에 누구에게도 통제받기 싫어하는데 조직 속에서는 따돌림받기 쉬우며 남의 일에 간섭하기 좋아한다. 식상이 강하면 변화가 많아 안정된 직장생활이 힘들고 실속이 없다. 소비지출이 많고 준법정신이 부족하다.

식상이 편중되어 있으면 자기의 두뇌가 가장 뛰어나다는 생각으로 자아도취에 빠져 오만하거나 남을 무시하고 허풍이 세며 반항적인 기질이 다분하고 직선적이고, 공격적인 성향으로 남에게 상처를 주니 항상 구설과 시비가 많이 따른다. 직장에서는 아랫사람에 대한 관계성은 좋으나 윗사람과의 관계성이 나쁠 수 있다. 본인 자신은 다른 사람의 간섭이나 어떤 테두리에 갇혀있는 있는 것을 싫어하지만 남의 일에는 간섭하기를 대단히 좋아한다.

식상이 많으면 허세를 부리는 경향이 많아 인성이 적절히 통제하지 못하고 관살이 없으면 관을 무시하고 편법이나 불법을 저질러 남을 속이는 사기성 기질이 나온다. 다양한 재능과 여러 곳에 호기심이 많아 목표가 분산되기 쉬우니 한곳에 집중해야 한다. 식신 편중이 되면 남의 얘기를 잘 안 듣고, 상관 편중이 되면 직장 상사를 무시를 경우가 많다.

이렇게 식상이 강하면 조직이나 윗사람에게 불복하니 직장에서 성공하기 힘들며 변화가 많아 안정적 직장생활이 힘들고 실속이 없다. 이렇게 식상이 태과하면 자유방임적인 성향으로 직장생활보다는 자유로운 업종이 어울린다. 식상(食傷)이 많으면 자신을 인정받고 싶어 하여 타인 비방도 서슴지 않을 수 있고 일에 대한 욕심이 많아 일관성 있게 하나만 보는 게 아니라 여러 가지 손대니 손해 보는 경우가 많다.

과도하게 자신을 드러내므로 정서 혼란이 야기되며 남을 비방하기 전에 나를 먼저 돌아봐야 하는 습관을 지녀야 한다. 말과 행동 즉 언행일치가 되도록 노력해야 하고 잡다하게 아는 것보다 하나라도 똑바로 알도록 교육해야 한다. 식상이 태과한 학생이라면 산만하고 나대니, 바른 자세와 예절교육은 필수이고 말하기 전 한 번 더 생각하고 남의 장점을 보는 습관을 배양해야 한다.

4. 식상(食傷)이 없는 경우

식상(食傷)이 없으면 자신의 속내를 드러내지 못하고 가슴에 묻어두며 새로운 일에 소극적이지만 과묵하다. 식상의 표현 기능이 없으니 할 말을 다 하지 못하고 나를 제대로 표현하지 못한다. 제 생각이나 능력을 밖으로 표현하는 능력과 위기 대처 능력이 부족하다. 어떤 상황에 소극적이며 창의성 부족으로 새로운 일을 시작하는데 부족해 보일 수 있다.

그러나 속내를 다 드러내지 않는 과묵한 성품이라 주변에 항상 사람들이 많다. 자신의 재능을 적극적으로 드러내지 않으니 갑갑하고 하고 싶은 말을 못 하니 소극적이다. 과묵하다는 것은 다른 사람들의 말을 잘 들어주니 주변 사람들이 편하게 생각한다. 따라서 식상이 없으면 잘 들어주고 따라주니 상담직이 어울린다.

식상 중에 식신이 없으면 한곳에 오랫동안 집중하여 반복하며 연구탐구하는 꾸준함이 부족하다. 따라서 한 곳에 꾸준하게 파고드는 부분이 부족하므로 필기구를 이용하여 기록하는 습관을 길러야 하며 단시간에 집중하는 훈련을 해주는 것이 필요하다. 상관이 없으면 순간적인 두뇌 회전의 재치와 변화에 대응하는 임기응변이 부족하다.

학생이 식상(食傷)이 없으면 새로운 일에 소극적이므로 단체캠프 등을 통하여 대화하고 스피치교육 프로그램으로 적극성을 길러주는 것이 좋다. 매사 열의를 가지고 적극적. 능동적으로 일해야 하고 현대는 자기 PR시대이니 끼를 표현하고 발산해야 하고 취미활동을 열심히 해야 한다.

식신이 약한 학생인 경우는 사회봉사, 심리철학이 깃든 교양서를 읽게 하고 신뢰를 바탕으로 자존심을 키워주며 긍정적인 생각을 하도록 해야 한다. 상관이 없거나 약하면 임기응변과 변화에 빠르게 대처하는 면과 새로운 일에 도전하려는 점이 부족하므로 다양한 경험과 독서량을 높이면 재치와 논리적인 언변을 갖출 수 있다. 식신이 약한 경우와 마찬가지로 사회봉사, 심리철학이 깃든 교양서를 읽게 하고 신뢰를 바탕으로 자존심을 키워주며 긍정적인 생각을 하도록 해야 한다.

식상이 약하거나 없으면 육체적인 활동성이 부족하니 자기 스스로 일하는 경우는 드물고 자신감, 표현력, 창조적 생산력에 문제가 있으니 충동적인 폭력성을 드러내기도 한다. 활동성, 생산성, 재주, 재능, 감각이 떨어지니 주변 일에 무신경하고 귀찮아하며 눈치가 부족하다. 외부적 통제에 적극적으로 대처하지 못해 손해나 피해를 보기 쉽다. 재성이 없어 식상생재를 못하면 직장생활 하던지 자신이 배우고 전공한 일을 해야 하며 제조적, 창조적, 생산적인 일, 사람 상대하는 사업은 어렵다.

여자의 경우 식상이 없으면 애정 표현이 약해 연애하기가 쉽지 않다. 식상이 약하면 감정순환이 조절이 안 되므로 정서 불안정, 우울증 등으로 자기감정을 은폐하게 된다. 이기적인 성향과 현실감과 표현력이 부족하니 대인관계가 원만하지 못하다. 식상이 약한 자녀를 둔 부모로서는 자유로운 표현을 할 수 있도록 자신감을 길러주고 불만을 표출하는 것을 막지 말고 합리적으로 대응하는 방법을 찾아야 한다. 문제를 구체적으로 설명하여 타당한 결과를 인정하도록 돕는다.

식상이 없거나 약하면 철저한 자기중심 적인 성향을 보이게 되는데 자신을 과소평가하고 심리적 박탈감을 가져 자신의 정체성에 불만을 품게 된다. 따라서 다양한 관점을 갖도록 노력해야 하며 자기 의사를 명확하게 표현하고 합리적인 결과를 수용하도록 지도해야 한다.

3. 재성(財星)이 많은 경우

재성(財星)이 혼잡하거나 태과하는 경우는 재물 욕심과 소유욕이 강하며 어떤 일에 만족 못하고 여러 가지 일을 벌이며 바쁘게 살아가는 모습을 보이지만 실속이 없어 보인다. 욕심이 많아 열심히 바쁜 생활을 하게 되지만 잡기에 빠질 수 있으니 주의해야 한다. 항상 부족하다고 느끼며 만족을 못 하고 돈 욕심이 많다.

재성이 많으면 예민하고 옆 사람 눈치를 보며 남을 의식하는 성향도 나타난다. 장점으로는 대인관계가 원만하여 친구가 많다. 부지런하고 바쁘게 살고 가만히 있지 않고 일을 만든다. 일복이 많고 채우고 싶은 욕심이 많으니 버리지 못하여 피곤하게 산다.

재성이 많으면 스케일 크고 공간개념을 가지면서도 한편으로는 정밀한 부분이 있어 재무관리에 능하다. 그러나 재화의 운용 능력이 발달하게 되니 직업 외에 잡기나 투자에 빠질 수 있다. 남녀 연애하는 경우도 소유욕이 강해지며 남자인 경우 이성으로부터 주목을 받을 수 있고 따라서 이성 관계가 복잡할 수 있다.

재성이 혼잡하거나 많으면 재성은 자기 능력을 인정받으려고 하는 욕구가 강하다는 것이다. 일의 결과에 몰입하는 욕심이 강하여 무모하게 일을 벌이게 된다. 허황된 욕심으로 결과를 얻지 못하고 비현실적인 경우가 많다.

재성이 지나치게 많으면 항상 돈을 버는 것에 힘겨워하고 불평과 불만이 많다. 무엇이든 해야 한다는 자기 확신과 강박 관념으로 과도한 이기심이 나오고 물질만능주의에 빠질 수 있다. 자기 생각이 환경에 적응하지 못하면 오히려 무위도식하고 적극성이 떨어진다. 재성이 많아 욕심이 많은 자녀를 둔 부모로서는 욕심을 분산시키고 같이 소유하는 환경과 습관을 만들어 주어야 하며 스스로 절제하고 실천하는 심성을 키워주어야 한다.

재성이 강한 학생이라면 성취도의 분야를 지적 욕구 실현의 차원으로 상승시켜야 하는데 자격증을 따고 다양한 독서를 하게 하고 결과보다는 과정을 중요시하는 지도가 필요하다. 수리 능력이 뛰어난 장점을 이용하여 교육해야 한다. 친구관계에서도 산만하고 다양한 결과물에 집착하게 되니 말보다 실천이 앞서는 모범적인 태도를 보여야 하고 시간관념을 철저히 하고 약속을 잘 지켜야 한다.

재성이 많은 학생이 돈이면 다 된다는 생각에 돈 아까운 줄 모르고 펑펑 사용하게 되면 처음에는 친구들이 좋아하겠지만 결국에는 거부감을 느끼고 멀리하게 되니 돈의 가치를 명확하게 인식시켜야 한다. 사주에 재성이 많은 사람은 사교성이 있어 친구가 많은 편이다. 언제나 다정다감하고 부드러워 남에게 친절을 잘 베푸는 데 단점이라면 꼼꼼하지 못하고 덜렁거리는 성격이 있다. 또한 정이 많다 보니 자기와는 별로 상관없는 일에도 인정에 얽매여서 질질 끌려가는 경우가 많다. 한마디로 말해 사람 좋다는 소리는 많이 있다.

인성은 공부와 학문을 의미하는데 재성이 편중된 사주는 인성을 극제 하므로 학마살(學魔殺)이라 부른다. 고로 학업이 부진하게 되고 중간에 전공을 바꾸거나 중퇴하는 경우가 많다. 특히 청소년기의 학생 시절에 재성운이 오면 이성에 관한 관심이 집중되거나 멋을 내고 친구들과 어울려 돈 쓰는데, 신경을 쓰게 된다.

직장인이 재성이 많으면 현실적인 금전적 문제에 집중하므로 인성의 명예. 생각. 정신. 사고를 극하니 주의가 산만하고 안정을 취하기 힘들다. 과정 없는 결과가 없듯이 결과에만 집착하지 말고 금전 관계를 명확하게 하며 횡재수나 투기 수를 바라지 말고 인내심과 자기 절제해야 한다. 사주에 재성이 태과하면 계획성과 판단력 그리고 인내심에 해당하는 인성(印星)이 파괴되어 항상 재물에 집착이 강해 무리하게 욕심을 내어 큰 사고를 치게 된다.

6. 재성(財星)이 없는 경우

재성(財星)이 아주 약하거나 없으면 결단력과 계획성이 부족하고 마무리를 확실하게 정리하지 못한다. 일의 마무리가 약하고 결단력이 부족하며 자신의 금전관리 능력이 취약하다. 그러나 재물에 대한 억압을 받거나 연연해하지 않는 장점이 있다. 재성(財星)이 없으면 결단력과 계획성이 부족하며 상황 대처 능력이 떨어져 우유부단하다.

편재가 없으면 전체를 바라보는 거시적 공간개념과 큰 목표를 갖는 것이나 과감한 결단력이 부족하다. 정재가 없으면 현실감 있는 욕심과 사물을 꼼꼼하게 살피는 것이나 사칙연산이 부족하다. 재성(財星)이 없으면 직장관을 생 하지 못하니 직업이 불안하다. 남자는 재성이 여자가 되니 재성이 없으면 연애 능력이 부족하다.

재성(財星)이 없으면 사업적. 금전적 융통성이 부족하다. 현금 재산과 인연이 박하므로 문서 재산으로 벌어야 한다. 재성이 없으면 경제 관념을 가져야 하고 노력 대비 최대 효과 볼 수 있는 능력을 키워야 한다. 재성은 결과를 나타내므로 재성이 없으면 지구력과 끈기를 키우고 용두사미 현상을 조심해야 한다.

책을 읽더라도 끝까지 읽히는 습관을 기르게 하고 독후감을 쓰게 한다. 어려서부터 과정과 결과를 스스로 확인할 수 있도록 기르고 숫자놀이나 계산능력 배양시켜야 한다. 재성이 없으면 무슨 일이든 벌려놓고 제대로 수습을 못하므로 부모에게 의지하는 나약한 성격이 나온다.

재성(財星)이 약하거나 없으면 주어진 상황에서 여건을 활용하지 못하고 스스로 자기 열등감으로 도태하니 불만이 가중되고 자신감이 상실된다. 자신이 노력하는 것에 비하여 항상 얻는 결과가 부족하다. 따라서 관리 능력이 약하고 결과를 창출하기가 어렵다. 이렇게 자기 상실감으로 인한 현실과의 괴리 심리에 빠져 불만족과 비현실적 에너지에 소모하게 된다.

재성(財星)이 없는 자녀를 둔 부모로서는 환경에 적응할 수 있도록 목표 의식을 가지고 다양한 환경과 공간에 적응하는 능력을 키워야 한다. 어려서부터 과정과 결과를 스스로 확인할 수 있도록 교육하거나 수리와 계산 능력에 중점을 둔 놀이를 제공 해준다. 학습능률을 위해서 그룹 지도와 공동활동 참여도를 높이고 주의력을 강화한다. 직은 결과에 칭찬하고 노력의 결과를 인정할 수 있도록 한다.

결과에 집착하지 않도록 하며 공부에 대한 명확한 이해와 실현 가능성을 부여한다. 친구 관계에서도 양보심을 배양하고 작은 것에 집착하지 않게 하고 공간의 활용을 넓게 하여 자발적이고 적극적인 친구 관계를 지향하도록 유도해야 한다. 직업 적성으로는 재성이 없으면 실행력이나 기획력이 약하기 때문에 관리 업무 쪽에는 어울리지 않는다.

7. 관살(官殺)이 많은 경우

관살(官殺)이 태과하거나 혼잡한 경우는 자기 세계에서 안주하고 억압 심리를 가지게 되지만 규범적인 생활을 한다. 자신이 만든 틀에 묶여 사는 사람, 즉, 억압심리가 강하게 나타나서 매우 갑갑하며 자꾸 뛰쳐나오고 싶은 생각이 든다. 피해망상에 시달리는 경우도 있고 항상 궂은 일을 도맡아 하면서도 인정을 못 받을 수 있다.

조급한 심리 구조 때문에 편안하게 있지 못하고 현실을 극복하고자 왕성한 활동을 하게 되지만 과감하게 추진하지 못하고 현실에 발목 잡히는 경우가 많다. 자신에게 주어진 역할이 어렵다고 하더라도 잘 견디어 내며 규범적이고 충실하지만 좋은 법이든 나쁜 법이든 다 따를 수도 있으니 주의해야 한다. 자제심이나 절제심이 강하다 보니 스트레스를 풀지 못하면 폭발한다.

관살이 많으면 대의명분에 목숨 건다. 현실적 안정감은 떨어지고 일만 많으니 피곤한 인생이고 직장의 변동이 크다. 관살이 많은데 적절히 조절하지 못하면 평생 기복이 많다. 자립 의식이나 자아가 약해 소극적 위축적이고 수동적인 삶을 살아간다. 장점으로는 자신에게 주어진 역할은 어렵더라도 잘 견디어 낸다.

관살이 혼잡하여 많으면 책임감과 자신을 희생하며 타인을 위해 일하는 것을 마다하지 않는다. 주어진 주변 환경에 대한 사명감이 높아 자신을 희생해서라도 이타적인 삶을 살 수 있으며 직업의 변화가 많을 수 있다. 따라서 과도한 스트레스나 강박 관념을 갖지 않도록 노력해야 하고 너그럽고 여유로운 마음을 가져야 한다. 자기 자신을 사랑하고 소중하게 생각하고 건강에 힘써야 한다.

관살이 태과하면 강박적 구속심리가 있고 과다 도전적이나 과다 자학적인 이중적 현상이 다 보인다. 흑백을 가리려는 심정이 강하여 시비가 잦다. 자신감이 없고 기가 약하여 불평을 강하게 노출하며 기존 질서에 대항하는 성향이 있다. 강박 관념이 강하여 부정적이고 소극적이다.

자녀가 관살이 태과 하면 부모로서는 스트레스로부터 수용력을 향상 시키기 위한 사색과 철학적 마인드를 키워준다. 이해와 양보심을 가지고 공동생활에 잘 어울릴 수 있도록 양육한다. 강박심을 주지 않도록 하고 용기를 주어 격려하고 관용을 베풀어준다. 강요하지 말고 자발적인 행동이 습관화 되도록 한다. 선의의 경쟁을 유도하고 피해의식을 갖지 않도록 하고 칭찬을 많이 하도록 한다.

8. 관살(官殺)이 없는 경우

관살이 없으면 간섭이나 잔소리를 아주 싫어하므로 조직 생활에 부담을 느끼며 감정조절이 어렵다. 간섭을 아주 싫어하므로 스스로 알아서 하는 습관을 지니도록 유도해야 한다. 관살이 없는 사람의 장점은 통제하는 성분이 없으니 자유로운 활동력을 바탕으로 소신을 마음껏 펼칠 수 있다는 점이다. 조직 생활보다는 자기 사업을 항상 염두하고 있다. 관성이 없는 데다 비겁이 있으면 이러한 성향이 더 심하게 나타난다.

관살이 없으면 내 것을 지키는 힘이 약해 손재, 탈재하기 쉽고 경쟁 관계에서 밀리는 경우가 생긴다. 자신의 직장. 자리를 지키지 못하기 때문에 안정감이 떨어지는 변화가 많은 직종에 종사하므로 삶. 생활 등이 안정적으로 무난하게 가기 힘들다. 한 직장에서 계속 근무하거나 한 직업으로 계속 가기가 어려워 직업의 변동이 많고 다니더라도 조직성이 떨어져 직장생활이 힘들다.

관살이 없으면 제어 장치. 통제 장치가 없으니 생각이나 행동이 충동적이다. 자기 자신밖에 모르고 스스로의 감정을 통제하는 기능과 통제된 조직 생활에서 버티는 힘이 부족하여 직장생활보다는 자기 사업을 하려고 한다. 자유로운 활동력을 바탕으로 소신을 마음껏 펼칠 수 있다. 관살이 없거나 약하면 자신에 대한 통제와 의지가 약하므로 소극적으로 내향화가 되고, 실행과 책임, 의무 등에 대한 거부 반응으로 일탈 심리를 보이게 된다. 관살이 약하면 주관적 감정에 몰입하게 되는 증후가 나타나 결단성이 부족하고 준법성이 결여된다. 절제력이 부족하고 자만심이 팽배해진다. 따라서 관살이 없는 자녀를 둔 부모로서는 다소 절제된 환경과 습관으로 양육하고 시작한 것은 스스로 마무리하도록 도와주고 조용한 음악과 아늑한 환경을 제공한다. 질서와 법을 지키는 도덕교육에 관심을 끌게 한다. 위인전기를 읽게 하는 것이 좋고 약속을 하면 말보다는 문서로 남기는 것이 좋다.

9. 인수(印綬)가 많은 경우

인수가 많으면 내가 받는 기운이 많다는 것이니 인수는 생각. 사상, 정신이니 생각이 많고 공상 잡념에 빠져 있는 때도 있고 체면을 중시하고 자립심이 약해서 주변 환경에 안주하거나 염세 성향에 사로잡혀 태만한 성격이 될 수도 있다. 대중과 어울리기보다 고독을 즐기며 혼자 있기를 좋아해서 수도자 같은 심리가 있다. 장점으로는 이론적이며 사고력이 풍부한 면이 있다.

인수가 많으면 움직이는 식상을 제어하니 몸으로 움직이는 것을 싫어하고 잡념. 공상이 많다. 인수가 많으면 몸보다는 머리가 움직이니 사고력. 아이디어 발달. 디자인 개발 등 업종이 어울린다. 좋게 말하면 차분하고 신중하며 여유가 있다는 것이고 매사 마지막 순간에 움직이는 마감임박형이다. 인수가 많아 받아주는 수용기능이 강하니 남의 오만가지 얘기 다 들어주고 받아주고 낙천적인 긍정적인 성향도 가지고 있지만 고민이 많은 스타일이다.

또한 인수가 많아 혼잡하면 수용력의 혼잡으로 판단력은 오히려 발달할 수 있으나 정작 양자 선택의 상황에서는 머뭇거리는 심리가 나타나므로 우유부단하게 보여지는 경우가 많다. 이해력은 빠르나 순간 선택 결정하는 장애가 따른다. 인수가 많아 다른 십성이 조절하지 못하면 자기중심적인 성향으로 대인관계에서 스스로 고립된 상황으로 가는 심리 구조이다.
인수가 많아 식상을 억제하면 희생과 양보심이 없는 경우가 많다. 이기적이고 자신의 이익만 우선한다. 항상 생각이 많아서 이해득실을 따져서 행동하는 버릇이 있다. 양보심이 없고 이기적이면서도 스스로 자신은 피해의식을 갖게 된다. 인수가 많으면 고집이 세고 고지식하며 게으르고 자기 위주로 활동한다.

인수가 많은 자녀를 둔 부모로서는 지나친 간섭을 피하고 스스로 해결할 수 있도록 습관화시켜야 한다. 양보심과 희생 봉사 정신을 몸소 행동으로 보여주어야 한다. 공동생활에 자주 참여시켜 함께 할 수 있는 공동의식과 협동심을 심어준다. 인수가 강하여 많으면 스스로는 자유로운 행동이라고 생각하지만, 독선적인 경향이 강하므로 다른 개성과 재능을 지닌 친구들과 부드럽게 어울리며 안정된 정서를 갖도록 유도한다. 암기를 강요하지 말고 이해를 우선 할 수 있도록 한다. 이론적인 설교보다 현실적이고 구체적인 결과에만 칭찬한다. 효율적인 학습 방법을 터득하도록 한다.
인성이 강하여 편향적인 인식으로 인해 부정적인 측면을 배제하고 보다 긍정적인 부분에 대한 활용성을 키운다. 너무 오랜 시간 생각하거나 미래에 다가올 고민을 미리 하지 않는다. 충분한 휴식과 적당한 놀이를 즐기며 자신의 할 일을 부모나 타인에게 미루지 않는다. 직업 적성으로 인수가 강하면 서비스 계통이나 상담자로서는 적합하지 않다.

10. 인수(印綬)가 없는 경우

인수가 없으면 타인의 말이나 상황을 수용하고 이해하는 기능이 떨어지고 정신적 스트레스에 약하다. 그러므로 잘 삐지는 성격이 되고 마음의 상처를 잘 받는다. 그러나 매사에 단순명료하여 복잡한 것을 싫어하여 스스로 만드는 마음의 병이 없고 목표가 정해지면 목표를 향한 추진력이 뛰어나 성공 확률이 높다.

인수가 없으면 오해를 해서 잘 삐지기 때문에 분명하게 설명을 잘해주고 칭찬을 해주어야 한다. 복잡한 것을 싫어하고 생각을 단순화시킨다. 인수가 없는 사람의 장점은 한번 목표가 결정이 나면 한곳으로 집중하여 흔들리지 않는다. 인수가 약하면 관찰력 약화로 집중력이 떨어지니 인내심이 부족하고 소극적이며 통찰력이 부족하다. 기억력이 약하여 과거의 약속을 쉽게 잊어버리고 공부해도 사회생활에서는 응용하지 못하는 경우가 많다. 기획력이 부족하고 스스로 불신과 불만감을 느낀다.

인수가 없는 자녀를 둔 부모로서는 자녀가 스스로 탐구하거나 집중하려는 의지가 약하므로 관용적 자세로 도와야 한다. 많은 관심과 충분한 사랑으로 생리적 욕구를 충족시켜 주어야 한다. 의무감과 책임감을 심어 줄 수 있는 노력과 환경을 제공한다. 끈기와 인내심을 배양하도록 지구력을 기르는 양육을 한다. 인수가 약하여 집중력이 저하되고 학습장애가 오니 의욕을 일으키는 잠재성 개발 위주로 교육 방법을 전환한다. 암기하는 습관과 기록하는 습관이 필요하고 시작한 일은 끝까지 마무리하는 습관이 필요하다. 숙제나 준비물을 스스로 챙기는 준비성이 절대 필요하다.

인수가 약하면 사교성이 부족하고 혼자 고립된 경우가 많다. 따라서 상대방의 말을 최대한 귀담아듣고 항상 받아들이고 기록하는 습관이 좋다. 인성이 없는 직업 적성은 기획. 마케팅. 머리를 많이 쓰는 직업은 부적합하다.

지금까지 십성의 유무에 따른 장단점을 진로 적성 위주로 파악해 보았다. 십성 유무에 따른 특성은 기본적인 내용이기 때문에 실제로는 십신의 강약을 모두 따져 보아야 한다. 예를 들어 사주 원국에 인수가 없어도 인수를 극 하는 재성이 약하고 인수를 생 하는 관살이 살아있으면 인수가 없어도 인수 작용이 살아날 수 있다.

또한 인수가 약하게 있는데 관성 없이 재성이 강하고 약한 인수를 설기하는 비겁이 강하면 인수가 있어도 거의 없는 작용을 하게 된다. 따라서 원칙적으로 십신 오행 유무에 따라 무조건 해석하는 것은 아주 기본론에 해당하니 참고만 하시고 실제로는 각자의 사주 구성에 따라 가변성이 많으니 사주 원국을 보고 세밀하게 판단해야 한다.

사주 진로 적성 분석

6

십신(十神)이 월지(月支)에 있는 경우

6] 십신이 월지(月支)에 있는 경우

지금까지 십성(十性,十星,十神)을 자세히 살펴보았다. 백문이 불여일견이라고 아무리 십성에 대해서 박학다식해도 사주 명식을 대입해서 활용하지 못한다면 아무 의미가 없다. 또한 사주 진로 적성분석을 일명 사주팔자로 심리분석을 할 때 누구나 실생활에서 공감할 수 있는 언어로 쉽게 표현하는 기법을 활용해야 한다. 상담을 잘하는 것은 표현 전달 방식이 복잡하고 어려운 것을 쉽게 이해할 수 있도록 단순하게 표현하는 것이다.

1. 비견(比肩)이 월지에 있는 경우

비견은 자신의 주체성이 강하니 자존심이 강하다. 간섭받는 것을 싫어하고 개인주의 성향이 강하니 독립심이 강하다. 독불장군형으로 혼자서 독식하려는 경향이 강하다. 비견이 생하는 식상 중에서 특히 식신으로 가면 연구에 몰두하는 형이 된다. 월지는 다른 지지보다 2배 이상의 힘을 가지고 있다.

따라서 월지가 비견(건록)이 되면 비견의 특성이 강하게 나타난다. 심리적 특성으로 자존심과 자존감이 있다. 비슷한 의미 같지만 뿌리 없이 일간 주변에 비견이 떠 있으면 자존심이 강하여 쉽게 반응하고 월지나 일지에 비견이 있으면 자존감이 강하여 여유가 있는 편이다.

월지에 비견이 있다면 내(일간) 힘이 강하니 독립적인 직업이 알맞다. 독립자영업, 전문직, 자유직업이다. 월지가 비견이라 힘이 있으면 식상으로 갈 것인가. 아니면 관살로 제어해 줄 것인가를 우선 판단해야 한다. 비겁은 자체보다는 다른 십성을 선명하게 드러내어 촉매 역할을 한다.

따라서 월지 비견이 식상으로 가면 연구. 기술직이나 자유직업, 운동 등을 할 수 있는데 운동선수라면 비견의 특성을 고려하여 개인기 중심(권투, 골프, 양궁, 사격, 역도, 유도, 태권도, 수영 등)이 좋다. 그러나 비겁이라도 겁재는 타협할 수 성향을 가지고 있으니 단체 종목도 강하다. 월지가 비견이고 관살로 비견을 제극 해주면 공. 관직, 일반직장, 의약직으로 갈 수 있다.

크게 보면 2가지 유형으로 나오는데 나머지는 수많은 사주 명식의 예를 보고 응용해야 실전에서는 활용할 수 있다. 월지 중심 십신 10가지 유형을 가지고 최소 1가지 유형을 50개씩 총 500개의 사주 명식을 가지고 십성 구조 파악 공부를 해야 한다. 여기서 유의할 것은 월지 격국중심으로 천간 위주로만 보아서는 안 되고 일간 포함 干支 7글자를 월지 중심으로 십신 생극제화를 살펴보아야 한다.

[학생 비견대운 심리상태]

학생(초중고) 비견 대운 심리상태는 예민하고 자존심이 매우 강해지는 경향이 있으므로 자녀에게 거리낌 없이 대하지 말고 조심스럽게 대하는 것이 좋고 칭찬을 활용하는 것이 중요하다. 비견은 친구를 나타내므로 이 시기에 부모가 친구·형제들과 비교하면서 자극을 주면 인정받고 싶은 욕구를 친구를 통해서 해소하려는 경향이 나타나거나 많은 친구를 사귀면서 해소하려는 경향이 나타나 학습하는데 부작용이 나타난다. 자녀가 비견 대운의 시기에 있다면 자녀에게 지속적인 관심. 칭찬을 자주 해주며, 주변의 친구나 다른 형제와 비교하지 말아야 한다. 다른 사람들 앞에서 자녀의 자존심을 살려주고 북돋아 주는 것이 좋다. 학교에서 선생님들에게도 인정받고 칭찬받는다면 더욱 좋다.

이 시기의 비견 대운에는 공부보다는 예술적 끼를 발휘 할 수 있으니 진로 변경에 신경 써야 한다. 어떤 장소에서든 누구 앞에서든 자녀의 자존심을 살려주는 것이 좋다. 상을 받거나 많은 사람 앞에서 인정받으면 자긍심이 생겨 스스로 자녀가 공부에 최선을 다하는 경우가 많다.

2. 겁재(劫財)가 월지에 있는 경우

월지에 겁재가 있으면 비견과 마찬가지로 주체성과 자존심과 독립심이 강하지만 비견과 다른 점은 자신의 이익을 위해서 겉으로는 한발 물러서는 성향이 있다는 것이다. 그러나 비견보다 더 욕심이 많아 쉽게 포기하지 않는 특징을 가지고 있다. 반드시 뜻을 이루어, 잘 살겠다는 집념이 강해 열심히 땀 흘려 수고하며 싸워서라도 획득하고 인정받으려는 경쟁심리가 비견보다 더 강하다.

지금까지 겁재는 재물을 겁탈하고 이기적이고 못된 십성으로 보아 왔지만, 자본주의 사회에서는 겁재의 경쟁심이나 타협심. 이성적 판단이 오히려 필요한 사회이다. 비견은 끝까지 가는 인내심과 타협심이 부족하여 포기하지만, 겁재는 자신의 실리를 위해 타협하는 융통성이 있다는 점이다. 이렇게 겁재는 상황판단이 빠르니 급변하고 경쟁하는 현대사회에서는 비견보다 겁재의 장점이 더 우월할 수 있다.

그러나 겁재도 지나치게 강하여 그 욕심이 노출되면 강자에게 약하고 약자에게 강한 이기적이고 위선적인 성향이 나온다. 겁재는 다른 말로 양인(羊刃)이라 하여 칼을 활용한다고 하여 격이 좋으면 권력 계통에서 종사하고 떨어지면 칼을 쓰는 기술자로 비유하곤 한다.

월지가 겁재가 되면 비견과 마찬가지로 내 힘이 강해지니 식상으로 설기할 것인가 관살로 제극할 것인가를 우선 판단해야 한다. 그리고 재성의 강약에 따라 격의 차이가 있는 것이다. 월지가 겁재가 되었다고 무조건 동업은 불가하다고 보면 안 되고 월지 주변 재성의 상황을 보고 판단해야 한다.
겁재는 남의 불행이 나의 행복이 될 수도 있다는 현실을 받아들인다. 이것을 역설적으로 활용하는 직업이나 학과가 좋다. 누군가와 경쟁하여 남이 죽어야 내가 살 수 있는 생존 훈련이 필요한 직업이나 사회질서를 유지하기 위해서는 공권력이 필요한 직업이 여기에 해당한다.

직업군인이라면 더욱더 강한 특수부대원. 경호원 등에 속하며 스포츠 관련 종목이라면 개인기 중심 종목도 가능하고 단체종목도 가능하다. 월지 겁재가 강하여 식상으로 설기 하면 비견과 마찬가지로 다양한 자유로운 직업에 해당하지만 예체능. 언론사. 칼. 가위를 다루는 의료업, 이미용업.

육 가공업. 변호사. 금융. 증권업 등 다양하다. 겁재가 강하여 관살로 제어한다면 군경 검, 정치인. 운동선수 등에 속한다. 그러나 비겁이 강하고 식.재.관이 아주 약하다면 가는 길이 없어 내세 우만 한 직업이 없지만 간혹 비겁으로 편중되어 종격(從格)이 되면 전문직에 종사하여 잘사는 사람들도 있으니 세심하게 살펴보아야 한다.

[학생 겁재대운 심리상태]

겁재 대운에 와 있는 학생들은 비견과 마찬가지로 자신을 내세우고 싶어하고 인정받고 싶어 하는 시기이므로 칭찬받고 싶은 욕망이 강해진다. 감정이 예민해지고 감수성이 발달한다. 비겁 대운은 내 힘이 강해지니 부모나 선생님, 친구 등 주위 사람들에게 인정받고 싶은 욕구가 커지고, 동시에 친구나 선후배들과 어울려 놀기 좋아하는 시기이다.

부모입장에서는 지속적인 관심을 쏟아야 하고 자존심을 살려주는 것이 필요하다. 이 시기에 자녀에게 무관심하다면 친구에게 빠져 학습 저하가 올수 있으므로 부모가 친구가 되어주고 가족과 같이 어울리는 시간을 많이 가져야 겁재 대운을 슬기롭게 대처하는 방법이다.

3. 식신(食神)이 월지에 있는 경우

식신은 내가 生 하는 기운으로 만들어내고, 나타내고, 베푸는 마음으로 나를 표현하는 연구와 창조를 뜻한다. 식신은 표현하는 방식이 말(언어)이 아닌 창조요, 연구다. 자기 기여도가 높은 공적 희생과 봉사정신과 이

타적 실현성이 높다. 식신의 역할은 연구와 창의성을 발휘할 수 있다면 불만이 없다. 식신은 대기만성형으로 한 가지 일을 꾸준히 연구하여 전문가로 성장할 수 있다.

식신은 상관보다 더 오래 걸리며 느리다. 그러나 어떤 일이든 파고 들어가 그 뿌리가 완전하게 파헤쳐야 직성이 풀리는 심리구조이다. 식신은 문장력. 악기. 기술력. 운동. 무용 등 신체를 통하여 드러내는 표현이 발달하고 성급하지 않고 여유로움. 여성적 섬세함. 손 재능. 연구력, 기술력 등 한 분야의 전문가이다. 그러나 식신은 융통성이 부족하고 시각이 좁다. 월지가 식신이면 내가 생하는 십성이므로 일간이 힘이 있으면 재성으로 설기하여 식신생재할 수 있다. 또한 주변에 관살이 강하다면 식신제살할 수 있다. 월지 식신이 주변에도 식상이 강해 식상에 태왕하고 일간이 힘이 없으면 이런 경우는 인성으로 식상을 제극 해주어야 한다. 따라서 월지 식신이라도 지나치게 식상이 많은지 적당한지 구분해야 한다.

관살이 강하여 식신이 관살을 적당하게 제극을 하면 관을 잘 다루므로 관운이 좋다. 따라서 법·행정학과, 정치·외교학과, 공·관직 계통이다. 식신이 재성이 있어 식신생재하면 기본적으로는 사업가이고 의식주 관련업이나 제조업종이다. 그러나 식신생재는 직업이 다양하여 교육업. 연구직. 예체능 등 너무나 광범위하다. 십성의 특성에 따라 식신이 편재를 생하면 의식주관련 사업이지만 편재의 공간력을 활용하고 식신의 손 재능을 결합시키면 건축, 토목, 미술 등 다양하다.

식신을 정재와 결합 시킨다면 정재의 계산적이고 치밀한 경제분석 전문가가 될 수 있다. 식신을 정인으로 제극하면 문학 계통으로 나갈 수 있고 재성이 없다면 연구직이나 기술직으로 직장인으로 나가야 한다. 식신의 직업은 교사, 의사, 교수, 연구원, 예능, 종교, 유치원 교사, 음식점 등 너무나 다양하다. 식신이 水火가 왕성하면 요식업이 좋다. 식신은 연구, 궁리하여 창의적인 것을 만들어내는데 종사한다.

식신은 시간에 구애받지 않고 연구한다. 미지의 탐험을 즐기는 식신의 특성을 살릴 수 있는 학과나 문예창작학과, 고고학과, BT 산업의 생명·유전공학, 화공학과·임상병리학, 심리학과, 종교학과, 상담직, <정치·경제·사회·체육> 전반의 정보 조사·분석학 등이다. 연구하고 추리하고 실험은 식신의 영역으로 각종 연구학과, 미래과학과, 미술학과, 작곡과, 문학과 (연구원, 기술자) 인공지능이나 유전공학 등이다.

식신이 비견과 결합하면 자기 고집이 있어 꾸준히 연구하고 파고든다. 식신이 겁재와 결합하면 경쟁심이 불타서 남들보다 좋은 성과를 내기 위해서 더욱더 노력하는 식신이 된다. 이와 같이 비견과 겁재는 단독으로 있을 때는 특별한 직업이 없으나, 다른 십성과 함께 있으면 다른 십성의 직업 힘을 보강해 주는 촉매 역할을 한다. 식신은 이것저것 되는대로 일을 시키면 매우 서툴다. 오로지 한 가지만을 맡겨주면 일심으로 파고드는 것이 식신의 성향이다.

실험실에서 자신만의 일에 몰두하게 되는 식신이 가장 행복한 식신이다.

등급이 좋으면 대학교나 첨단연구실에서 연구하고 등급이 낮으면 공장에서 연구하고 더 낮으면 기술자로서 돌아다니면서 밥벌이한다. 식신은 자신이 하는 일에 대한 자부심은 대단하다. 자신의 전문 분야에 대해서만큼은 누가 시비를 걸면 가만히 있지 못한다. 적어도 한 가지 분야에서만은 자신이 최고라고 하는 자부심을 가지고 산다. 그래서 피나는 노력을 아끼지 않는다.

월지 식신은 교육. 의식주, 경제. 제조. 판매 등 뿐만 아니라 재해 예방에 관계되는 업무인 의료업, 산업안전 공사, 재해예방 기구 제조업 등 종사(사업)하는 것도 식신의 영역이다. 식신이 생재하여 직장생활을 한다면 정재와 편재를 구분하여 살펴본다면 식신정재가 되면 금융, 경리. 기술 관련업 직장이고 식신편재가 되면 무역, 항공 등 스케일이 큰 직장에 종사한다.

그러나 식신이 재성과 함께 있으면서 일간이 강한 명조는 사업을 할 수 있는데 음식 장사나 식품 사업. 음식솜씨가 아주 뛰어난 사람이다. 식신이 편인과 결합이 되면 의약 분야 또는 전문 연구직에 어울리고, 정인이 있으면 교육 관련 분야, 정관이 있으면 행정연구원이 될 수 있다. 식신은 장인정신을 살려 혼자서 연구하고 발명하는 적성이 있어 도공(陶工)이나 소프트웨어 개발이 잘 어울린다.

식신이 재성을 보고 있다면 자기 아이디어를 제품화시켜 생산까지 가능하다. 취미생활에서 식신은 혼자서도 잘 노는 유형이며 누군가 간섭을 하면 자신의 리듬을 잃는다. 무언가 만들어내는 창작 관련 취미활동이 좋다. 서예를 하거나 그림을 그리는 것도 흥미를 유발하게 된다.

[학생 식신대운 심리상태]

식신 대운에 와 있는 학생이라면 식신은 관(官), 즉 관성을 극 하는 시기이므로 명예욕이나 자존심이 극도로 자제된다. 학문에 대한 열의나 배우고자 하는 적극성이 가장 커지는 시기이다. 식신 대운에는 부모가 조금만 신경 써주면 자신의 실력을 최대한 발휘한다. 학문적인 뒷받침을 적극적으로 해주는 것이 좋다. 이 시기에는 학습 환경만 잘 조성해 주면 자녀 스스로 알아서 학습 의욕이 고취되어 열정적으로 배우고자 하므로 부모가 해줄 수 있는 상황만큼 적극적으로 도와주면 제일 좋은 성과를 얻을 수 있다.

4. 상관(傷官)이 월지에 있는 경우

상관은 감정이 풍부하고 뭐든지 빠르며 돌발적이고 다재다능하다. 승부욕이 강해 경쟁에서 지기 싫어하고 도전적이며 돋보이는 창의력을 가지고 있다. 한 가지 일에 전념하는 성향보다 다양한 방면에서 박학다식하지만 깊이는 얕다. 공격적이고 이기적인 성향과 즉흥적이며 끈기가 부족하고 싫증을 잘 낸다. 변화무쌍 하는 성분이 상관이다.

상관은 자신을 표현하고 상대를 설득하는 능력이 있다. 주제를 설명하고 이해시키는 탁월한 능력이 있다. 순간적 발상이 뛰어나 발명과 예능 방면에 소질이 있다. 독창성이 강한 성향이므로 자유로운 업무에 좋다. 상관은 남들 앞에서 떠벌리는 것을 좋아한다. 누가 알아주면 더욱 신명 나게 자신을 드러낸다. 말로 먹고사는 직업인 교사, 강사, 변호사 등이 맞다. 상관은 두뇌의 순발력이 좋아 대인관계 좋다. 그러나 식신의 성향을 갖은 사람은 남과 사귀는 일에 매우 서툴다. 그래서 한 가지 일에 몰두하게 된다. 상관의 성향을 갖게 되면 오히려 혼자서 열심히 파고드는 것에는 대단히 따분하다고 느낀다. 상관의 특기는 남의 마음을 헤아리고 기선을 제압한다. 결국 뭔가 눈에 띄는 형태는 모두 상관이다.

상관의 단점은 말이 많고 남의 비밀을 간직하지 못한다. 상관의 직업으로는 유창한 화술이 있어야 하는 업무이다. 상관은 폼나는 직업, 사회적으로 존경 받는 직업을 많이 생각한다. 상관이 생재하면 사업가 쪽에 소질이 있고. 상관이 인성을 쓰면 교육. 학자 쪽으로 발전하며 상관이 재성도 없고 인성도 없으면 예술 예능 쪽에 소질이 있다.

남자 사주 월지 상관이 편관을 극 하면 경찰이나 무관이 될 수 있다. 월지 상관에 양인과 조화를 이루면 군인으로서도 크게 출세할 수 있다. 월지 상관은 직업 변화가 많으며 남의 지배를 싫어하는 까닭에 자영업이나 자유직업을 갖는 경우가 많다.

상관은 모르는 사람에게도 먼저 말을 건넨다. 남들과 함께 일하면서 할 수 있는 직업이나 남에게 보이는 부분을 매우 중요하게 생각한다. 다른 사람이 나를 어떻게 보는 것에 민감하며 기피 업종으로 상관은 취직하지 않는다. 상관과 정관의 길한 조합은 외교관으로서 자질을 인정 받고 상관과 편재의 길한 조합은 무역이나 사업에 소질이 있다. 상관과 정인의 길한 조합은 통역에 소질을 보여서 관광학과 등에서 능력을 인정받는다.

깊이 있는 연구보다는 넓은 활용 쪽으로 관심이 많은 것이 상관 성분이다. 상관의 기술 계통은 발명개발의 정보기술, 기술자, 기술 계통 학자도 맞다. 상관은 특수한 기술을 지녔거나 특수한 사업에 종사하는 경우가 많다. 상관 기질이 필요한 탤런트나 가수, 취재기자나 시청각과 관련 있는 방송 연예 계통도 맞다.

상관이 격이 높으면 변호사나 법조계, 교수직이나 언론직 출판 작가 등에 종사한다. 상관생재가 되면서 관성이 잘 조화를 이루면 경제부처 관리직에 종사한다. 상관은 변화무쌍하고 승부 욕이 강하여 활동적이고 창의성이 남다르지만, 싫증을 잘 내는 경향이 있다. 직업 적성으로는 발명가. 변호사. 연예인, 강사 등의 직업이 적합하다.

월지 상관에 비겁이 쓰이게 되면 기술직으로 직장생활이 가장 좋다. 상관생재가 되면 사업 이외에도 독자적인 창작의 미술 음악 등 예체능 분야나 특수한 기술을 지녔거나 특수한 사업에 종사하는 경우가 많다. 예술 기술 교육 또는 이들을 수단으로 한 사업 등에 소질을 보이며 재성이란 결실을 만들기 위해 적극적으로 활동한다.

상관대살(傷官帶殺)이 잘 구성되면 상관은 칠살이라는 불의를 물리치고 강직하고 고강한 성향을 띠며 기존 질서에 대한 변화와 개혁에 관심을 보여 무관, 비평가, 사상가, 정치가, 시민단체의 일원 등으로 활약하기에 적당하다. 상관격은 표현력이 뛰어나기에 강의, 연설, 역술가, 중개업 등의 분야에 적합하다.

월지 火 상관은 지혜가 뛰어나며 문화와 예술 방면에 소질이 있다. 뛰는 성격으로 정열적이고 화려하며 허영심과 사치심도 있다. 직업으로는 화려한 계통의 예능, 연예계, 언론계, 광고업, 교육사업, 작가 등이 적합하고, 언변이 뛰어나므로 구술업 등에도 어울린다.

월지 土 상관은 매사에 정열적이고 추진력은 있으나 뒤끝이 약하고 성격도 급하다. 상하관계가 불화하기 쉬우며, 일에 막힘이 많고 융통성이 부족하다. 언론, 종교, 사찰, 부동산, 예술, 어문학, 토목기술, 요식업, 건축업, 소개업 등이 적합하다.

월지 金 상관은 솔직하고, 정직하나 비판적인 성향이 강해 야당 인사와도 같다. 성격은 겁이 별로 없고 의협심이 매우 강하며, 자립심과 자존심이 매우 강한 유형이다. 직업으로 유통, 운송, 해운, 기계제조업, 부동산, 건축업, 철강, 자동차, 광산, 금융업 등이 적합하다.

월지 水 상관은 상관의 특성 중 장점을 두루 갖추고 있다. 지능이 좋으며 말하는 스타일도 논리적이고 깔끔한 성격이다. 직업 활동으로는 의사, 약사, 변호사, 판검사, 작가, 교사 등이 적합하다.

월지 木 상관은 지혜와 덕을 겸비하고, 성품은 직선적이고 대범한 것 같으면서 순리와 원칙을 많이 따진다. 계산능력이 뛰어나고 수리 능력이 좋아서 교사, 교수, 의사, 정치가, 회계사, 연설가, 작가, 화가, 기획 업무 등이 적합하다. 만약 火가 없으면 실속이 없을 수 있다.

[학생 상관대운 심리상태]

상관 대운에 와 있는 학생은 상관은 관성을 극 하므로 초년기~청년기의 상관 대운에는 관(官) 즉 나서고 싶어 하는 명예욕을 자제시킨다. 따라서 이 시기에는 학생의 본분인 학업에 충실해지는 경우가 많다. 어려서 부모의 관심이 부족하였거나 환경이 좋지 않은 특별한 경우가 아닌 이상 학습 의욕이 커진다. 식신 대운보다는 자신을 내세우고 싶어 하거나 언어 표현력이 발달하지만, 초년 대운 중에서는 심리가 안정적인 편이다.

상관 대운에는 부모가 크게 간섭하거나 잔소리하지 않아도 자녀 스스로 학습 의욕이 커지므로 공부에 집중할 수 있는 분위기만 만들어 주면 높은 성과를 얻을 수 있다. 대화를 통해서 아이가 원하는 것이 무엇인지 들어주고 적극적으로 아이가 원하는 학습 분위기를 조성해 주면 좋다. 반복하기 싫어하므로 짧은 시간에 집중하는 훈련과 눈으로만 공부하는 습관을 막아야 한다.

5. 편재(偏財)가 월지에 있는 경우

편재는 전체를 거시적으로 바라보는 시각과 과감한 결단력이 있어 리더의 자질이 있다. 다만 성급함이 있어 일을 꼼꼼하게 계획하는 점은 부족하다. 편재는 내 마음대로 관리 감독하는 마음을 말한다. 자신이 관심이 있는 대상에 대해서는 물질적으로나 물리적으로 이해하려 한다. 수리 계산이 빠르고 실현을 목적으로 행동하기 때문에 이상과 공상은 어울리지 않는다.

편재는 판단이 신속하며 성격이 매우 급하다. 편재는 설계, 시공, 개척, 물리적인 변화에 매력을 느끼는 학과인 건축토목학과. 물리학과. 수학과 등이 좋다. 편재는 활동 범위가 넓어서 역마성이 있게 되므로 앉아서 사무행정을 보는 것은 적성에 맞지 않는다. 역마성이 필요한 무역학과. 외교학과. 항공학과. 관광학과 등이 맞다.

월지에 편재가 있으면 일간인 내가 다루므로 나 자신이 힘이 있어야 편재를 활용하여 사업을 할 수 있다. 그러나 월지 편재 주변에 비겁이 있어 탈재가 되는지 식상이 있어 생재가 되는지 관성이 있어 비겁을 제극하는지 잘 살펴야 한다. 월지 편재 주변에 비겁이 강하고 식상이 없으면 금전관리를 잘해야 한다. 월지 편재가 있고 주변에 정·편재가 혼잡하여 재성태왕도 파악해야 한다. 오행과 십성의 구조를 잘 파악하면 중급과정 십성의 생극제화인 격국론을 바로 터득하게 된다.

편재는 경영, 경제 계통에 두각을 나타낸다. 역마의 성향이 있으므로 사업하면 교통. 운송 쪽 일을 많이 한다. 편재가 식신을 쓰게 되면 생산 계통이나 은행. 회계. 관세. 변호사. 경제학자. 기타 자영업 종사자이다. 상관을 쓰게 되면 유통. 증권. 흥행가. 중계무역. 투자. 교통 운송. 정보통신에 종사한다. 편재는 모든 물질의 구조나 특성을 잘 이해하는 것으로 건축이나, 물리학 방면에서 재능을 발휘한다. 편재와 정인의 길한 조합을 이루면 건축가로서 더욱더 재능을 발휘한다.

편재의 직업으로 사업을 한다면 일반사업. 임대, 관리, 리스, 건물관리 등이 있고 직장이라면 관리직, 감독, 자재관리, 인사관리 등이다. 편재가 역마살이 되면 통신. 교통. 무역업이나 물품의 이동이 많거나 활동적이고 많이 돌아다니는 판매. 영업. 도소매. 유통업이 맞다. 증권. 주식. 복권 등 투기업종에도 맞다. 그러나 편재가 약하다면 일반 회사원이다. 편재는 자기의 돈보다는 남의 돈을 더 많이 활용할 줄 알고 재물을 운용하며 이득도 챙기는 전형적인 사업가 체질이다.

편재와 관성이 적당하면 사업보다 공직이 적합하고 금융계통의 관리직으로도 성공할 수 있다. 인성이 중요하게 쓰이면 사업보다 직장생활이 좋다. 식상을 사용하여 식상 편재가 되면 아이디어 창출 능력이 있으므로 사업적 수완을 발휘한다. 월지 편재는 투기성과 모험성 활동성이 강하여 도전적인 사업이 적합하다. 정재는 재물에 목적이 있지만 편재는 재물을 이용하고 응용하여 즐기는 것을 중시하기에 자기의 돈 보다는 남의 돈을 활용하여 생산적인 재테크를 한다.

[학생 편재대운 심리상태]

편재 대운에 있는 학생은 적극적이고 활동적인 기질이 생겨나고 사람들과 어울리는 데 적극적이다. 특히 남자의 경우에는 여자 친구를 만나고 싶어 하고 여자들이 주변에 많이 접근한다. 여자의 경우는 멋을 부린다. 따라서 편재 대운에는 돈을 벌거나 돈을 쓰고 싶어 하므로 이것을 활용하여 시간을 정하여 알바하는 것도 좋지만 공부에 전념해야 하는 학생 신분을 감안하여 판단해야 하고 다른 때 보다 용돈을 조금 넉넉히 주는 것이 좋다.

편재 대운 시기에는 연예계에 진출하려고 하는 경우도 많으니 사주 원국에 도화살 즉 예술적 끼가 있는 경우, 그 분야에 진출시키는 것도 좋다. 아역배우, 패션모델, 헤어디자이너 등 경험을 시키는 것도 좋은 방법이다.

6. 정재(正財)가 월지에 있는 경우

정재의 특성은 어떤 일이든 꼼꼼하게 처리하며 소유욕이 강하여 성실한 생활을 하며 저축하는 모습이 있다. 물질에 대한 집착이 심하고 이상보다는 현실에 충실하고 변화를 싫어한다. 확실한 곳에 투자하고 수리적 개념이 뛰어나다. 계획적인 구매 습관과 정밀하고 예민한 것에 강한 심리 구조이다.

정재는 실속 위주로 매사 정확하고 계산적이며 서두르지 않는다. 편재가 거시적인 경제개념이라면 정재는 미시적 경제개념이다. 정재는 치밀한 관리력이 있으며 물질적인 면에서 편재보다는 가공한 완제품이나 차려진 밥상의 음식을 다루는 일에 민감하다. 정재는 정당한 수입의 대가인 임금, 월급, 수당이다.

정재는 현금이나 재무를 담당 관리하는 학과나 직업에 종사할 경우 발전할 수 있다. 치밀한 성격의 소유자이므로 사주에 木, 火가 있으면 전기·전자·전산·반도체·디지털통신과 관련이 있는 공학 학과로 진학해도 좋다. 식상이 생재하면 경영학과나 기계공학이 좋으며 관살과 유정하면 행정학과나 사회학과도 좋다.

정재 성분은 미각이 특히 발달하여 정인과 정재의 길한 조합일 경우 식품학자로서 탁월한 재능을 드러내게 된다. 먹여야 한다는 정인의 생각과, 맛을 즐겨야 한다는 정재의 특성이 결합이다. 정재는 치밀하고 꼼꼼한 금전 관리능력이 탁월해 경제학 분야에 적합하다. 월지 정재는 투기적인 일을 제외하고 금융업, 신용사업, 안정적 사업 등 신용을 바탕으로 하는 사업이다.

정재가 그릇이 작으면 봉급생활, 회사원이고 재다신약하면 은행원 등이 된다. 신왕 하면 제조업도 맞다. 정재는 티끌 모아서 태산이라 손에 돈을 쥐고서도 절대로 낭비하지 않는다. 항상 돈이 꾸준하게 들어오는 쪽을 선호하기 때문에 수입이 들쭉날쭉한 사업에는 별로 흥미를 갖지 못할 가능성도 있다.

월지 정재가 되는 사람은 편재와 다르게 임기응변을 잘 못하며 융통성 또한 적다. 총명하고 신의도 있으며 성실하지만, 요령과 수단이 좋지 않다. 정재는 정당한 대가 이윤을 받는 업이나 직업이 좋다. 투기성이 있는 직업이나 사업에는 소질이 없으며 특히 명식에 정재 주변에 비겁이 많을 경우에는 대단히 위험하다.

정재는 꼼꼼하고 빈틈없는 일 처리와 정직한 성격으로서 직접 돈과 직결되는 업무에도 용이하니 금융업에 종사하는 것은 좋다. 식상생재격이 구성된 命은 기술을 바탕으로 하는 업무에도 소질이 있다. 월지 정재가 잘 구성된 사람은 기업의 경영자와 같은 실업가로서도 성공할 수 있고 평범한 직장 샐러리맨으로 적합한 타입이다.

다시 말해서 정재는 꼼꼼하고 정밀하게 일을 처리하는 업무형으로서 재무

회계, 전자 계통이나 이런 사업이 적성이다. 정밀하고 꼼꼼하며 숫자 개념이 발달하여 금융, 회계, 사업, 정밀분야 등의 업종이다. 일반적으로 식상 생재가 되면 기술을 바탕으로 하는 업무가 좋고, 역마와 동주하면 교통 운수업이 좋다.

정재가 관을 쓰게 되면 치밀하고 정직하므로 경제, 금융, 재무, 행정 등의 관리직이 적합하고, 인성의 쓰임이 중요하면 사업은 어려우며 일반적으로 봉급생활자가 적합하다. 식상이 태과하면 여러 가지 일을 벌이기는 하는데 제대로 거두지 못하고 직업의 변동이 심하다. 정재는 치밀함과 정밀함이 강하여 꼼꼼한 직업이 좋다. 미용사. 보석감정사. 세무사. 의사, 은행원 등이 적합하다. 그러나 정재가 사주가 불량하여 하격이 되면 사기꾼으로 전락할 수 있다.

[학생 정재대운 심리상태]

정재 대운에 와 있는 학생이면 정재 또한 편재와 같이 돈에 해당하므로 이 시기에는 돈에 대한 관심이 많아진다. 편재 대운에 비해 적극성이나 활동성이 커지는데 알바를 하는 경우가 많다. 편재 대운과 유사한 상태이므로 연예인의 끼가 있으면 일찍 연예계로 진출하게 하는 것이 좋다. 사주원국에 연예인의 끼가 있는 아이는 대회에 자주 보내 상금을 타면 좋다.

7. 편관(偏官)이 월지에 있는 경우

편관은 한번 마음속에 새긴 것을 바꾸지 못하고 지키며 법규를 준수하려는 특성이지만 융통성이 부족해서 상황에 유연한 대처가 어렵다. 편관은 원칙주의와 강한 통제, 책임감, 의무감, 억압받는 심리, 융통성이 없고 고집스러우며 자유가 없다. 편관은 그릇이 크고 인내심 강하며 기억력이 좋다. 자기 생각을 쉽게 바꾸지 못하는 고지식한 면이 있다.

편관은 일정한 틀 속에서 갇혀서 안정된 생활을 원하므로 스스로 명령에 복종을 잘한다. 또 자신이 질서를 유지하고자 할 때는 한편 부하에 대하여 복종을 강요하며, 그 방식이 강압적이요, 폭력적이다. 편관은 겉은 복종을 잘하는 부하직원과 같지만 속은 두려움과 체념으로 이미 주체성을 상실하여 어떤 임무가 주어져도 투덜댈 뿐 거역하고 반항할 힘이 없다. 그러나 맹목적인 복종 내면에는 혁명할 반항적 기질도 꿈틀거리고 있다.

월지 편관이 강하여 제살이나 합살이 되어 격이 높으면 사법 계통, 경찰, 군인, 세무공무원, 정부의 권력 공직자가 맞다. 편관은 절대절명의 사명의식, 군인정신. 희생정신. 살신성인이다. 편관은 위험한 일, 모험심이 있어야 하는 일에서 두각을 나타낸다. 무기를 다루는 일이나 자신의 힘으로 많은 이에게 도움이 되는 일이라면 보람이 있다고 생각한다. 법학, 사관학교, 경찰학교, 의약 계통의 학과 등이다.

상관이 자신의 자존심을 세워주는 일에 관심을 둔다면 편관은 자존심과 무관하게 많은 사람에게 유익을 주는 일을 함으로써 보람을 느낀다. 편관이 있으면 직장을 오래 다니는 끈기가 있고 주어진 일을 열심히 하고 시키는 대로 한다. 맡은 일은 충실하여 업무시간 중에 일이 끝나지 않으면 야근해서라도 하고 간다. 일을 해야 한다는 압박감을 가질 수 있다. 편관과 식신이 잘 조합이 되면 연구와 끈기로 오랜 시간 꾸준히 전념해서 연구를 해낸다. 편관은 식신이 성공할 수 있도록 도와준다. 월지 편관이 인수를 보면 법관, 국회의 등의 고위직도 가능하다. 편관이 양인을 보고 양호하면 검사는 부장검사로 군인은 장성급까지는 문제없다.

그러나 편관이 강하고 제화가 안 되어 있으며 약한 사람은 범죄자가 될 수 있다. 편관과 인성이 있으면 문인으로 출세하는 경우도 있으며 식상도 같이 있게 되면 연예인으로 빛을 볼 수 있다. 편관이 양호하게 구성되면 기업체의 간부나 기술 분야에서 대성할 수 있다.

월지 편관이 식신제살(食神制殺)을 이루면 살직(殺職)으로는 군인, 경찰, 법관, 경호원, 교도관, 정치인 등의 적성이고, 생직(生職)으로는 의사, 간호사, 약사, 요리사 등의 적성이고, 필직(筆職)으로는 기자, 작가, 언론, 방송 등이 적합하고 설직(說職)으로는 종교인, 교수, 상담가 등에 적합하다. 편관이 편인을 보게 되면 의약 계열이 적성에 알맞다.

[학생 편관대운 심리상태]

편관 대운에 와 있는 학생은 편관은 명예에 해당하므로 이 대운에는 자신을 내세우려는 기질이 나타난다. 나이는 어리지만 어른처럼 행동하고 싶어 하는 경우가 종종 있다. 적극성과 배짱, 욕심이 생겨나고 인정받고자 하는 명예욕이 발동한다. 그러므로 이 시기에는 학교에 반장 등의 임원으로 활동하는 것이 좋다.

그러나 부모와 자녀 사이에 대화가 부족하거나 갈등이 심할 때에는 자녀가 친구들과 어울려 다니는 경우가 많은데 너무 질책하면 반항심이 강해진다. 여자라면 남자친구를 만나고 싶어 하거나 남자친구들의 접근이 많아진다. 좋은 친구로 지낼 수 있도록 도와주는 것이 학습향상 및 심리안정에 좋은 방법이다.

8. 정관(正官)이 월지에 있는 경우

정관은 자신의 마음을 스스로 잘 다스려 법규을 준수하고 모든 사람들에게 합리적인 평가와 올바른 선택을 하도록 모범을 보이려고 노력한다. 정관은 스스로 자제하고 합리주의, 객관적, 타협적, 준법정신, 공명정대, 명예중시, 대인관계가 원만하다. 그러나 정관은 우유부단함과 기회주의적 성향을 가지고 있다. 주어진 일에 묵묵히 완수하는 성실함으로 공무원, 교사, 직장인이 적합하다. 공정한 판단과 균형감이 있어 현실안정을 추구한다.

정관은 명예와 권위를 중시하고 원리원칙을 고수하고 행정상 올바른 이론을 추구하고 시시비비를 잘 가려 옳고 그름에 대한 답을 내는 군자의 성향이다. 정관이 정인에 상생 통기 하거나 정재 또는 식신과 유정하면 영문학과 같은 어문학부나 사학과 같은 인문 사회 과학부를 나와도 공직자로 출세하는 경우가 많다. 정관은 원리원칙에 충실하며 모든사람들에게 유익한 방향으로 일을 추진하려 한다.

상관과 정관의 길한 조합의 경우 사법고시에 적합하고 식신과 정관의 길한 조합은 법학을 전공, 법학자가 적합하다. 정인과 정관의 길한 조합은 행정고시에 적합하다. 월지에 정관이 있어 격이 좋으면 공직으로 나가면 좋다. 사주가 탁하면 장사, 기술계통이다. 정관은 항상 합리적인 일에 매력을 느낀다. 상식이 법이 되는 일에 관심을 갖다 보니까 국가의 일에 종사 하는 것으로 목적을 삼게 되니 공무원이나 직장인 제격이다.

정관은 요령은 싫어하고 원칙은 좋아한다. 남에게 이래야 한다는 훈계적인 이야기도 잘한다. 정관은 자신이 모범으로 남의 앞에 나서야 한다는 생각을 늘상 하고 있다. 고지식하다는 이야기를 들을 수도 있어 융통성이 없다. 안정적이고 합리적인 일에 몰두한다.

월지 정관은 모범생의 성분이기에 옳고 그른 것에 대한 판단이 분명하다. 교육에 대해서도 정해진 정기교육은 받아야 하며, 교육을 받는 동안 속박되는 것은 당연하다고 생각한다. 따라서 학교생활이나 학업에 잘 적응하여 원만한 학업 생활을 유지한다.

정관은 가장 합리적으로 생각하고 행동하므로 성실의 표상이다. 이러한 특성은 공무원의 적성으로 잘 어울리며 훌륭한 행정관의 면모를 드러낼 수 있다. 상식이 법이라고 생각하고 그 상식을 준수하는 사람이므로 교육자의 적성에도 잘 어울릴 수 있다.

일반적으로 문과의 적성이지만 만약 이과로 연결된다면 적응이 잘 되지 않아 힘들어할 수도 있고 직장의 경우 문관이 잘 어울린다. 가장 좋은 직장은 공익적인 일을 할 수 있는 공무 기관이 좋다. 정관이 일반 직장의 경우 실적을 앞세우는 업무는 부담이 될 수 있으니 총무과와 같이 관리에 비중을 두는 업무라면 적응할 수 있다.

사업은 쉽게 유지하기 어려우므로 권하지 않는 것이 좋다. 구태여 사업을 한다면 경쟁이 심하지 않고 공급자 중심의 안정적인 업종을 선택해야 한다. 정관격이 잘 구성되어 있으면 행정계통의 고위 관료나 교육계 등 사회 전반적인 분야에서 능력을 발휘할 수 있다. 그러나 유기(有氣)하지 못하면 하급 공무원이나 일반 직장생활에 그친다.

[학생 정관대운 심리상태]

정관 대운에 와 있는 학생은 적극적으로 나서거나 돌파하는 행동은 부족하지만 자신의 명예를 소중히 여기고 책임자나 리더가 되고 싶어 하는 마음이 강하다. 평소보다 배짱이나 적극성은 부족할지 모르지만 가슴 속에는 인정받고 싶은 명예욕이 가득하다.

정관 대운에는 편관 대운처럼 적극적으로 대화를 나누고 친구처럼 놀아주고 어른이 다 된 것처럼 인정해주는 것이 필요하다. 다만 편관대운보다는 덜 적극적이므로 자신의 감정을 쉽게 드러내지 않는 특성이 있는데 이때는 부모가 보다 적극적인 노력을 기울여야 한다.

예를 들어 공연장이나 영화관 등에 손잡고 같이 관람을 가거나 집에서 친구처럼 다정하게 놀아주고 아이가 자연스럽게 자신의 감정을 모두 드러낼 수 있도록 해준다. 또한 공부에 집중할 수 있도록 학습 분위기를 만들어 주는 것이 필요하다. 가능하다면 반장이나 학교임원 등으로 활동할 수 있게 하는 것이 좋다. 딸이라면 남자친구에 대한 관심이 커지고 남자친구들이 주변에 많이 모이는 시기이다. 따라서 남자친구를 집으로 초대하여 둘이 건전한 친구로 지내며 부족한 공부를 함께 할 수 있도록 분위기를 만들어주는 것이 좋다.

9. 편인(偏印)이 월지에 있는 경우

편인은 특별한 분야에 관심이 많다. 치우친 지혜, 학문, 교양, 수양, 시발점이 되므로 현실을 벗어난 이상세계와 신비주의를 지향한다. 편인은 재치 있고, 순발력이 있으며, 신비주의적 성향이 강하며 깊은 종교에 심취하거나, 예술적 성향이 많다. 보이지 않는 곳에 흥미를 느낀다. 항상 두 가지 이상을 동시에 생각한다.

편인은 남이 상상하지 못한 엉뚱한 상상과 공상을 잘하며 그것을 합리화시켜서 자기 주장을 강하게 하며 자기 보호를 위해서 엉뚱한 궤변으로 자기를 대변하는 경우가 많다. 편인이 식신, 재성으로 잘 흐르면 성격이 밝고 쾌활하며 시원시원하다. 편인은 사회성이라서 어디 가나 적응을 잘하나 쉽게 변덕을 부리는 면이 있다. 편인이 잘못 짜이면 실업자가 많다.

편인은 자기 확신과 명분을 중시하며 통찰력이 강하여 예능, 의학, 법률, 정신세계 등이 적성이다. 편인은 사물의 속성을 파악하는 통찰력이나 예리한 감성이 있어서 의사, 법률가, 예술인 등의 업종이다. 편인+상관은 감각적인 면과 다재다능한 재치와 논리적 언변이 있어서 연예인, 발명가, 작가 등의 업종이다. 편인+식신은 연구하거나 손 재능이 있으며 예지력과 감각이 있어서, 예술가, 법률가, 의사 등의 업종이다.

편인은 부정적 수용, 의문과 의심, 잡념, 이해력은 떨어지지만 통찰력은 좋다. 깊은 사색과 엉뚱한 발상을 하며 염세적 성향이다. 예리한 직관력으로 일부를 보고 전체를 파악한다. 고독하고 신비주의 성향이며 비현실주의자이다. 둥글게 살지 못하는 아쉬움이다. 편인은 나의 길을 선택하는 외고집이다. 전통민간요법사. 기치료. 인간문화재. 고고학. 고전학. 철학. 문필가. 예술가. 사주명리가. 점술가. 토속신앙. 전통종교. 심리상담. 출판업. 공상과학. 탐사조사업 등이다.

편인과 식신이 길한 조합은 비교종교학 분야에 관심이 많다. 편인과 정재가 길한 조합은 의대, 약대와 인연이 많다. 편관이 가세한다면 외과부문의 수술을 담당한다. 편관은 위험한 일을 능히 감당하기 때문이다. 의심이 강하여 수사관, 과학수사에 어울린다. 편인은 대체로 자유롭고 작업 시간에 구애를 받지 않는 일이 맞고, 정확한 출퇴근을 하는 회사생활은 맞지 않다. 야간직업도 많고 건강식품업이나, 기호식 취급. 종교용품을 취급하는 일도 가능하다.

월지 편인은 대체로 예술, 스포츠, 전문 기술, 의학분야에서 취미와 소질을 발휘한다. 종교나 문학, 학문, 역술, 무속인 등, 구류술업이나 비생산적인 업무에 양호하다. 월지 편인은 정인에 비해서 학원 선생이나 자격증 선생, 요리 선생, 사주보는 선생 등이 많다. 대체적으로 편인격들은 처음에는 안 그런 척 속마음을 감추고 선비행세를 한다. 이성을 교제할 때도 마찬가지다. 관심이 없다고 하면서도 꼭 연락처를 묻는 경우가 많다. 무관심하듯 하다가도 상대방이 관심이라도 들어내면 어느 순간 번개처럼 기회를 잡으려 한다. 쉴 사이도 없이 전화하고 고백하고 여자는 귀신에 홀리듯이 애인이 되어 있는 경우도 많다.

[학생 편인대운 심리상태]

편인 대운에 와 있는 학생이라면 편인은 끼 있는 공부를 상징한다. 평소보다 행동의 변화가 두드러지지만 학습의욕은 강해진다. 공부에 대한 열의나 자식을 습득하려는 열정이 넘쳐나는 시기이다. 새로운 것, 새로운 지식에 대한 관심이 많아지고 적극적으로 배우려고 한다.

편인 대운에는 지식에 대한 호기심과 배움에 대한 열의가 커지므로 학습환경을 조성 해주는 것이 필요하다. 앉아서 하는 공부도 좋지만, 시청각교육이나 현장 교육 등 다양한 교육 환경을 만들어 주는 것이 필요하다. 부모나 교사 등 주변에서 학습 환경을 잘 만들어 주고 학습 의욕을 복돋아주면 공부를 매우 열심히 하고, 자신의 능력을 최대한 발휘할 수 있다.

10. 정인(正印)이 월지에 있는 경우

정인은 정이 많고 인내심이 강하며 긍정적 수용을 한다. 이해력이 빠르고 상황판단이 빠르다. 단순하여 응용력은 떨어지며 순수하여 사기 당할 수 있다. 정인은 지극히 당연하고 보편적인 것을 잘 받아서 그것을 잘 전해 주려는 수용성이 매우 뛰어나다. 사주에 식상이 있을 경우 아이디어가 풍부하고 직관성을 발휘하여 글을 잘 쓴다. 작가나 시인이 되기도 하며, 논설(論說)에 탁월하여 신문방송에서 해설을 하는 것도 좋다.

정인이 관성이 많아 관인상생격이 되면 교육공무원이나 일반공무원이 좋다. 정인과 정관의 길한 조합은 교육공무원. 고지식하고 융통성이 없어 사업은 절대 금물이다. 월지 정인은 학식을 필요로 하는 문과 계통의 일이 맞다. 학자나 교육계통이 맞고 자선심이 있으므로 자선사업, 육영사업도 맞으며 조상과 뿌리를 중시하므로 조상 대대로 내려온 일을 이어받는다.

정인은 긍정적인 사고방식과 따듯한 온정으로 사랑을 베푸는 교사, 사회복지, 요식업 등이 적성이다. 정인은 교육업에 종사하는 경우가 가장 어울린다고 본다. 정인의 직업으로는 교육, 학원, 육영, 문화, 예술, 언론, 종교, 출판, 정치, 통역, 번역, 출판, 행정, 컴퓨터 관련 직종, 방송작가 등이다. 정인과 관련 학과는 교육학과, 행정학과, 국문학과, 신문방송학과, 문예창작학과, 사학과, 유아교육 학과, 어문학과(유럽어문학/ 동양어문학), 종교학과, 문화인류학과 등이다.

정인은 학문과 가장 인연이 깊다. 그러므로 어떤 분야든 학문성을 바탕으로 하는 직업을 갖게 되면 크게 성공할 수 있다. 월지 정인이 정관이나 편관의 뿌리가 없으면 순수한 학문, 예술 기술 분야로 진출함이 양호하다.

정인이 정관의 뿌리가 있으면 대학자, 문교 계통, 학구적인 정치인, 학원장 등이다. 정인이 편관의 뿌리가 있으면 군인, 법관, 기술 분야의 고위직 또는 경영자 등이다. 정인의 인자한 성격은 교육자, 종교인으로서 적합한 체질이다. 월지 정인이 양호하지 못할 때에는 기술, 문화, 교육, 예술 등의 분야에서 봉급생활이 좋다. 정인이 다른 곳에 편인과 겹쳐 있으면 두 가지 업무를 보게 된다. 정인과 양인이 동주해 있고 관성이 명조에 있으면 관계로 진출하여 고위직으로 나간다.

[학생 정인대운 심리상태]

정인 대운에 와 있는 학생이라면 이 시기에는 안정적이고 차분한 성격이며 배움에 대한 열정이 있다. 주변에서 조금만 관심을 기울여 준다면 학습 의욕이 강하여 자기 능력을 크게 발휘할 수 있다. 꾸준하게 자신의 지적 욕구를 채워 가고 깊은 욕심이 발휘되는 시기이다.

정인 대운에는 학습 의욕이 강해지고 배움에 대한 열의가 커져서 자발적으로 학습 분위기를 만드는 경우가 많다. 부모나 주변에서 조금만 관심을 기울여주고 학습 분위기를 만들어 준다면 자기 능력을 최대한 발휘할 수 있다. 꾸준하게 노력하는 시기이므로 성적이 꾸준하게 상승할 수 있다.

Tip. 어린아이를 폭행하는 사주 적성 심리

수년 전 아이 돌보미 학대 사건 CCTV 공개로 전 국민이 공분하고 있었다. 또한 어린이집 교사 원생 폭행 사건도 비슷한 유형으로 아동학대라는 범죄행위에 대해서 형량을 강화해야 한다는 목소리가 커지고 있다. 이러한 폭력을 상습적으로 행하는 일부 베이비시터나 교사들의 타고난 사주 속에는 어떤 심리가 작용하고 있을까 살펴보고 싶다. 아마 돌보는 아이를 내 자녀처럼 돌보려면 사주 속에 모성애적인 기질이 강해야 한다. 그렇지 않고 자기감정을 조절하지 못하고 즉흥적인 행위를 하거나 자제력을 잃어버린다면 아직 이성적 판단력이 없는 아이들에게 말 보다는 손이 먼저 가는 행동양식이 드러난다. 이런 사주 심리를 분석해 보면 냉정하고 가혹한 심리와 인내심이 약한 성향을 지니고 있다.

기본적으로 사주 십성에서 인성이나 관성이 약하거나 아니면 자기 생각이나 판단을 조절하는 인성이 심하게 극을 받으면 예민한 성향이 나타나고 감정통제를 조절하는 관성까지 약하다면 스스로 감정조절을 할 수 없으니 아이에게 말보다는 행동으로 자기도 모르게 거침없이 습관적으로 폭행이 나온다. 따라서 돌보미나 보육교사를 채용 시 그저 이력서 경력을 보고 채용하는 것보다는 적성검사를 다양하게 분석하여 자질을 분석하는 시스템이 도입되어야 이와 같은 피해를 최소화 시킬 수 있는데 아직 우리나라는 체계적으로 인력 채용하는 시스템이 선진화가 되지 못한 실정인 것 같다.

적성검사는 여러 가지로 분석하는 방법이 있지만 타고난 사주의 가장 큰 장점은 사주팔자로 자신의 타고난 적성을 파악할 수 있고, 자기에게 맞는 진로를 분석하여 직업을 유추해 볼 수 있다. 자기에게 직업이 맞지 않으면 매사 불만과 재미가 없으니 사회생활 자체가 불안정할 것이다. 타고난 적성에 맞는 직업을 선택했다면 아무리 고생하고 힘들어도 재미가 있으니 성실하게 긍정적 마인드로 사회생활을 하게 되는 것이다. 그만큼 대학 진학보다는 진로 적성이 중요하다. 제가 늘 주장하는 것은 사주 팔자는 성인이 되어 살피는 것이 아니라 유아 때부터 부모가 자녀를 관찰하는 습관이 중요하다.

사주 진로 적성 분석

7

십신(十神) 중심 직업 판단

7] 십신(十神) 중심 직업 판단

사주팔자를 보고 직업 운세를 판단하는 것은 주로 격국, 용신(오행), 천간. 지지 오행물상, 십신물상, 신살물상 등으로 파악한다. 여기서는 십신(십성) 중심으로 직업을 공부해 보고자 한다. 앞 장에서 언급한 내용과 일부 중복할 수 있으나 중요한 내용이므로 잘 숙지하시길 바란다.

1. 비견(比肩) 중심 직업 판단

우선 운동선수라고 하면 여러 운동 종목이 있을 것이다. 운동선수는 지구력과 집중력이 강해야 하니 비견이 있어야 한다. 또한 인내심 극기가 필요하니 편관이 필요하며 행위를 표현하고 순발력이 필요하니 상관을 요구한다. 여기에서 격투기 종목이라고 하면 태권도, 권투, 레슬링, 유도 등이 있을 것이다.

개인 격투기는 두둑한 배짱과 승부욕과 경쟁, 육체적 표현, 극기가 필요하니 비겁. 상관. 편관이 필요하다. 이러한 십신이 월지나 일지를 중심으로 천간으로 강하게 발동하면 격투기 업종에 어울린다. 수영은 지구력과 경쟁심이 필요하니 비겁이 더욱 필요하다.

비견이 강하면 주체성이 강하고 독립적 자기중심적으로 직장보다는 자유업이나 독립사업이 어울린다. 비견과 인성이 강하면 학문계통, 비겁이 있고 관성이 강하면 단순 업무, 비겁과 식상이 강하면 기술직이나 프리랜서,

비겁이 중첩되고 관성이 있으면 행정공무원이 적당하다. 글을 쓰는 작가라면 개성이 필요한 비견과 감수성인 정인과 꾸준히 연구하고 창작성이 필요하는 식신이 필요하다. 연구원이라면 집중력과 이치 합당을 따지고 새로운 발견을 해야 하니 비겁. 정인. 식신이 필요하다.

수사관은 단서를 통한 상황설정과 의심. 주관과 조직이 필요하니 비견. 정인. 편인, 정관이 요구된다. 여기에 탐정이라면 얽매이지 않아야 하니 관살이 부족해야 한다. 수행자와 종교인이라면 구도심과 영감이 필요하며 계율을 따르니 비견, 정인, 편관이 어울린다.

이처럼 팔자에 비견이 강하고 다른 십성과 조합하여 진로 적성이나 직업을 유추할 수 있다. 우리가 직업을 판단할 때는 크게 보면 조직 생활하는 직장인과 독립 자영업자로 구분할 수 있고 여기서도 업종에 따라 다양한 직종이 있다.

2. 겁재(劫財) 중심 직업 판단

겁재는 비견과 마찬가지로 독립적인 사업이 적당하다. 기본적으로 욕심이 많고 계산적이며 의심이 많아 동업은 불가하다. 동료 간의 경쟁심을 통하여 타협을 이끌어 내지만 오해 받을 소지가 많다. 양간(陽干)의 겁재는 양인으로 칼을 다루는 직업이나 팔자의 격에 따라 완전히 극과 극의 직업이 된다. 중고상. 사채 대부업. 유흥업. 음식점. 정육점. 횟집. 이·미용업. 어업이나 증권투자업. 의료업이나 군경 검 등으로 편관과 유사한 직업이 어울린다. 비겁이 많은 사람이 갖는 직업 중에는 여러 사람을 상대해야 하는 중개업이나 대기업의 직원이 되는 경우가 많다. 비겁이 있으면서 식상까지 있으면 중개업 이외에 연예인이 되는 경우도 흔하다. 식상이 예능의 별인데 비겁이 많다는 것은 많은 사람 앞에 나서는 것이 되기 때문이다.

비겁이 많으면 재성을 치기 때문에 오히려 안정적인 직업을 선택해야 한다. 또한 비겁은 자신의 기운이 강하니 체력을 활용하는 운동선수도 좋다. 겁재는 경쟁심이 강하여 개인종목에서 강하다. 또한 재물 욕심이 많아 도박이나 투기업을 추구한다.

겁재는 겁이 없고 집념이 강하며 인정받으려는 의지가 강하니 특전사의 직업군인이라면 누구보다 생존 훈련에 능하게 되니 비겁이 강하고 정.편관이 있어야 한다. 그러나 비겁이 강한 사주에 식.재,관이 없거나 약하면 무직. 깡패. 하천한 기능공으로 격이 떨어진다.

겁재는 비견과는 달리 계산된 행동과 경쟁심이 작용하는 특성이 있기에 모든 분야에서 늘 경쟁 관계에 있다. 비견에 비해 열성적이고 분발하는 모습을 나타낸다. 따라서 비견보다는 겁재는 유연성이나 융통성이 있어서 조직 생활에도 어느 정도 적응할 수 있다. 단순 단기간의 업무에도 어울리고, 특히 자유직업이나 학습에 의해 자격을 갖춘 전문직종도 좋다.
식상과 재성을 추구하는 마음이 강하고 승부욕이 강하기에 사주 구성이 좋아 사업을 할 경우 능력을 발휘할 수 있다. 겁재가 희용신이면 증권투자 등 투기사업도 해볼 수 있다. 그러나 겁재가 중첩되면 재물의 손해가 따르므로 사업보다는 기술직이나 프리랜서, 행정 공무원 등이 좋다. 격국이 불량하고 비겁이 중첩되면 사업보다는 안전한 월급생활자가 적합한데 이것 또한 관성이 비겁의 탈재를 막고 금고지기 역할을 해주기 때문이다. 사주 구성에 따라 비겁이 강하면 관살로 제어해야 할지 아니면 식상으로 설기해야 할지 구분해야 하며 왕한 비겁이 식상이 없고 재성을 바로 치고 있다면 강한 관살이 필요하니 안정된 직업이 반드시 필요하다.

마찬가지로 비겁이 약하고 식상.재성이 강하면서 관살. 인수로 구성되면 일반직장이 어울리고 인수, 비겁으로 구성되면 전문직이나 자영업 등으로 구분할 수 있다.

3. 식신(食神) 중심 직업 판단

식신은 한 분야에 몰두하는 성향이 있어 깊이 파고 들어간다. 편인이 추가되면 의학이나 전문 연구직이 어울리고 인수가 있으면 교육업, 정관이 있으면 행정연구원 계통이 좋다. 식신은 장인정신을 살려 혼자서 연구하고 발명하는 적성이 있어 전통적인 공예나 컴퓨터 소프트웨어 개발 등이 잘 어울린다. 사업을 한다면 식신은 재성을 보고 있어야 하는데, 있다면 자기 아이디어를 제품화시켜 생산업도 가능하다. 식신은 직장생활을 한다면 창의적이고 발명가 적 기질이 있어 연구직이 좋다. 사주 구성의 높낮이에 따라 식신의 직업은 다양하다.

연구직이나 교육, 학원, 유치원, 보육원, 간호사, 사회복지 분야, 예체능관련 분야, 연예인, 화가, 작가, 음악, 기술계, 의식주 관련업, 식품업 등이 좋다. 식신이 인성을 만나면 학문을 통한 전문직으로 교수, 작가, 의사, 연구원, 역술가 등의 적성이고, 정재의 쓰임이 작용하면 경제 분야, 금융업, 의식주 관련업, 아이디어를 이용한 생산업 등이 좋다. 관성을 보면 행정 계통이나 교육계통에 적합하다.

그럼 식신 중심에 다른 십신의 조합으로 직업을 유추해 보면 창의력을 가진 식신이 있고 공간력과 분석력이 강한 편재가 있으면 건축설계사가 같은 직업이 어울리고 수많은 자료를 수용하고 고객의뢰자 존중하는 편관까지 있으면 전문 기술자에 해당한다. 앞서 언급한 것처럼 식신생재가 되고 사업가이면 제조업을 할 수 있다. 사업가가 아니고 학문과 관련된 학자도 한 분야를 연구하여 결론을 유추하는 식신과 재성이 있어야 한다.

또 다른 측면으로 식신이나 편재는 깊게 파고드는 분석력이 강하며 많은 자료를 수용하는 능력이 필요하는 인수나 편관도 있으면 증권분석가가 어울린다. 식신은 창의성이고 편재는 공간력이며 인수는 직관력이 나타낸다. 그렇다면 어떤 직업을 유추할 수 있냐면 작가(작사.작곡.연출.감독)계통이 되며 또한 인수는 즉흥적 표현력이니 무용가나 디자인계통에도 해당된다. 이처럼 십신(십성)의 특성뿐만 아니라 오행. 신살. 12신살. 12운성의 특성까지 모두 응용한다면 진로 적성이나 직업의 형태를 더 다양하게 유추할 수 있는 사고력을 지니게 된다.

4. 상관(傷官) 중심 직업 판단

상관은 자신을 말로 표현하고 상대를 설득하는 능력이 있다. 주제를 설명하고 이해시키는 탁월한 능력이 있다. 순간적 발상이 뛰어나 발명과 예능 방면에 소질이 있다. 독창성이 강한 성향이므로 자유로운 업무에 좋다. 상관은 한 가지를 오래 하지 못하며 변화에 민감하고 직업 변동이 심하다. 또한 육체적 활동을 통한 직업을 선호하게 된다.

상관은 총명하나 욕심이 많으며 허영심이 강하고 속박과 구속을 싫어한다. 자기 속마음을 잘 발설하기 때문에 타인의 오해와 비방을 받는다. 남을 얕보지 않는다면 자기 능력을 최고로 발휘할 수 있기 때문에 성공할 수 있다. 대중예술, 스포츠, 연예 분야, 교육, 창작, 유아 관련업, 각종 영업직, 강사 및 육체 노동자, 서비스업에 종사한다.

상관이 재성을 보아 생재가 되면 사업이나 자영업에 종사한다. 상관은 영업활동에 두각을 나타내는데 보험이나 자동차 영업은 상관이 있고 정편관이 있어 신뢰감이 있어야 한다. 여기에 수용을 잘하는 인수가 있으면 중개역할을 한다. 기자는 무조건 수용하기보다는 의심을 하는 편인이 있어야 하고 섭외력인 상관이 강해야 한다. 상관이 역마이고 편관이 그 상관 역마에 앉아 있다면 중고차 매매업과 인연이 있다.

상관에 재성이 없거나 미약하면 사업은 불가하고 순수한 직업을 가지는 것이 좋다. 기술자나 순수한 학자. 교육자. 연구가. 발명가. 예술가 등이 좋다. 상관격은 직장생활 안 하려고 한다. 그러나 상관패인(傷官佩印)이나 상관합살(傷官合殺)이나 제살(制殺)은 직장이나 공직 생활 잘한다. 상관에 인성을 쓰면 교육 학자 쪽으로 발전하며, 둘 다 없는 사람은 예술 예능 쪽에 소질이 있다. 상관이 강한 남성이 편관을 극 하면 경찰이나 무관이 될 수 있다. 신왕하고 상관이 강한데 충분한 제화가 없으면 종교인이나 예술인. 독신생활이 좋다.

상관은 겁재에서 나왔다. 상관은 남의 단점을 찍어내는데 귀신이다. 나에게는 상관이지만 겁재에게는 식신이다. 남의 즐거움(쉽게 큰돈을 벌려는 범법자)을 깨는 것이 그것을 잡아내는 것이 경찰관이다. 언론이나 방송국 기자도 마찬가지다. 상관은 열정이다. 건드리지만 않으면 괜찮다. 무슨 일을 하든지 파고 든다. 전문직 기술자도 많다. 따라서 수사관, 예능계, 과학자, 기술직 등이다.

5. 편재(偏財) 중심 직업 판단

편재를 단순히 큰 재물이나 직장인보다는 사업가로만 각인시켜서는 안 된다. 편재의 기본 성향은 우선 역마 성향이 강하여 무역, 중개, 영업, 유통, 판매 등이 어울린다. 안정적인 월급보다는 투기 성향이 강하여 금전 출입이 많은 업종에 관심이 많다. 자기 돈 보다는 남의 돈을 활용하여 이익을 창출하는 사업가 기질도 강하다.

또한 편재는 물질의 특성을 잘 파악하여 적재적소에 사용될 물건들을 잘 배치하거나 무에서 유를 창조하는 능력이 있어 건축설계사나 예술가에서 실력을 발휘한다. 편재는 순식간에 움직이는 기지를 발휘해서 그 속성을 파악해 버리는 기술이 뛰어나다. 수리 계산이 빠르고 실현을 목적으로 행동하고 판단이 신속하며 성격이 매우 급하다.

편재는 활동 범위가 넓어서 역마성이 있게 되므로 앉아서 사무 행정을 보는 것은 적성에 맞지 않는다. 편재와 수용력을 지닌 정인과 조합을 이루면 건축가로서 더욱더 재능을 발휘한다. 직장인이라면 신속한 일 결정력이 필요한 관리직, 감독직이 좋다. 여기서 감독직이면 편재와 스스로 판단력을 가진 비견의 조합이 필요하다.

인내심이 필요한 편관과 편재의 조합이라면 경비직이 좋고 여기에 객관적 수용력인 인성까지 있다면 안내. 홍보 등의 가이드가 적성에 맞다. 골프선수라면 전체적인 판단과 정확한 계산이 필요하니 편재와 정재가 있어야 한다. 애니메이션(만화)을 꿈을 가졌다면 꾸준히 파고 들어가는 식신과 편재가 필요하다. 일반기술자라면 편재가 있어야 하고 전문 기술자라면 식상까지 있어야 한다. 외환딜러라면 편재(국제정세파악)와 비견(스스로 판단결정)가 있어야 한다.

임대업은 치밀한 관리가 필요하니 편재와 정재가 있어야 한다. 비행 조종사라면 공간 및 기술과 인내심이 필요하니 편재와 편관이 필요하다. 사진이나 영상 촬영은 공간력이 필요한 편재와 순간 직관력인 필요한 정인까지 있어야 한다. 패션디자이너는 편재 (민감한감각)와 정인(객관적수용), 상관(튀는맛)의 조합이고 편집발행인이면 관리가 필요한 편재와 발행 후의 합리성을 따져야 하는 정관이 필요하다.

이처럼 십성의 기본적인 특성을 가지고 여러 조합을 하여 직업을 유추하는 안목을 가져야 한다. 여기에 오행, 십이운성, 신살까지 추가하여 적용하면 좀 더 구체적으로 진로 적성을 파악했을 경우 학생은 자신에게 맞는 전공학과를 파악할 수 있고 직장인과 사업가라면 자신의 적성에 맞는 업종을 잘 선택할 수 있다.

6. 정재(正財) 중심 직업 판단

정재의 기본 성향은 정재는 치밀한 관리력이 있으며, 실속파이고, 물질을 중시한다. 실리적인 이익 창출에 탁월한 능력이 있다. 현금이나 재무를 담당 관리하는 직업에 종사할 경우 발전할 수 있다. 치밀한 성격의 소유자이므로 사주에 <木,火>가 있으면 학생이라면 전기·전자·전산·반도체·디지털통신과 관련이 있는 공학부로 진학해도 좋다.

정재는 치밀하고 꼼꼼한 금전 관리 능력이 탁월해 경제학 분야에 적합하며, 식상이 식상생재하면 경영학과나 기계공학이 좋으며 관살과 유정하면 행정학과나 사회학과도 좋다. 정재 성분은 미각이 특히 발달해서 정인+정재의 길한 조합일 경우 식품연구가나 식품학자로서 탁월한 재능을 드러내게 된다. 먹여야 한다는 정인적인 생각과, 맛을 즐겨야 한다는 정재적인 특성이 결합이 된 것이다.

정재격의 직업으로는 금융업, 상업, 무역, 세무사, 회계사, 설계사, 생산제조(정밀), 부동산, 경리, 관리, 각종 관리업(치밀한 업무) 등이다. 사업을 한다면 투기적인 일을 제외하고 금융업, 신용사업, 안정적 사업 등 신용을 바탕으로 하는 사업이다.

정재격이 그릇이 작으면 봉급생활, 회사원이다. 재다신약하면 자신의 사업보다는 직장생활이 더 안전하고 재다신약하면 남을 돈을 다루는 은행원 등이 어울리고 평범한 직장 샐러리맨으로 적합한 타입이다. 정재가 신왕하면 제조업도 맞다. 정재는 티끌 모아서 태산이라 손에 돈을 쥐고서도 절대로 낭비를 하지 않는다. 항상 돈이 꾸준하게 들어오는 쪽을 선호하기 때문에 수입이 들쭉날쭉 하는 사업에는 별로 흥미를 갖지 못할 가능성도 있다.

정재격의 사람은 편재와 다르게 임기응변을 잘 못하며 융통성 또한 적다. 총명하고 신의도 있으며 성실하지만, 요령과 수단이 좋지 않다. 정재는 정당한 대가 이윤을 받는 업이나 직업이 좋다. 다시 말해서 정재는 꼼꼼하고 정밀하게 일을 처리하는 업무형으로서 재무회계, 전사계통이나 이런 사업이 적성입니다. 정밀하고 꼼꼼하며 숫자개념이 발달하여 금융, 회계, 사업, 정밀분야 등의 업종입니다.

일반적으로 식상생재가 되면 기술을 바탕으로 하는 업무가 좋고, 역마와 동주하면 교통 운수업이 좋다. 정재격에 관을 쓰게 되면 치밀하고 정직하므로 경제, 금융, 재무, 행정 등의 관리직이 적합하고, 인성의 쓰임이 중요하면 사업은 어려우며 일반적으로 봉급생활자가 적합하다.
식상이 태과하면 여러 가지 일을 벌이기는 하는데 제대로 거두지 못하고 직업의 변동이 심하다. 정재중심의 직업으로 유추해보면 정재는 치밀함과 정밀함이 강하여 꼼꼼한 직업이 좋다. 미용사. 보석감정사. 세무사. 의사, 은행원 등이 적합하다. 그러나 사주가 불량하여 하격이 되면 사기꾼으로 전락할 수 있다.

7. 편관(偏官) 중심 직업 판단

편관은 나를 통제하는 성분이다. 너무 강한 통제는 억압받는 심리로 나타난다. 편관의 심리는 원칙주의적인 면과 의무감, 책임감 등으로 나타난다. 편관은 어려운 환경에 대응하는 인내심이 강하여 그릇이 크다고 한다. 또한 기억력이 좋아서 오래된 일도 잊지 않고 시시콜콜 기억하기도 한다. 또한 스스로를 어떤 규범이나 틀에 묶어 두려는 성향으로 사교성이 부족해서 대인관계가 원활하지 못해 사람을 사귀는 데 시간이 오래 걸리며 융통성이 없고 고집스럽게 보이기도 한다. 실제로 편관이 강하면 일을 독단적으로 처리하는 경우가 있다.

편관은 사명감이 강하고 어려운 환경에서 버티는 힘이 있으므로 군경이나 그 외 힘든 직종이 적성이다. 의무감과 자기감정을 잘 통제하며 어려운 환경에 잘 버티므로 경찰, 군인, 법조인. 의료인 등의 업종에 어울린다. 편관은 한번 직장에 들어가면 움직일 마음이 전혀 없다. 무엇보다도 일에 대한 책임감과 사명감이 투철하기 때문이다. 주어진 일을 성실히 수행하기 때문에 사장 입장에서 본다면 오래도록 좋은 관계를 유지할 수 있는 대상이다.

관성은 직장을 뜻하는데 편관은 직장 중에서도 특별한 곳을 뜻한다. 예를 들면 군인이나 경찰, 검사, 수사관, 감사관, 세관원, 의사 등이 편관성 직업에 속한다. 특히 무기를 다루거나 삶과 죽음이 교차하는 일 또는 예외를 허용하지 않고 원칙만을 고수하는 엄격한 성향의 직업들은 모두 편관성 직업이라 볼 수 있다. 총을 다루는 군인이나 경찰, 사격선수, 칼을 다루는 의사나 횟집 요리사, 식육점, 몽둥이를 쓰는 조직폭력배 집단, 주먹을 쓰는 권투선수, 격투기 등이 모두 편관성 직업에 속하는 것이다. 편관은 누가 알아주기를 바라지 않으므로 경쟁에서도 다툴 일이 적다.

비교적 뒤로 물러나 있는 것 같지만 자기 일에만 전념하기 때문에 언젠가는 두각을 드러낼 것이고 그에 합당한 대우를 받을 수 있다. 일반적으로 사업은 능동성이 있어야 가능한 일이므로 편관은 수동적이라 어울리지 않는다고 할 수 있다. 선천적으로 권력형의 성향이므로 방대한 조직이 있어야 하는 업무의 유형이고, 예리한 판단력과 신속한 결정력으로 중요한 임무를 맡아 수행하는 능력이 우수하다. 따라서 군인이나 경찰, 검찰, 법관 같은 권위직이 적성이나 원국에서 편관을 감당할 수 있는 경우이고 감당할 수 없을 때는 노동력을 활용하는 일을 하게 된다.

학생인 경우 편관은 공부와 관련하여서는 굉장한 인내력을 지니고 있다. 주어진 상황에 대단한 인내심을 발휘하는 반면, 스스로 길을 찾아가는 것이 잘되지 않는다. 이런 까닭에 부모님과 선생님의 역할에 따라 그릇의 크기가 달라지는데, 안내자를 잘 만나기만 하면 크게 성공할 수 있다. 안내자가 필요한 것은 수동적인 성향이기 때문이다. 가능하면 변수가 없는 분야의 공부를 하는 것이 좋다. 수학이나 법학과 같은 분야가 대표적이라

할 수 있다. 고지식 하기 때문에 큰 변수 없이 배운 대로 가르치고 판단한다.

편관격이 양인을 두고 성격이 되면 검찰직은 부장검사, 군인은 장성급까지 진급할 수 있다. 그러나 관살혼잡 파격이 되면 역술인 종교인 등 잡다한 직업에 종사하게 된다. 편관격이 식신제살을 이루면 살직(殺職)으로는 군인, 경찰, 법관, 경호원, 교도관, 정치인 등의 적성이고, 생직(生職)으로는 의사, 간호사, 약사, 요리사 등의 적성이고, 필직(筆職)으로는 기자, 작가, 언론, 방송 등이 적합하고, 설직(說職)으로는 종교인, 교수, 상담가 등에 적합하다. 편관격이 편인을 보게 되면 의약계열이 적성에 알맞다.

편관은 육체적이고 대인관계. 발로 뛰는 직업이다. 편관을 쓰는 사람이 상관이 나타나면 경찰. 위험한 직업. 선도업무를 한다. 편관이 寅申巳亥 역마이면 항공. 무역. 철도. 기술자. 동사무소. 출입국관리소 등과 인연이 있고, 편관이 子午卯酉 도화이면 중앙부처로 투쟁을 많이 하는곳. 명예가올라간다. 도시. 번화한 곳과 인연이 되며, 편관이 辰戌丑未 화개이면 법과 관련된 일. 지방청. 구청. 지방도시. 외곽 등과 인연이 된다.

8. 정관(正官) 중심 직업 판단

정관은 합리적이고 명예를 중시하므로 일반적인 직장생활에서 성실함을 갖는 샐러리맨이 적성이다. 대인관계가 원만하며 공평하고 합리적인 처신을 하므로 공무원, 교사, 샐러리맨 등의 업종이다. 정관은 원리원칙에 충실하며 모든 사람에게 유익한 방향으로 일을 추진하려 한다. 특히 주변에

불합리하다고 생각되는 일에 대해서는 나서서 잘 따지려고 하는 마음이 강하다. 특히 정관과 상관의 성분이 만나면 이 같은 성향은 보다 증폭되어 노동자의 데모를 주도하는 인물이 되기 쉽다. 그러나 상관과 정관의 길한 조합의 경우 사법고시에 적합하며, 식신과 정관의 길한 조합은 법학을 전공, 법학자로 대성할 수 있을 것이다. 정인과 정관의 길한 조합은 행정고시에 적합하다.

정관격은 모범생의 성분이기에 옳고 그른 것에 대한 판단이 분명하다. 교육에 대해서도 정해진 정기교육은 받아야 하며, 교육을 받는 동안 속박되는 것은 당연하다고 생각한다. 따라서 학교생활이나 학업에 잘 적응하여 원만한 학업 생활을 유지한다. 가장 합리적으로 생각하고 행동하므로 성실의 표상이라고 할 만하다.

국가공무원이 되면 국민을 위해서 가장 합당한 방법으로 역할을 수행할 수 있다. 이러한 특성은 공무원의 적성으로 잘 어울리며 훌륭한 행정관의 면모를 드러낼 수 있다. 상식이 법이라고 생각하고 그 상식을 준수하는 사람이므로 교육자의 적성에도 잘 어울릴 수 있다. 그러므로 가장 좋은 직장은 공익적인 일을 할 수 있는 공무 기관이 좋다. 일반직장의 경우 실적을 앞세우는 업무는 부담이 될 수 있다. 그러므로 총무과와 같이 관리에 비중을 두는 업무라면 적응할 수 있다. 따라서 개인 기업체의 선택은 업무 분야를 잘 고려해서 신중히 결정해야 한다.

사업은 쉽게 유지하기 어려우므로 권하지 않는 것이 좋다. 구태여 사업을 한다면 경쟁이 심하지 않고 공급자 중심의 안정적인 업종을 선택해야 한다. 정관격이 잘 구성되어 있으면 행정계통의 고위 관료나 교육계 등 사회 전반적인 분야에서 능력을 발휘할 수 있다. 그러나 유기(有氣)하지 못하면 하급공무원이나 일반 직장생활에 그친다.

정관격에 식신이나 인성이 길하게 작용하면 대학자로서 명성을 얻을 수 있고, 재관격이 양호하면 문관에 적합하고, 재무 계통의 고위직이나 기업체의 경영자가 될 수 있다. 정관이 격국이 좋으면 공직으로 나가면 된다. 공무원, 정치가, 법조인. 회사원 등이고 사주가 탁하면 안정적인 장사, 기술 계통이다.

정관은 항상 합리적인 일에 매력을 느낀다. 상식이 법이 되는 일에 관심을 두다 보니까 국가의 일에 종사하는 것으로 목적을 삼게 된다. 공무원이나 직장이 제격이다. 따라서 정관은 곧이곧대로 관리하는 일을 하는 공직이고 복지부동, 원리원칙주의자이다. 사무직 월급쟁이, 공무원, 선생이 대표적이다. 기본적으로 사업은 안 되지만 굳이 사업을 하려면 대관(對官)사업, 즉 정부나 큰 조직을 상대하는 사업만 가능하다.

9. 편인(偏印) 중심 직업 판단

편인은 다소 의문스럽고 부정적으로 받아들이는 성향이라 하겠다. 편인은 특징은 예리한 직관력으로 일부를 보고 전체를 파악하는 능력이 탁월한데 이것은 복잡한 것을 단순화 하는 능력이기도 하다. 편인의 또 다른 면은 고독으로 표현되며 남들과 어울려서 활발하게 행동하는 데는 뭔가 어울리지 않는 구조를 보이고 있는데 본성이 수행자 같은 모습으로 표현될 수 있다. 따라서 편인은 영감의 발달이 동반되어 있다. 신비주의적 성향과 꿈을 먹고 사는 비현실 주의자같이 폐쇄성과 태만함을 보이게 되며 둥글둥글 살지 못하는 아쉬움이 있다. 특수한 분야의 직업 즉, 종교인, 한의사, 예술인, 철학, 연구실험, 경찰(수사계통) 등에 필요한 성분이다.

편인은 특별한 분야에 관심이 많다. 즉 편인은 치우친 지혜, 학문, 교양, 수양, 시발점이 되므로 현실을 벗어난 이상세계와 신비주의를 지향한다. 편인은 재치 있고, 순발력이 있으며 신비주의적 성향이 강하여 비구상적인 면이 강하다. 따라서 정신적 성향이 깊은 종교에 심취하거나, 예술적 성향이 많다. 보이지 않는 곳에 흥미를 느낀다. 항상 두 가지 이상을 동시에 생각한다.

편인은 자기 확신과 명분을 중시하며 통찰력이 강하여 예능, 의학, 법률, 정신세계 등이 적성이다. 사물의 속성을 파악하는 통찰력이나 예리한 감성이 있어서 의사, 법률가, 예술인 등의 업종이다. 편인+상관의 조합이면 감각적인 면과 다재다능한 재치와 논리적 언변이 있어서, 연예인, 발명가, 작가 등의 업종이다. 편인+식신의 조합이면 연구하거나 손 재능이 있으며 예지력과 감각이 있어서, 예술가, 법률가, 의사 등의 업종이다.

편인의 물상은 약품. 종교용품. 약품성 음식. 신비용품 등과 관련이 있다. 따라서 여기에 해당하는 직업인 의료업, 종교. 수행자. 상담심리. 철학. 건강식품업 등과 인연이 있다. 사주 내 편인과 식신이 길한 조합을 이루면 비교종교학 분야에 관심을 두게 된다.

편인과 정재가 길한 조합을 이루면 의대, 약대와 인연이 많다. 이와 같은 조합에 편관이 가세한다면 내과 부문의 수술을 담당하게 될 가능성이 높다. 편관은 위험한 일을 능히 감당하기 때문이다. 그러나 식상을 동반하게 되면 상황은 달라진다. 특히 식신을 동반하면 의약 분야나 일반인들이 쉽게 하지 못하는 전문 분야에서 두각을 나타낼 수 있다.

사업은 관심 분야가 아니지만, 굳이 한다면 종교 사업이나 자신의 전문적인 기술을 사용하는 사업은 가능하다. 한편 편인은 약한데 재성의 충극을 받으면 진로와 전공이 자주 바뀌게 되어 어려움이 따르고, 재성의 제화를 받지 못한 편인이 도식하는 경우에는 하는 일마다 실패할 수 있다. 식상과 궁합을 이루면 의약 분야의 적성에 잘 맞는다.

편인은 특수분야 전문가, 여행사, 예능, 종교가, 디자인, 인테리어, 골동품, 보석, 오락, 역술. (의심, 신비) 특별한 직업. 의심 (수사관, 과학수사). 의·약사, 예술인, 작가 등 전문 직종이 맞다. 연예인 정치인, 역술가, 종교인, 언론인, 체육인 등 자유로운 직종이 많다. 그러나 사주가 탁하면 기술직이다. 대체로 자유롭고 작업시간에 구애 받지 않는 일이 맞고, 정확한 출퇴근을 하는 회사생활은 맞지 않는다. 야간 직업도 많다. 편인이라도 제화가 잘 되어 있으면 오히려 정인보다 좋고 특히 재물을 운용하는 면이 그래도 정인보다는 낫다.

10. 정인(正印) 중심 직업 판단

마지막으로 정인에 대한 직업을 알아보자. 정인의 적성은 순수하게 전해 내려오는 가르침을 수용한다는 점에서 보수적 교육자들에게서 잘 나타나는 특징이다. 긍정적인 사고방식과 온정으로 사랑을 베푸는 교사, 의사, 사회복지, 요식업 등의 업종이다.

정인과 정관의 길한 조합은 교육공무원으로써 자기의 적성을 살려 나가는 것이 바람직하며, 고지식하고 융통성이 없어 사업은 절대 금물이다. 편인과 식신의 길한 조합은 타고난 직관성을 살려서 시인이나 소설가 등 글을 쓰는 일에 적합하며, 개성 있는 필체로 문학가로서 대성할 가능성이 높다.

편인과 상관의 길한 조합은 유아교육에 관심을 두게 될 가능성이 큰데, 상관은 어른들에게는 소홀하고, 어린 사람들에게는 관심을 많이 갖는 성향이 있기 때문이다. 정인과 편인은 정신적 가치를 추구하는 십성이다. 특히 학문성을 바탕으로 하는 직업이면 가장 좋다. 그러므로 지적 직업인 교육자, 교수, 작가, 문학가 등에 적합하다. 칠살을 수용하고 신강하면 경찰직, 검찰직, 군인도 가능하다.

정인의 물상은 음식물. 오곡백과. 주택. 의류. 교육 용품 등이다. 이러한 물상과 관련된 직업을 유추할 수 있다. 전반적으로 의식주 관련업이 정인에 해당된다. 단순히 정인을 학문성인 교육으로만 간주해서는 안 된다. 도장(싸인)이 필요한 문서계약을 작성하는 모든 업종에도 정인에게 해당한다. 정인격이 정관의 뿌리가 있으면 학구적이며 대학자, 고위공무원, 학원장 등 남을 교육하거나 다스리는 수뇌부의 자질이 있다. 편관이 뿌리가 있으면 군인, 법관, 정치인, 기술 분야의 고위직, 또는 경영자가 될 수 있다. 정인격에 관성이 없으면 학문, 기술, 예능 방면의 봉급생활이 알맞다. 정인은 어떤 분야든 학문을 탐구하는 직업이면 성공 가능성이 크다. 정인이 12 운성의 묘지(墓地)에 봉하거나 화개(華蓋)와 동주하면 종교인이 될 가능성이 크고, 정인이 식상과 동주하면 의약 계열에 적합하다.

정인은 자유분방한 것을 싫어하고 보수적 성향이 강하고, 한결같이 정확히 받고 정확하게 주려는 습성이 있어서 교육자에 적합하다. 식상이 있을 경우 아이디어가 풍부하고 직관성을 발휘하여 글을 잘 쓰나 논설(論說)능력이 좋아 작가나 신문방송 등의 것도 좋다.

정인은 모성애. 사랑. 영감. 순간적 판단(직감)력 등의 기본 특성을 가지고 있다. 따라서 정인과 다른 십신과 조합으로 직업을 유추하는 자세를 가져야 한다. 결론적으로 십신(십성)으로 직업을 유추할 수 있지만 좀 더 전문적으로 분석하기 위해서는 추가적으로 신살. 12운성. 12신살. 물상(인자론) 등을 종합적으로 판단하는 습관을 지녀야 한다.

우리가 처음 사주 공부할 때 음양오행에 따른 강약을 따지고 천간 지지 육친과 십신에 따른 격국의 구조를 파악한다. 그리고 각종 신살의 특징과 오행 글자의 물상론을 응용하고, 마지막으로 운세 판단의 꽃인 형충회합의 특성을 따져 사주팔자를 종합적으로 분석하는 것이다.

Tip. 태어난 생시(生時) 선택 구별법

생시는 12 지지로 구분하여 24시간을 2시간씩 지지 순으로 구분한다. 현재 우리나라는 일본 동경시를 기준으로 쓰기 때문에 한국 표준시로 적용하면 동경시와 비교했을 때 실제로 30분 정도 차이가 난다. 물론 일본과 거리에 따라서 한국지역에서도 몇 분 정도 오차가 있다. 지금 병원에서 태어나는 젊은 층들은 태어난 시간이 정확하지만 중 장년층 이상들은 태어난 시간이 불투명하는 경우가 많다.

따라서 사계절에 따라 시간 옆에 표기한 환경적 요인을 잘 판단하여 생시(生時)를 정해야 한다. 사람이 탄생하여 가장 먼저 하는 일은 울기 전에 호흡을 들여 마시는 것부터 시작이 된다. 호흡을 들이마신 후 울음을 터트리는데 병원에서는 우는 시간을 탄생의 시간으로 보아 생년월일시를 기록한다. 만약 울지 않으면 거꾸로 해서 막혀있던 양수를 뱉어 내게 하여 울음을 울게 만드는데 만약 울음을 울지 않게 되면 사망에 이르게 되므로 울음이 시작되어야 안심하고 시간을 기록하는 것이다.

그러나 탄생의 시작은 울음을 내기 전에 반드시 호흡을 들이마시는 것부터 시작되므로 만약 오전 11시 30분이라고 기록되어 있다면 巳時와 午時에 걸쳐져 있게 된다. 이것은 울음을 운 시간부터이므로 그 이전의 시간인 巳時로 보아서 사주를 판단하여야 할 것이다. 그러므로 변화의 시간에 걸쳐져 있는 시간이라면 무조건 그 이전의 시간으로 보는 것이다.

그리고 육체의 끝은 마지막까지 가지고 있던 호흡을 내쉬고 육체를 마치는 것이다. 그러므로 육체의 사(死)는 호흡에 있는 것이다. 生은 들숨에 있고, 죽음은 날숨에 있는 것이니 육체의 생(生)과 사(死)는 호흡에 있는 것이다.

사주 진로 적성 분석

8

일간 중심으로 십신조합(十神組合)

8] 일간 중심으로 십신조합(十神組合)

일간(日干)과 다른 천간(天干)과의 조합으로 十神(十性)의 특성을 파악한다. 일간별 10개의 조합으로 총 100개 조합을 심리 분석하는 것이다.

1. 甲木일간

1-1: 甲木일간 + 甲木(비견)

새로운 호기심을 가지고 추진하는 창의성과 활동성이 강하고, 자신이 최고라는 주체성으로 추진력이 있다.

1-2: 甲木일간 + 乙木(겁재)

창의성과 활동성이 있는 甲木일간이 乙木겁재의 현실적인 실속형으로 환경을 적응하는 힘이 강하고 ,자신의 생존 위해 주변과 타협하는 면이 있다.

1-3: 甲木일간 + 丙火(식신)

甲木일간의 자신감과 창의성이 丙火의 순간 집중력이 접목되면 단기간에 아이디어를 내거나 학습효과를 올릴 수 있지만 옳고 분명한 것을 따진다.

1-4: 甲木일간 + 丁火(상관)

甲木일간의 적극적이고 자신감 있는 행동양식에 결합하는 丁火의 소극적인 자기표현 방식이 타인을 위한 배려로 나타나지만, 주변의 도전에 대해서는 강력하게 저항한다.

1-5: 甲木일간 + 戊土(편재)

甲木일간의 미래지향적 1등 기질이 戊土편재의 공간개념을 만나므로 리더십과 원대한 목표지향적 편재로 나타날 수 있다.

1-6: 甲木일간 + 己土(정재)

甲木일간의 주체성과 활동력이 己土정재의 현실감과 치밀하고 희생적 성향이 결합하면 소유욕은 강하지만 심성이 부드러운 甲木일간과 己土의 측은지심으로 인해 손해를 보는 경우도 있다.

1-7: 甲木일간 + 庚金(편관)

甲木일간의 1등 기질을 가진 미래지향적이고 순수하지만, 여린 기질의 특성이 庚金 편관의 강한 소신의 기운이 결합하여 甲木의 여린 모습이 庚金을 활용하여 강한 모습으로 비치며 자신의 고집을 꺾이지 않으려고 안간힘을 쓰는 모습으로 유연하지 못하다.

1-8: 甲木일간 + 辛金(정관)

甲木일간의 미래지향적이고 천방지축 1등 기질이 辛金의 내면적 경쟁심과 결합하여 일간 甲木의 덜렁대는 모습을 제어하고 목표를 향해 초심을 잃지 않으려는 모습을 보인다. 합리적인 판단과 명예심이 강하지만 가슴 속에 새긴 것을 잊지 못하는 성향이 있다.

1-9: 甲木일간 + 壬水(편인)

甲木일간의 창의성이 壬水편인의 균형감과 유연성으로 인해 관심 분야는 뛰어난 통찰력을 보이지만 자신의 관심 분야 외에는 무관심해 버리므로 통찰력의 범위가 좁은 면이 있다.

1-10: 甲木일간 + 癸水(정인)

일간 甲木의 순수하고 미래지향적인 모습이 癸水정인의 응집력과 빠른 적응력의 결합으로 이해력이 빠르고 호기심이 많아 학습 능력이 탁월하지만 신중하지 못하고 서둘러 결정하는 경향이 있다.

2. 乙木일간

2-1: 乙木일간 + 甲木(겁재)

현실적인 실속형인 乙木일간이 甲木겁재의 새로운 호기심을 가지고 추진하는 창의성과 활동성이 강하며 타인과의 경쟁하는 심리를 지니고 있다.

2-2: 乙木일간 + 乙木(비견)

현실적인 실속형으로 환경을 적응하는 힘이 강하고 끈기를 가진 주체성으로 추진력이 있다. .

2-3: 乙木일간 + 丙火(상관)

乙木일간의 생동감과 적응력이 丙火의 열정과 사리분별력이 결합하여 주변과 자신의 표정을 밝게 하고 재치가 넘치는 언변과 다방면에 재능과 자신의 생각을 적극적으로 표현하지만 옳고 그름을 따지는 성향으로 사소한 충돌이 발생할 수 있다.

2-4: 乙木일간 + 丁火(식신)

乙木일간의 실속형과 현실감이 丁火의 재치와 열정이 접목되어 자신이 해야 할 목표를 향해 열정을 쏟아붓는다. 연구 탐구하는 꾸준함과 재능을 발휘하는 폭발력이 있으며 항상 남을 배려한다.

2-5: 乙木일간 + 戊土(정재)

乙木일간의 순박하지만, 실속과 적응력이 戊土의 신뢰와 우직함이 결합하여 현실에 충실하고 공평무사한 일 처리를 하고 공간에 대해 정밀한 분석을 한다.

2-6: 乙木일간 + 己土(편재)

乙木일간의 실속형과 적응력이 己土편재의 현실감과 결합하여 현재 상황을 파악하는 공간 감각과 조직 생활과 대인관계가 좋다.

2-7: 乙木일간 + 庚金(정관)

乙木일간의 적응력이 庚金의 강하고 냉철함이 결합하여 자신의 감정을 잘 드러내지 않고 자기희생적인 처신을 한다. 합리적이며 책임감이 강하고 어려운 환경일수록 더욱 끈질긴 면을 가지게 된다.

2-8: 乙木일간 + 辛金(편관)

乙木일간의 실속 있고 생명에 대한 애착(적응력)이 辛金 편관의 냉정하고 날카로움이 결합하여 주어진 일에 순응하며 자신을 온전하게 지키려는 강박관념이 나타나고 억압 심리가 있지만 주어진 일에는 충실하다

2-9: 乙木일간 + 壬水(정인)

일간 乙木의 적응력과 내면적 욕심이 壬水정인의 유연함과 통찰력으로 주어진 상황을 잘 받아들이지만, 자신만의 방식을 고집할 수가 있다.

2-10: 乙木일간 + 癸水(편인)

乙木일간의 실속 있는 환경 적응력이 癸水 편인의 응집력과 결합하면 자신이 필요한 부분은 그 내면의 특성까지도 받아들여 자신의 것으로 만들어 버린다.

3. 丙火일간

3-1: 丙火일간 + 甲木(편인)

丙火일간의 직선적이며 사리분별력에 의한 열정은 甲木 편인의 창의성에 의한 뛰어난 통찰력으로 자기 확신이 더욱 강한 성향으로 나타난다.

3-2: 丙火일간 + 乙木(정인)

丙火일간의 빠른 판단력에 乙木정인의 적응력과 현실성이 만나 주변 상황 인식이 빠르지만, 자신의 이익에는 빠른 이해와 수용력을 발휘하는 실속형이다.

3-3: 丙火일간 + 丙火(비견)

열정과 사리분별력(옳고 그름)이 강하고 빠르게 추진력이 있다.

3-4: 丙火일간 + 丁火(겁재)

열정과 사리분별력이 있는 丙火일간이 丁火 겁재의 따뜻하고 재치와 유머가 있으며 남을 먼저 배려하면서 타협하는 면이 있지만 불의를 보면 폭발한다.

3-5: 丙火일간 + 戊土(식신)

丙火일간의 열정이 戊土의 변함없는 묵묵함과 접목되어 뒷심 부족한 丙火일간이지만 한 곳에 주어진 일에 푹 빠질 수 있다.

3-6: 丙火일간 + 己土(상관)

丙火일간의 열정과 직선적인 특성이 己土의 현실적이지만 속정이 깊은 성향이 결합하여 겉보기에는 분명하고 까칠해 보이지만 약자를 배려하고 상관의 변화무쌍함보다는 소유욕과 승부욕이 강하다.

3-7: 丙火일간 + 庚金(편재)

丙火일간의 열정과 의협심 그리고 사리분별력이 庚金 편재의 강직함과 결합하면 조직 생활에서 리더십과 일단 한번 결정한 부분은 강하게 밀어붙이는 강한 결단력으로 나타난다.

3-8: 丙火일간 + 辛金(정재)

丙火일간의 사리 분명함과 직선적인 면이 辛金 정재의 강인하고 냉정한 판단력과 경쟁심이 결합하여 정확하고 빈틈이 없는 모습을 가지고 있으며 소유욕과 결과에 집착하는 성향도 있다.

3-9: 丙火일간 + 壬水(편관)

丙火일간의 직선적이고 사리분별력이 壬水 편관의 균형감과 일방통행적인 특성과 결합하여 자신이 옳다고 믿는 부분에 대하여 절대 타협하지 않고 지켜 나가려는 완고한 고집으로 나타난다.

3-10: 丙火일간 + 癸水(정관)

丙火일간의 열정과 성급한 판단력이 때로는 오판할 수 있는데 癸水의 지혜로운 이해력으로 인하여 정확한 판단력을 가질 수 있다. 합리적이고 책임감이 있으며 사교적이라서 대인관계가 좋으나 정체성이 약하다.

4. 丁火일간

4-1: 丁火일간 + 甲木(정인)

丁火일간의 열정과 배려하는 마음에 甲木 정인의 순수하고 창의적인 부분이 결합하면 정이 많아서 누구와도 친하게 지내며 아이디어가 많고 열정적인 삶을 살지만, 깊은 생각이 부족하고 즉흥적이라 주변의 꼬임에 쉽게 빠질 수 있다.

4-2: 丁火일간 + 乙木(편인)

丁火일간의 배려심과 사교성이 乙木 편인의 적응력, 정밀성과 결합하여 상황을 정확하게 인지하는 능력이 탁월하지만 자기 생각에 집착하는 성향이 있다. 의문을 가지고 있는 점은 끝까지 파고들어 생각한다.

4-3: 丁火일간 + 丙火(겁재)

따뜻하고 재치와 유머가 있는 丁火일간이 丙火겁재의 열정과 사리분별력 (옳고 그름)이 강하고 빠르게 추진하며 경쟁심이 있다.

4-4: 丁火일간 + 丁火(비견)

따뜻하고 재치와 유머가 있으며 남을 먼저 배려하면서 추진하는 면이 있다.

4-5: 丁火일간 + 戊土(상관)

丁火일간의 배려심이 戊土의 무던하고 희생적인 특성과 결합하여 남을 배려하고 자신의 희생과 중립적인 성향은 주변을 위한 유머와 재치로 나타난다.

4-6: 丁火일간 + 己土(식신)

丁火일간의 따뜻하고 밝은 성격에 己土의 측은지심과 현실감이 접목되면 자신과 타인을 함께 이롭게 하는 모습으로 어떤 일이든 싫증 내지 않는 깊이 연구 탐구하는 식신이 된다.

4-7: 丁火일간 + 庚金(정재)

丁火일간의 배려심이 庚金 정재의 냉철함과 단호함이 결합하여 어떤 일을 마무리하고 정리하는 능력을 깃추고 있다. 자신에게 주어진 일을 빈틈 없이 꼼꼼하게 처리하며 현실에 대한 자신감도 있다.

4-8: 丁火일간 + 辛金(편재)

丁火일간의 합리적이고 열정과 배려의 특성이 辛金 편재를 만나면 강한 자기 확신으로 경쟁상대를 압도하거나 자신의 의지를 굽히지 않으려는 성향으로 나타난다. 자기 주도적인 일 처리를 하지만 정밀함은 부족하다.

4-9: 丁火일간 + 壬水(정관)

丁火일간의 따뜻한 배려심이 壬水의 이성적이고 균형감의 특성과 결합하여 평정심을 잃지 않고 일관된 자기 처신으로 주변의 인정을 받을 수 있는 특성을 보인다.

4-10: 丁火일간 + 癸水(편관)

丁火일간의 배려심과 폭발력이 癸水편관의 편관의 강한 응집력이 결합하여 남을 위해 배려하는 일간 丁火가 스스로를 절제하고 인내하는 심리가 강하게 나타난다. 원칙주의로 책임감과 명분을 중시하며 꼿꼿하지만, 자존심을 건드리면 폭발한다.

5. 戊土일간

5-1: 戊土일간 + 甲木(편관)

戊土일간의 무던하고 변함없는 모습에 甲木 편관이 작용하면 마치 어린애가 고집을 부리는 듯해서 일간 戊土가 순수하지만, 자기중심적으로 되기도 한다.

5-2: 戊土일간 + 乙木(정관)

戊土일간의 무던하고 신뢰성 있는 특성이 乙木의 실속 있고 적응력 있는 기운과 결합하여 자신에게 주어진 여건에 잘 적응하고 처신을 잘하는 사람으로 사람으로 평가받을 수 있다. 명예를 중시하고 합리적인 처신을 하지만 자신의 이익을 위한 사사로움이 있다.

5-3: 戊土일간 + 丙火(편인)

戊土일간의 포용력과 신뢰성이 丙火 편인의 정확한 사리 판단력과 결합하지만, 부정적 수용을 하며 자신이 옳다고 생각하는 부분만 받아들이는데 열정은 강하다.

5-4: 戊土일간 + 丁火(정인)

일간 戊土의 무던하고 신뢰성 있는 모습에 丁火 정인의 배려와 열정이 결합하여 속이 깊고 많은 정보에 귀를 기울이며 잘 수용하지만 한번 신뢰가 무너지면 받아들이지 않고 강한 거부감을 표출한다.

5-5: 戊土일간 + 戊土(비견)

변함없는 욱직함과 신뢰감을 지닌 주체성을 가지고 있다. 추진력을 가지고 있어 은근히 고집스러운 모습을 볼 수 있다.

5-6: 戊土일간 + 己土(겁재)

변함없는 욱직한 戊土일간이 己土겁재의 현실적이고 성실하며 측은지심을 가지고 있으며 은근한 경쟁심이 있지만 현실과의 타협하는 면이 있어 대인관계 처신을 잘한다.

5-7: 戊土일간 + 庚金(식신)

戊土일간의 우직하고 듬직한 모습이 庚金의 강하고 초지일관의 기세가 접목하여 어려움이 있어도 포기하지 않고 언젠가는 이루고 마는 식신의 모습이다.

5-8: 戊土일간 + 辛金(상관)

戊土일간의 우직하고 신뢰할 수 있는 모습이 辛金의 단호하고 냉정한 성향이 결합하여 평소 무던한 모습에서 의외로 상대에게 상처를 줄 수도 있는 도발적인 강한 메시지를 던지는 경우가 있다.

5-9: 戊土일간 + 壬水(편재)

戊土일간의 신뢰성과 우직함이 壬水편재의 균형적 감각과 일방통행적 성향으로 자신의 의지를 꾸준하고 천천히 펼쳐 나가는 성향과 중재 역할을 하는 리더십으로 나타난다.

5-10: 戊土일간 + 癸水(정재)

戊土일간의 신뢰성과 공평무사함이 癸水 정재의 응집력과 결합하면 말없이 묵묵하게 주어진 일을 빈틈없이 완수하는 성향이지만 너무 사소한 것에 매달리는 경우도 있다. 정밀하고 섬세하며 주변 환경에 잘 순응하는 사교성과 재무관리를 잘한다.

6. 己土일간

6-1: 己土일간 + 甲木(정관)

己土일간의 현실적이고 성실함이 甲木의 창의성, 편재 성향과 결합하여 사업적인 아이디어와 일간과 합이 되어 신중한 모습을 보인다.

6-2: 己土일간 + 乙木(편관)

己土일간의 성실함에 乙木편관의 실속적이고 환경 적응력의 모습이 결합하면 자신이 필요한 부분이 힘들더라도 참고 버티는 인내심의 모습으로 현실에 대한 상황판단을 잘하지만 이익에 민감하다.

6-3: 己土일간 + 丙火(정인)

己土일간의 성실함과 현실성이 丙火정인의 사리분별력이 만나 자신이 옳다고 생각하는 일에 이해력이 빠르지만, 자신과 생각이 다른 것은 받아들이지 않으려는 성향이 있다.

6-4: 己土일간 + 丁火(편인)

己土일간의 측은지심과 희생적인 면이 丁火 편인의 따뜻하고 배려하는 특성과 결합하여 다른 사람의 속마음이나 어려움을 잘 살펴주게 되는데 의문을 가지게 되고 열정이 있다.

6-5: 己土일간 + 戊土(겁재)

현실적이고 성실한 己土일간이 戊土겁재의 변함없는 욱직함과 신뢰감을 지니고 있고 주변과 타협하는 면이 있다.

6-6: 己土일간 + 己土(비견)

현실적이고 성실하며 측은지심을 가진 주체성이 있다. 추진력을 가진 힘에는 자기희생의 인내심과 현실감을 가지고 있다.

6-7: 己土일간 + 庚金(상관)

己土일간의 성실하고 현실적인 특성이 庚金의 강직하고 냉철한 성향과 결합하여 자신의 의지를 분명하게 표시하고 자기 말에 대한 자존심으로 인해 너무 강한 표현으로 상대에게 무시한다고 느끼게 할 수 있다. 다재다능하며 어려운 일에 도전하고 자기의 말이나 행동에 확신을 두고 있다.

6-8: 己土일간 + 辛金(식신)

己土일간의 성실함과 辛金의 강인함과 경쟁심이 결합하여 어떤 일에 집요한 집중력을 발휘하여 경쟁에서 이기고 마는 식신의 모습이다. 연구. 탐구하는 능력이 탁월하여 한 분야의 전문가로 적합하다.

6-9: 己土일간 + 壬水(정재)

己土일간의 현실감과 성실함이 壬水정재의 균형감과 목표지향의 집중력이 결합하여 현실감과 이성적인 감각을 갖추고 세밀한 부분을 살피는 능력을 가지고 있다.

6-10: 己土일간 + 癸水(편재)

己土일간의 성실함과 현실감각이 있고 癸水 편재는 상황분석력이 좋아서 재무관리에 능한 특성이 있다. 자기 주도적 성향으로 재무관리를 잘하며 스케일이 크므로 사업적 기질이 있다.

7. 庚金일간

7-1: 庚金일간 + 甲木(편재)

庚金일간의 강직하고 소신 있는 모습이 甲木 편재의 최고 기질과 상향지기가 더해져서 자신감에 의한 자기 주도적 성향과 자신을 과시하려고 무리한 추진을 할 수 있어 실속이 없을 수 있다.

7-2: 庚金일간 + 乙木(정재)

庚金일간의 자신감과 냉철함이 乙木정 재의 현실감과 실속 있는 면이 결합하면 스스로 우월감과 그릇이 크고 과감한 추진력을 가진 庚金 일간이 乙木의 영향으로 이상과 현실 사이에 갈등하는 구조가 되어 의외로 소유욕이 강하다.

7-3: 庚金일간 + 丙火(편관)

庚金일간의 소신과 강직함이 丙火 편관의 직선적이고 사리 분명한 성분이 결합하여 자신이 옳다고 믿는 부분에 대해서 결코 굽히지 않으려는 성향으로 나타난다. 원칙주의로 의리가 있고 불의와 타협하지 않아 그릇이 크지만 유연성이 부족하다.

7-4: 庚金일간 + 丁火(정관)

庚金일간의 강직하고 냉철하고 소신 있는 모습에 丁火의 따뜻하고 합리적 성품이 결합하여 강하고 고집스런 일간 庚金이 의외로 합리적인 판단력과 속정이 깊은 모습을 보이지만 자극하면 폭발한다.

7-5: 庚金일간 + 戊土(편인)

庚金일간의 소신 있고 강직함이 戊土 편인의 신뢰와 중립적인 특성과 결합하면 여러 의견을 두루 수용하여 생각이 깊고 소신을 밀고 나가는 리더다운 모습을 보인다. 그러나 자신을 믿음을 너무 과신하는 특성이 있다.

7-6: 庚金일간 + 己土(정인)

일간 庚金의 강건하고 호기 넘치는 모습 내면에 己土 정인의 깊고 섬세한 판단력과 다른 사람의 어려움을 생각하는 정이 있다.

7-7: 庚金일간 + 庚金(비견)

강직하고 냉철하며 초지일관의 기세를 지닌 주체성과 추진력이 있다. 목표를 향해 포기하지 않는 배짱이 있고 고집이 세다.

7-8: 庚金일간 + 辛金(겁재)

강직하고 소신 있는 庚金일간이 辛金 겁재의 단호하고 냉정한 판단력으로 경쟁하는 심리가 있다. 그러나 결정적인 상황에서 타협을 끌어내기도 한다.

7-9: 庚金일간 + 壬水(식신)

庚金일간의 강한 자신감과 壬水의 대범함과 일방통행적 기운이 접목되어 주변 환경이 어떤 경우가 되어도 자신이 가야 할 길을 차분하게 밀고 나가는 식신의 모습이다.

7-10: 庚金일간 + 癸水(상관)

庚金일간의 강직하고 자신감 넘치는 기백과 癸水의 사교적이고 붙임성 좋은 특성이 결합하여 강하고 소신 있는 외형적 기운과는 달리 상대를 설득하는 부드럽지만 포기하지 않는 역량을 가진 재치를 보여주기도 한다. 임기응변이 탁월하고 상대를 설득하는 언변이 있으나 반복하지 못한다.

8. 辛金일간

8-1: 辛金일간 + 甲木(정재)

辛金일간의 경쟁심과 내면적인 자부심이 甲木 정재의 창의성과 편재 기운이 결합하면 재화의 활용 능력과 아이디어가 있고 소유욕이 강하다. 정밀분야에 창의성을 발휘하며 재무관리를 잘한다.

8-2: 辛金일간 + 乙木(편재)

辛金일간의 내성적이지만 은근한 자신감이 乙木 편재를 만나면 편재이지만 공간개념과 소유욕으로 자신이 유리한 방향으로 이끌어 가려는 성향을 보이게 된다.

8-3: 辛金일간 +丙火(정관)

辛金일간의 야무지고 단호함에 丙火의 옳고 그름이 분명함이 결합하여 책임감과 소신을 굽히지 않는 사람이지만 일간 金氣의 날카로움 속에 나름의 인간적인 정을 느낄 수 있다.

8-4: 辛金일간 + 丁火(편관)

辛金일간의 냉정하고 단호함이 丁火 편관의 따뜻하고, 배려하지만 자신을 통제하려는 주변의 자극에 대하여 굽히지 않고 강한 반발을 하는 모습으로 나타난다.

8-5: 辛金일간 + 戊土(정인)

일간 辛金의 내면적 경쟁심과 강인함이 戊土 정인의 중립적이고 깊은 사고력이 만나서 신중하지만, 자신의 소신을 꺾이지 않으려는 단호함이 보인다.

8-6: 辛金일간 + 己土(편인)

辛金일간의 단호하지만, 합리적인 경쟁심이 己土 편인의 섬세한 현실감과 결합하여 상황을 세심하게 살펴 자신의 처신을 현명하게 하게 된다. 의문이 많지만, 현실을 보는 통찰력으로 상대의 어려움을 헤아리는 따뜻함이 있다.

8-7: 辛金일간 + 庚金(겁재)

단호하고 냉정한 辛金일간이 庚金겁재의 강직하고 냉철하며 초지일관의 기세를 지닌 자세로 경쟁하는 심리가 있다. 그러나 사소한 모습을 보이지 않으려고 하며 아량으로 타협하려고 한다.

8-8: 辛金일간 +辛金(비견)

단호하고 냉정한 판단력으로 추진하는 힘이 있다. 자신이 해야 할 일은 어떤 어려움이 있어도 내색하지 않고 반드시 하고야 만다.

8-9: 辛金일간 + 壬水(상관)

辛金일간의 차갑고 내면의 은근한 자신감이 壬水의 균형감과 일방통행적 성향과 결합하여 자신의 의지를 부드럽지만, 일방적으로 상대에게 전달하려는 모습을 보여 너무 냉정해 보일 수 있는 식신으로 보이기도 한다. 자신의 재능이나 언변을 자기 방식으로 차분하게 전개하지만, 반복은 잘 하지 않는다.

8-10: 辛金일간 + 癸水(식신)

辛金일간의 단호하고 은근한 자신감이 癸水의 사교적이지만 어디든 파고드는 기질이 접목하여 소극적이고 야심이 없어 보이지만 내면에는 자신의 목표를 향해 무서운 집념을 보이는 식신의 모습이다. 재치 있는 언변과 대인관계가 좋고 어떤 일이든 연구 탐구하는 집중력이 뛰어나다.

9. 壬水일간

9-1: 壬水일간 + 甲木(식신)

차분한 壬水일간에 甲木의 식신이면 창의성과 역동성도 느끼고 밝은 모습을 보인다. 집요한 식신이라기보다 매사에 자신감과 호탕함도 보이며 새로운 일에 호기심을 가지고 꾸준히 연구 탐구하는 성향에 창의성까지 갖추었고 스스로 최고라는 의식도 있다.

9-2: 壬水일간 + 乙木(상관)

壬水일간의 이성적이고 일방통행적 특성이 乙木의 적응력과 실속 있는 면이 결합하여 주변과 다툼보다 자신의 목표를 향해 현실적 이익이 되는 방향으로 승부수를 생각하므로 식신의 특성으로 보일 수도 있다.

9-3: 壬水일간 + 丙火(편재)

壬水일간의 이성적 균형 감각이 丙火 편재의 공간 활용 개념과 만나서 신속한 판단력은 있지만 丙火의 열정탓에 壬水 일간의 차분함이 떨어지기도 한다.

9-4: 壬水일간 + 丁火(정재)

壬水일간의 이성적이고 균형감이 丁火 정재의 상관 성분과 결합하여 타인을 배려하는 정은 있지만 소유욕이 강하지만 섬세하고 꼼꼼하며 남을 배려하는 따뜻한 마음과 열정도 있다.

9-5: 壬水일간 + 戊土(편관)

壬水일간의 유연하고 균형감 있지만 자기의 소신을 잃지 않으려는 성향에 戊土편관의 우직한 모습이 결합하여 사소한 것에 연연하지 않는 대범한 특성이다. 원칙을 고수하는 과묵함과 대범하고 그릇이 크지만, 융통성이 부족하고 답답하다.

9-6: 壬水일간 + 己土(정관)

壬水일간의 유연하고 이성적인 균형감이 己土의 현실감과 결합하여 상황 대처 능력이 좋고 목표를 향하여 추진하는 자신의 감정을 잘 컨트롤하는 모습을 보인다.

9-7: 壬水일간 + 庚金(편인)

壬水일간의 이성적이고 유연하지만, 목표를 향한 추진력이 庚金 편인의 경직된 특성으로 다소 시간이 걸리지만 일단 마음속에서 결정이 내려지면 번복하지 않는 자기 확신이 대단히 강하다. 부정적이고 자기중심적 수용력으로 이해력이 늦지만 한번 기억하면 오래간다.

9-8: 壬水일간 + 辛金(정인)

일간 壬水의 유연하고 균형감이 辛金 정인의 내면적 경쟁심과 합리적인 판단력으로 부드럽지만, 소신 있는 판단을 하지만 주변에서 자신을 인정해 주는 데 민감하다. 긍정적 이해력을 가지고 있지만 스스로 마음을 여는 데는 다소 시간이 걸린다.

9-9: 壬水일간 + 壬水(비견)

유연하고 균형적 감각과 일방통행적 성향으로 추진한다. 자신이 목표한

곳을 향해 조용하지만 쉼 없이 추진하지만, 자신의 방식을 고수한다.

9-10: 壬水일간 + 癸水(겁재)

유연하고 균형성 있는 壬水일간이 癸水 겁재의 사교적이며 붙임성이 좋아 환경 적응력이 강하고 주변과 타협하는 경쟁심리가 강하다.

10. 癸水일간

10-1: 癸水일간 + 甲木(상관)

癸水일간의 사교성과 친화력에 甲木의 창의성과 결합하여 총명하고 적극적이지만 자신의 재능을 과신하는 경향이 있으며 거침없는 말투 때문에 주변과 사소한 충돌이 생길 수 있다.

10-2: 癸水일간 + 乙木(식신)

癸水일간의 명랑사교적이지만 얌전하고 소극적인 乙木의 현실감이 식신에 접목이 되어 주어진 일이나 관심 분야에 남모르는 노력을 하여 목표를 달성하고야 마는 집중력을 보인다.

10-3: 癸水일간 + 丙火(정재)

癸水일간의 응집력과 환경 적응력이 丙火 정재의 직선적이고 빠르고 급한 성분이 결합하여 일 처리를 정확하게 분명하게 하며 한 포인트에 정밀하게 집중하는 능력이 탁월하다.

10-4: 癸水일간 + 丁火(편재)

癸水일간의 친화력과 응집력이 丁火편재의 열기에 의해 덜렁대거나 상대를 압도하는 재치와 유머로 나타날 수 있다. 타인을 배려하는 넓은 마음과 재능을 활용하는 열정이 있다.

10-5: 癸水일간 + 戊土(정관)

癸水일간의 사교적이고 환경 적응력이 뛰어난 특성이 戊土의 합리적이고 중립적인 모습과 결합하여 대인관계가 원만하고 한쪽에 치우치지 않는 처신을 하게 되어 주어진 일에 책임을 다한다.

10-6: 癸水일간 + 己土(편관)

癸水일간의 응집력과 주변 환경에 동화되는 특성이 己土 편관의 성실하고 현실적인 면과 결합하여 자신이 해야 할 일에 충실하고 본분을 지키려는 모습으로 나타난다. 원칙을 중시하고 자기희생으로 어려운 사람을 생각하는 책임감이 강하다.

10-7: 癸水일간 + 庚金(정인)

일간 癸水의 사교적이고 주변 여건에 적응하는 유연함 뒤에 庚金 정인이 긍정적 수용을 하지만 이해하는 데는 시간이 걸리는데 자신의 선입견이 너무 강한 탓이다.

10-8: 癸水일간 +辛金(편인)

癸水일간이 사교적이고 뛰어난 환경 적응력을 보이지만 辛金 편인으로 인해서 자신이 마음을 열지 않는 부분은 좀처럼 받아들이지 못하는 모습을 보인다. 의문이 해결될 때까지 고민하고 받아들이지 못하지만 일단 믿으면 확신이 강하다.

10-9: 癸水일간 + 壬水(겁재)

명랑사교적인 癸水일간이 壬水겁재의 유연하고 균형적 감각과 일방통행적 성향으로 주변과 경쟁하는 심리가 있다. 일단 따라는 주지만 자기방식을 고수하며 타협이 어렵다.

10-10: 癸水일간 + 癸水(비견)

사교적이며 붙임성이 좋아 환경적응력이 강하다. 친화력으로 부드럽고 약해 보이지만 자존심이 강하고 응집력이 강하다.

사주 진로 적성 분석

9

십신(十神) 55개 조합의 심리분석

앞장에 이어 더욱 세밀하게 십신(十神)끼리 55개의 조합으로 다양한 사주 구조에 따른 심리분석을 파악해 보고자 한다. 사주팔자 명식을 분석하는 데 아주 핵심적인 내용이니 반드시 사주명식을 대입하여 반복 숙달해야 한다.

1. 비겁(比劫)

(1) 비겁 중복, 혼잡

1-1. 비견 + 비견
비견이 겹치면 강한 주체성을 가지고 자존심이 강하다. 오히려 편관처럼 원칙을 고수하려고 한다. 식상으로 설기 하면 좋다.

1-2. 비견 + 겁재
비견의 주체성과 겁재의 경쟁심으로 고집이 세고 자기중심적이 될 수가 있지만 정관이 있으면 다소 여유를 가질 수도 있다. 일지의 겁재는 고집이 강하다.

1-3. 겁재 + 겁재
경쟁심이 치열하여 남에게 지는 것을 참고 못사는 형태로 보인다. 겉으로는 정관처럼 합리적으로 보이지만 이익을 위해 타협을 하는 점과 비슷하게 보여진다.

(2) 비겁 生 식상

비견, 겁재가 식상을 생 하면 본인이나 타인이 식상적인 능력이 있다는 것이다.

2-1. 비견 + 식신

비견의 주관성과 식신의 탐구력이 만나 한 분야의 전문가가 될 수 있는데 식신 옆에 재성이 있으면 결실을 맺게 되어 더욱 빛난다.

2-2. 겁재 + 식신

겁재의 경쟁심과 식신의 탐구, 연구심과 지구력이 만나 연구직이나 스포츠 계통에서 대성할 수 있다.

2-3. 비견 + 상관

비견의 주체성과 상관의 화술과 승부 욕 영향으로 자신의 고집대로 진행한다.

2-4. 겁재 + 상관

상관의 화술과 지기 싫어하는 성분과 겁재의 경쟁적인 영업이나 사업에서 성과를 나타낸다.

(3) 비겁 훼 재성

3-1. 비견 + 편재

비견의 강한 주관과 편재의 추진력으로 밀어붙이는 독불장군이 될 수도 있다. 그러나 스케일이 커서 리더의 형태로 볼 수도 있다.

3-2. 겁재 + 편재

겁재의 경쟁심이 편재의 변화와 일의 추진력을 자극한다면 다소 과욕으로 인한 무리수를 둘 수도 있지만 빠른 결단력이 필요할 때는 유리할 수 있다.

3-3. 비견 + 정재

정재의 정교하고 치밀함이 비견의 주체성에 힘입어서 자신에게 맡겨진 업무를 잘 수행할 것 같다. 자칫 너무 계산적이고 이기적인 성향으로 변질될 수가 있어서 대인관계에서 다소 경직이 우려된다.

3-4. 겁재 + 정재

겁재의 경쟁심과 정재의 치밀함이 결합하여 결과 위주의 사고방식을 가질 수도 있어 경쟁심이 유발되면 목적을 위해 무리한 방법을 이용할 수 있다. 작은 것에도 욕심을 낸다.

2. 식상(食傷)

식상생재는 재능과 능력으로 기획, 설계, 업무, 결과물을 끌어내는 수완을 발휘한다.

(1) 식신생재(食神生財)

식신의 행위(일)로 재성(결과, 목표)을 향해 나가는 것을 의미한다. 한번 시작하면 꾸준하게 진행하여 결과를 보는 노력형이다. 여기에서 식신은 재성인 편재 정재로 또 구분할 수 있다.

1-1. 식신 + 정재

정재의 고지식, 꼼꼼함, 정리정돈, 알뜰살뜰, 음식솜씨, 음식을 만들어도 차근차근, 느려서 답답하다. 그러나 식신의 꾸준함과 치밀함과 정재의 꼼꼼함이 더해져서 제대로 된 집중력을 가져 올 수 있다. 그러나 경우에 따라서는 집착이 너무 강하여 정재의 욕심 때문에 무리한 일을 진행할 수 있다.

1-2. 식신 + 편재

식신의 전문성과 편재의 사업성이 만나 큰 결과물을 만들어낸다. 또한 식신의 재능으로 편재의 공간 능력이 발휘되거나 식신의 여유로운 안일함과 편재의 덜렁거리며 즐기는 성향으로도 보일 수 있다.

(2) 상관생재(傷官生財)

상관의 화려한 솜씨로 재성을 얻는다. 애정이나 인간관계가 적극적인 성향이다.

2-1. 상관 + 정재

상관의 재능을 발휘하기 위해 정재의 빈틈없는 준비와 정확한 활용이 가능하다. 그러나 정재의 소유욕으로 너무 계산적이고 다소 이기적인 평가를 받을 수도 있다.

2-2. 상관 + 편재

상관의 추진력과 편재의 스케일로 전형적인 사업가 스타일로 여자가 많다. 행동반경이 넓고 걸음도 빠르다. 재능을 최대로 살릴 수 있는 구조이나 결과를 먼저 생각하는 결점이 보이기도 한다. 그러나 자신의 역량이 약하면 오히려 실속 없이 분주하기만 한다.

(3) 식상 중복.혼잡

3-1. 식신 + 식신

식신이 중복되면 집중력의 과잉으로 오히려 목표에 대한 집중력이 산만해질 수 있고 중도에 방향을 바꾸는 형태로 나타나기도 한다. 또한 식신의 여유로움이 태만함으로 나타나기도 한다. 따라서 외형적인 심리는 상관의 모습이고 내면적인 심리는 편인의 모습으로 나타난다.

3-2. 식신 + 상관

식상혼잡으로 제어가 되지 않아 천방지축으로 보이기도 하여 인성의 통제가 필요하다. 논쟁을 좋아하고 공격적 성향을 보이지만 창의성은 발달되어 있다.

3-3. 상관 + 상관

상관이 중복 되면 재치가 넘쳐 신뢰감이 떨어지고 상관의 욕심과 성급함이 지나쳐서 마무리 능력이 떨어질 수 있다. 그러나 인성이 통제를 해준다면 오히려 탁월한 수완가가 될 수도 있다. 또한 재성이 강하게 설기해주고 일간이 힘이 있다면 대단한 수완가가 될 수 있다.

(4) 식신제살(食神制殺)

식신은 전문성이나 실력으로 편관을 제도하는 것으로 기술영업, 컨설팅, 전문교육이다. 정관이 약하면 식신의 극을 받아 관의 피해를 입는다. 변화, 혁신, 개혁. 틀을 깬다. 도전, 도발

4-1. 식신 + 편관

역량 여하에 따라 식신 실력으로 편관 어려움을 극복하려는 상황이다.

4-2. 식신 + 정관

식신의 노력이나 능력을 정관의 합리적으로 활용 할 수 있는 구조로서 사회적으로 인정을 받을 수 있지만 혹 기회주의 성향이 보일 수도 있다. 정관이 약하면 식신의 극으로 관재가 온다.

(5) 상관대살(傷官帶殺)

5-1. 상관 + 편관

상관으로 편관을 극복하려는 상황이다. 상관대살(陽干)은 화려한 화술로 제압하고 상관합살(陰干)은 애교와 유혹의 작전으로 제압한다. 식신제살에 비해 융통성이 있다. 편관의 원칙주의와 상관의 언변을 함께 생각하면

자기주장이 너무 강할 수 있는데 편관의 원칙주의적인 성향과 다소 억압적인 모습이 상관의 사교적인 성분으로 다소 통제를 받는다면 도전적이고 활발한 특성으로 나타날 수가 있다.

(6) 상관견관(傷官見官)

6-1. 상관 + 정관

상관의 화려함으로 관에 적극적으로 대항하는 모습이다. 상관견관이라 하여 매사 불평불만이 많은 성격이다. 나는 불법해도 명분이 있다 변명하고 남이 불법이면 그냥 두지 않는다. 관재, 구설 시비가 끊이지 않는다. 입바른 소리를 잘해서 탈이다. 욕을 잘하고 불만이 많다. 잘난 척, 스트레스를 풀만한 상대가 절실하다.

(7) 상관패인(傷官佩印)

상관패인이 정관을 보면 개인적 능력을 발휘하지 말고 조직의 명령만 들으라는 뜻이다. 상관패인이면 컨설팅, 인기 강사 등이 적합하고 상관패인하지 못하면 사기꾼이 된다.

7-1. 상관 + 편인

눈치와 순발력의 편인으로 상관의 말솜씨와 기교. 재치를 활용한다. 강사, 교수, 연예인 등이 적합하다. 편인이 직접 상관을 충극하는 구조라면 뛰어난 재능을 발휘할 수 있는 구조가 된다.

7-2. 상관 + 정인

정인의 직관력에 상관의 순발력, 재치가 결합 된다면 다양한 방면에서 능력을 발휘 할 수 있다. 정인이 상관을 옆에서 충극 하는 구조라면 교육, 언론, 서비스 등에서 재능을 발휘한다. 정인의 마음을 상관으로 표현하는 것이니 언변으로 감동시키는 재주가 있다.

3. 재성(財星)

(1) 재성 중복.혼잡

1-1. 편재 + 편재

편재가 중복되면 비견과 같이 보는 특성이 있다. 어떤 일이든 자기 주도적이고 대범하게 밀고 나가려는 특성을 보이게 된다. 다만 비견과 다른 점은 편재는 외형만 그렇게 보일 뿐 실질적인 힘은 부족하다. 그러므로 자칫하면 허풍선 같은 경우가 될 수도 있다.

1-2. 정재 + 정재

너무 알뜰하고 치밀한 구조로서 결과에 대하여 과민한 집착 현상이 나타나 보인다. 겁재의 형태가 나타날 수 있다.

1-3. 정재 + 편재

정재와 편재가 혼잡된 경우로서 정재의 정밀함과 편재의 공간개념이 작용하여 재화의 운용 능력이 탁월한 특성으로 나타나게 된다. 손익에 민감한 성격이 될 수도 있다.

(2) 재생관(財生官)

관으로 재성을 보호하여 안정적이고 재성 운용 능력이 있다. 명예. 업무형. 직장인. 공무원. 납품사업 등. 관료적 특성이다.

2-1. 편재 + 정관

재생관으로 물질을 관리하고 통제하는 능력이 있어 사업성과 경영능력이 있다. 재성의 유통, 관리, 확장적 운용 능력이 뛰어나다. 딱 보면 돈이 되는지 안 되는지를 안다. 보여지는 모든 것을 경제적으로 연결하여 해석하려는 습관이다.

2-2. 정재 + 정관

은행을 연상할 수 있으며 철저한 금전 관리를 한다. 현실적 모범생이다. 원리원칙, 고지식, 융통성 부족하다. 자신의 물건을 아끼고 절약하고 저축을 좋아한다. 무모하지 않고 경험과 결과를 중시하며 무리한 모험을 하지 않는다. 정재의 사소한 일에 집착하는 부분이 정관의 합리성에 의해 다소 완화되어 보인다. 자신에게 주어진 일을 무리 없이 잘 수행하는 형이다. 그러나 너무 현실적이고 다소 손익관계가 너무 밝다는 평을 받을 수도 있다.

(3) 재생살(財生殺)

재생살은 재극인과 殺이 동시에 일간을 극 하는 상황이다.

3-1. 정재 + 편관

정재는 월급의 개념으로 편관의 특수직에 직장을 다니면 좋다. 깔끔, 샤프, 정교한 카리스마, 터프함과 소심함이 공존하듯이, 남성미와 여성미가 공존한다. 정재의 정밀함과 편관의 원칙주의 심리가 때로는 사소한 일에 고집을 피울 수 있다. 자신의 소신이 강하고 너무 세심한 부분에 대하여 옳고 그름을 따져 보는 심리 구조 때문에 대인관계에서 무난하지 못하다는 평을 들을 수 있다.

3-2. 편재 + 편관

편재는 유동적인 재물로 사업적인 스케일이 클 수 밖에 없다. 여기서 편관은 사업적 위험성이다. 화끈하고 스케일이 큰 카리스마, 크게 논다, 과시, 과장, 포장성, 성패의 폭이 크다, 그러나 시원시원하다. 편재의 스케일 큰 공간개념과 편관의 원칙주의적 인내심은 그릇이 크고 대범하며 리더 기질로 나타난다. 그러나 일간의 역량이 있어야 한다.

(4) 재극인(財剋印)

재극인은 정신이 물질의 욕망에게 침해를 당하는 것이다. 물질적이고 재물에 대한 욕심이 앞서게 된다. 정재는 아끼는 것이라서 작은 돈에도 집착하게 되고 편재는 작은 돈 보다는 큰 돈에 관심이 많다. 정인은 인간적인 면을 중시하게 되고, 편인은 인간적인 면보다는 물질과 재물 적인 면에 더 관심이 많다. 정재가 정인을 극하는 재극인이 되면 제대로 된 재극인이다. 정인은 돈과 친하지 않고 돈을 다루는 방법도 서툴다.
정재가 정인을 극 하면 작은 돈에 전전긍긍하게 되며 인간적으로 배신을 당하는 것이라서 네가 나에게 어떻게 그럴 수 있느냐는 마음이 들고 그런 상황이 발생하게 된다. 정인이 편재를 보면, 재성을 연구하는 사람이라 돈 버는 아이디어와 욕심이 많아서 인색하다. 정인이 편재를 보면, 남들에게 사업 투자를 권하여 큰 돈을 투자받고 갚지 못하는 사기꾼이 될 수 있다.

정인 + 정재가 작은 사기꾼이라면 정인 + 편재는 큰 사기꾼이 된다. 정인은 처음부터 의도치 않기 때문에 사기를 치려는 의도는 없었지만 빌려놓고 상황이 좋지 못해서 갚지 못하는 사기꾼이 되는 것이다. 편인은 재성을 좋아하는데 재성 중에서도 편재를 좋아한다.

편인이 정재를 보면 소심하고 꼼꼼하고 절대 돈을 안 쓰는데 자기가 좋아하는 사람에게만 쓴다. 편인이 편재를 보면 돈을 써서 이익이 된다고 생각이 들면 돈을 두루두루 쓰게 된다. 사람을 사귀는 것도 돈을 벌기 위해서 사귀는 것이다.

편인은 돈을 벌어야 하는 사람이고 정인은 공부를 해야 하는 사람이다. 편인이 재성을 보면 즐거움이 되는데 정인이 재성을 보면 공짜를 좋아하고 놀고 먹으려고 하게 된다. 재극인이 되면 예민, 상처. 스트레스로 학생들은 섬세하게 다루어야 한다. 인성이 많은 것을 재가 극하면 예민하지만 뛰어난 사고력으로 예술, 아이디어가 특출한 재능을 발휘한다.

4-1. 편재 + 편인
편재를 편인으로 치밀하게 궁리, 고민한다는 것이다. 판단력, 순발력이 뛰어나다. 광고 카피라이터, 돈의 흐름을 귀신같이 파악한다. 특이한 장난감, 발명, 독특한 철학과 아이. 예술적 재능을 사업화시킨다. 정재+편인이 예술가이면 편재+편인는 예술사업가이다.

4-2. 편재 + 정인

정인의 직관력이 편재를 만나면 직장이나 사업에서 주어진 일처리를 잘할 수 있어 관리직이나 관리유형의 일에 적합하여 응용력이 있다고 보인다. 편재가 인성을 극 하는 구조이면 스트레스에 시달리거나 판단력에 문제가 생길 수 있다. 머리는 천재인데 공부 안 하고 논다. 꾀돌이. 드라마 작가, 피디 등

4-3. 정재 + 편인

예민한 여성스러움, 세밀한 꼼꼼성, 결벽성이 있다. 정재를 철저하게 다룬다는 것으로 금전 관리 철저하다. 몸이나 건강에 아주 관심이 많고 아프면 바로 병원 간다. 예술적 재능, 꼼꼼함과 치밀함을 원하는 예술 분야, 미술, 음악 쪽에서 능력 발휘한다.

정재의 정밀함과 분석력, 일의 마무리 등은 돋보일 수 있겠으나 편인의 통찰력 분석력이 정재에 의해서 머뭇거림이 일어난다. 정재가 편인에 직접 작용한다면 오히려 어떤 특정한 상황에서 정확한 판단을 할 수 있다.

4-4. 정재 + 정인

바르고 꼼꼼함, 고지식, 수학적 재능, 사업이나 장사는 절대 안된다, 경제

학문으로 가면 된다. 직관력 내지 수용성인 정인과 치밀한 정재가 만나 상황 판단력이 좋고 마무리가 강하지만 인성과 재성의 충극으로 인성이 손상이 된다면 지나치게 소극적이고 주저하는 형태의 심리가 나타날 수도 있다. 현실에 대한 불만이나 스트레스에 민감한 구조가 되기도 한다.

4. 관살(官殺)

(1) 관살 휀 비겁

1-1. 편관 + 비견
편관의 원칙과 비견의 강한 주관이 결합되어 고집스럽고 우직한 느낌을 주는데 직장에게 인정을 받는다면 목숨 걸고 충성할 형태의 성격이다. 다만 융통성이 없어 보인다.

1-2. 편관 + 겁재
겁재의 경쟁심과 편관의 원칙주의가 만나서 목표를 위한 추진력이 뛰어나겠으며 겁재의 이기주의가 다소 완화될 수 있다. 양인과 편관은 궁합이 잘 맞는다. 편관이 겁재를 만난 것은 서로 호적수를 만난 것이다.

1-3. 정관 + 비견
합리적인 정관과 자존심 강한 비견은 자신에게 주어진 일에 대하여 잔꾀를 부리지 않고 합리적으로 처리하는 전형적인 공무원 스타일이다. 변화를 싫어하고 맡은 바 책임을 다한다.

1-4. 정관 + 겁재

겁재의 경쟁심과 정관의 합리성의 결합으로 목표를 성공적으로 이루어 낼 수 있는 구조라고 보이나 자신의 이익을 위해 다소 편법이나 무리수의 우려도 보인다. 보편적 타당성과 원칙을 준수하는 올바른 경쟁성을 다룬다.

(2) 관살 중복.혼잡

2-1. 편관 + 편관

편관이 강하게 나타나면 자신의 억압 심리가 강해서 스트레스를 많이 받고 대외관계에 적응이 쉽지 않을 수 있으며 심하면 피해의식이 있을 수 있다. 환경적인 인내심이 강하여 불편함을 잘 견디며 자신에게 주어진 업무 수행은 잘 수행한다고 본다.

2-2. 정관 + 정관

합리적 성품이 강해 사무적인 일에 충실하겠으며 때로는 상관과 같은 형태의 사교성과 재치를 보일 수도 있다. 과중한 업무를 감당하다가 몸이 지칠 수 있음에 주의를 해야 한다.

2-3. 편관 + 정관

억압심리는 편관과 편관일 때 보다 완화되어 보이나 정관의 합리성에 의해 남을 위해서 살아가는 삶이 될 가능성이 높다. 사회봉사, 종교인 등, 아니면 가족을 위해 희생하는 심리구조이다.

(3) 관인상생(官印相生)

시간적으로 느리고 일반직 공무원 스타일이며 안정적이다. 명분, 체면중시, 남을 의식. 욕먹지 않는 사업. 교수. 연구직, 음식점, 서점 등

3-1. 정관 + 편인

편인의 통찰력과 합리적인 정관에 영향을 미쳐 상황이 선택을 해야 할 경우라면 오랫동안 고민을 해야 결론을 도출해낼 수가 있다. 그렇지만 아주 정확하고 합리적인 답을 제시할 수가 있는 구조이다.

3-2. 정관 + 정인

합리적인 정관과 긍정적 이해력의 정인이 함께하면 합리적인 성품으로 볼 수 있으며 대인관계가 무난하고 직장생활에 적응력도 좋게 보인다. 만일 공무원이라면 성실한 사람이지만 복지부동하거나 이해관계에 민감한 모습이 될 수도 있다.

(4) 살인상생(殺印相生)

4-1. 편관 + 편인

한 치의 실수도 용납이 안 된다. 자신이 확신하는 부분에 대해 맹종할 수 있는 위험이 있으며 비견이 있으면 더욱 심할 수 있다.

4-2. 편관 + 정인

정인과 편관이 만나면 긍정적 이해력에 원칙주의가 결합된 형태로 다소

고집스런 느낌이며 관인상생의 구조가 되면 보수적인 성향을 보일 수 있다. 비견이 있다면 더욱 강화된다.

5. 인성(印星)

(1) 인성 生 비겁

1-1. 편인 + 비견
편인의 통찰력이 비견의 주체성으로 작용한다. 자신이 가지고 있는 지식에 대하여 확신이 너무 강하여 외골수가 될 수도 있다.

1-2. 편인 + 겁재
편인의 통찰력이 취사선택에 민감한 방향으로 나타날 수 있다.

1-3. 정인 + 비견
정인이 비견을 만나면 긍정적 이해력에 주관이 더해져서 보수적인 성향이 발현되어 자신의 지식에 대한 확신으로 비치기도 한다. 자신의 소신을 지키는 점은 좋다.

1-4. 정인 + 겁재
정인이 겁재의 특성이 경쟁심이므로 승리를 위해 무리수를 놓을 수 있는 심리적 구조를 가질 수 있다. 추진력은 좋지만 잔머리를 굴린다.

(2) 인극식(印尅食)

인극식은 식상을 극 하여 인정을 못 받는다. 저평가된 우량주이다. 그러나 식상이 많아 인성이 극 하면 뛰어난 사고력으로 재능을 발휘한다.

2-1. 편인 + 식신

식신 바로 옆의 편인으로부터 강하게 극을 받는다면 자신의 재능을 발휘하는 데 걸림돌이 많아 애로가 많다. 그렇지 않다면 학문에 대해서 깊이 탐구하는 심리가 있고 예리한 직감력이 필요한 직무에서 식신의 탐구력을 극대화할 수 있으며 예능에 재능을 보이기도 한다.

도식의 외로움을 활용하면 연구, 개발. 전문기술이다. 잘해주고도 욕을 먹거나 잘하다가 순식간에 포기하는 기질이다. 부정적인 생각이나 걱정,고민이 생기면 의욕 상실하게 된다.삐지면 오랫동안 말을 안 하는 성격이고 도식의 성향은 혼자 잘 논다.

2-2. 정인 + 식신

정인의 학문을 식신으로 깊게 연구하는 성분으로 비견이 작용을 해준다면 학자, 전문가, 교수로 대성할 수 있다. 그러나 강한 정인이 식신을 바로 옆에서 충극하는 구조라면 자신의 능력을 펼치기 어려운 구조가 된다. 식신과 정인의 조합으로 음식분야에 요리 연구가. 학구파, 연구심, 다정함과 품위가 있다.

(3) 인성 중복.혼잡

3-1. 편인 + 편인

편인이 중복되면 염세적 사고와 부정적 수용하는 작용이 더 강해지기도 하지만 한편으로는 그 자체를 거부하는 편재 같은 마음 즉, 여유로움 혹은 태만함이 생길 수도 있다. 사고의 폭이 깊어지고 자신의 관심 분야에서는 다양한 지식을 습득할 수 있으나 너무 이론적이고 자신의 세계에 빠질 수 있다. 편재같이 태평적인 성향을 보이기도 한다.

3-2. 정인 + 정인

정인의 수용성은 빠르지만 수용성이 중복되는 현상이 생기므로 어떤 판단을 내려야 할지 혼란이 생기며 빠른 결단을 기대하기 어렵고 망설이는 성향을 보인다고 할 수 있다. 정재처럼 너무 꼼꼼하게 생각하는 경우도 있다.

3-3. 정인 + 편인

정인과 편인이 겹치면 사물을 보는 센스가 있지만 수용성(긍정&부정)이 혼란을 일으켜서 방향성에 문제성을 보이며 결단을 내리지 못하고 우왕좌왕하는 심리구조로 본다. 그러나 주변에서 재성이 통제를 해준다면 감소한다고 본다.

★ 십신의 응용 요약정리

구 조	내 용
식신 生 편재	낙천적이며 여유로움을 갖는 안빈낙도형. 현실에 안주할 수도 있다. (손 재능이 있음)
식신 生 정재	아주 정밀한 구조로서 목표에 강하게 집착하게 된다. (수리영역 발달)
상관 生 편재	소유본능과 승부욕이 강한 탁월한 현실감각의 소유자이다. (자영업에 유리. 언어수리 영역 공유)
상관 生 정재	소유본능과 승부욕이 강한 탁월한 현실감각의 소유자이다. (언어수리 영역 공유)
편재 生 편관	그릇이 크고 대범하여 리더 기질이 있다.
편재 生 정관	조직관리 능력과 사명감이 있다.
정재 生 편관	책임감이 남다르며 현실에 충실한다.
정재 生 정관	탁월한 균형감각과 현실감으로 주어진 업무처리 능력이 탁월하다.
편관 生 편인	소신이 있고 곧은 성정을 가지고 있으나 자신의 생각을 너무 고집하는 경향이 있다.
편관 生 정인	소신을 지키는 인내심이 강하여 어려움에도 슬기롭게 대처를 해 나간다.

정관 生 편인	스스로의 판단력을 확신하며 명분에 너무 집착하는 경향이 있다.
정관 生 정인	빠른 판단과 합리적인 사고를 하지만 보수적인 특성이 강하게 나타난다.
식신제살	어려움을 슬기롭게 해결하여 전화위복으로 만들어가는 특성이다.
식신견관	직업을 변화를 겪거나 때때로 좌절을 할 수도 있는 구조이다.
상관제살	위기로부터 벗어나거나 여러가지 도전과 변화를 겪어 나가는 구조이다.
상관견관	환경의 급격한 변화와 풍상을 도전하며 살아가는 풍운아 같은 구조이다.
인성 克 식신	자신의 능력을 극대화 시키기 어려운 구조이므로 안정감 있는 직업 선택이 필요하다.
인성 克 상관	재능을 잘 활용하여 다양한 방면에서 창조적 능력을 발휘할 수 있다.
편재 克 인성	너무 큰 목표와 성취욕 혹은 뜻하지 않는 사건으로 어려움을 겪을 수 있는 구조이다.
정재 克 인성	현실적인 문제 혹은 너무 사소한 일에 매여서 어려움을 자초하는 구조가 되기도 한다.

Tip. 왜 아이 사주를 보아야 하는가

자녀가 태어났을 때 자녀의 타고난 사주를 보고 부모가 알아야 하는 것은 대단히 중요하다. 단순히 사주팔자가 좋다 나쁘다 라는 인식에서 벗어나야 한다. 아이의 타고난 성향을 파악하여 적성을 분석하는 부모의 관찰이 중요하다. 유아 때부터 심리분석을 통하여 아이의 사주 속의 강점과 보완점 등을 파악하여 아이의 성장하는 모습을 지켜보면서 초등학교. 중학교 시기의 학습지도에 따라 진로를 설정하고 고등학교 때 아이의 공부 수준에 따라 진학에 신경을 쓴다면 이만큼 부모의 역할은 아이에게 행복을 줄 수 있는 직업을 선택하는 데 크게 도움을 준다.

막연히 학원을 보내고 학과를 선택하여 수능을 보고 다시 재수. 반수 삼수 등 도전을 하여 학생은 학생대로 부모는 부모대로 서로 갈등과 불신 속에 가족 간의 유대관계는 깨지고 답답하여 상담받으러 오신 부모들이 상당히 주변에 많다. 적성에도 맞지 않고 대학도 족하지 못해 포기하고 도전하니 자녀에겐 기회 손실이 크고 부모에겐 제적 손실이 엄청나다고 볼 수 있다. 현재 공교육에 대한 불신은 미 나락에 떨어져 있고, 사교육에 얼마나 치중하고 계신 지 누구나 감할 것이다. 국가 교육 시스템이 제대로 바뀌려면 시간이 걸릴 수 있으니 먼저 가정 교육이 선행되어야 한다고 본다. 그러기 위해서는 부모의 자녀교육에 대한 인식 전환이 시급하다.

경쟁 사회에서 자식을 성공시키는 부모의 자세도 중요하겠지만 자녀에게 맞는 진로를 결정하고 직업을 선택해서 안정적 사회생활을 영위한다면 지금처럼 심각한 청년 실업자 위기를 극복하는 데 크게 도움이 될 것이다.

10

오행 · 천간 · 지지 · 십신 물상(物像)

10] 오행. 천간. 지지. 십신 물상(物像)

1. 오행 물상

木
과일, 섬유, 커텐, 양품, 표구 간판, 신사복, 농원, 청과, 가구, 수출포장, 종묘, 문구, 의상, 목재 합판, 주방설비 씽크대 등
火
주유, 정유업, 사진, 도시가스, 전자대리점(전자 판매업), 전파, 학원업, 화장품, 영상(영화 극장 비디오 조명), 서점, 화학 (비닐, 나일론), 광학(안경, 렌즈, 유리, 카메라), 반도체, 모터, 보일러, 인쇄, 문화, 통신, 침구, 화랑
土
농업, 부동산, 건재상, 숙박업, 창고업, 토건업, 건축, 개발, 설비, 외피(동물-가죽 / 기계-외장, 의장, 도색, 도금), 도기, 선물, 주차장, 화물, 만물상(백화점), 공예, 석재, 제화(신발 피혁 핸드백), 기와, 타일, 축산(육가공, 정육, 사료), 숙박(호텔, 콘도)
金
철물, 금은보석, 시계, 보석, 고물, 기계, 공구, 각종 공업사, 금융, 증권, 체육, 광업(탄광 광산), 시장, 정밀금속, 스프링, 침대, 알미늄샷시, 자동차공업, 밧데리, 총포, 건설중기, 파이프, 철강, 철재
水
수산(건어물, 생선, 활어, 어구), 냉동, 유흥(술집, 성인), 목욕, 싸우나, 해운, 여행, 물류, 식품, 양조장, 주류, 통상, 교역, 유통, 정화조(화장실, 비데), 임신용품, 생리용품, 속옷, 수도

2. 천간 물상

甲木
인사관리, 총무, 양육, 유아, 스튜어디스, 법률, 사회사업, 목재 관련, 농림업, 원예, 건축업, 건축자재, 건축, 가구, 모피 피혁, 양어장, 조림업(果樹) 등
乙木
회화, 음악, 교육, 정서교육, 목재, 펄프, 제지, 지물, 의복, 판매업, 쌀 잡곡, 청과물, 사무용품, 서적 출판 인쇄 등
丙火
교육, 예술, 연예 엔터테인먼트, 요리 음식, 도예 도자기, 에너지(보일러, 가스, 석유, 석탄 전력) 스포츠, 언론, 육영사업, 조명, 광학
丁火
예술, 학술, 문화, 음악, 미술, 서예, 스크린(영화), 음악(소리, 음향, 악기, 음반), 인형, 완구, 흥행, 오락, 매니저, 프로덕션
戊土
은행, 보험, 증권, 경리, 토목, 농림, 석재, 자갈, 창고업, 부동산
己土
일반사무, 특수기술, 경리, 세무관계, 법률, 타이프, 통신중개, 전자계산, 전통공예, 바둑, 흙을 가공, 도자기, 기와, 벽돌, 내화재료, 유리, 지하철, 빌딩관리, 주차장
庚金
경찰, 검찰, 방위, 보안, 경비, 금속, 조선, 차량, 동력기계, 스포츠
辛金
정밀기계, 화학기계, 계산기계, 광학기계, 경금속, 용접, 도금, 금속잡화, 귀금속, 장신구
壬水
아이디어 발상 기획, 발명, 변리사, 상표권, 특허관련, 디자이너, 광고문안, 선전, 교육, 문화 예술, 연구, 정보(한국신용평가원 같은 곳, 흥신소, 탐정, 채권압류에 필요한 절차, 탈법적이거나 불법적인 일)
癸水
참모, 백화점, 유통업(이마트 같은 곳), 교통운수, 여행, 유통, 서비스, 스넥코너, 레스토랑, 요리 음료, 우유 온천, 목욕, 세탁, 석유

3. 지지 물상

子水 : 쥐. 다산. 어둡다(천지미분). 야행성. 잠을 재운다. 더듬는다. 세분화되고 퍼진다(방사. 핵분열). 죽. 탕류. 子卯(콩나물 국밥). 해외(외무. 외교). 정자(精子). 음핵. 비밀. 애정사. 유흥. 물장사. 씨앗. 종자. 도적. 몰래카메라. 야음(夜陰). 정수기. 묵지(黑池). 계량기. 수평선. 의약품. 신장(腎臟). 귀(耳:귀이). 음부(陰部). 수(水). 시간. 수문장. 파수군. 경비원. 소화기. 정수기. 도문(道門). 종교. 철학. 창의력. 청각. 정(井:우물정). 실험실. 연구실. 생명복제. 수영장. 세면장. 목욕실. 화장실. 분장실. 양식어장. 제반 해양수산물. 제반 음료수류. 총체적인 수산업류(물질은 亥水와 같이 통변한다). 시험장(능력을 평가받는 곳). 갈증해소 음료. 황천길. 감사원. 암기력. 원자(原子). 약품. 수소(水素). 핵(核). 오락. 생천수(生泉水). 경찰. 정보부. 정보원. 흥신소. 수면(睡眠). 발아(發芽). 배양실. 북유럽. 캐나다. 런던. 유산(정신적. 무형의 부동산. 창의력. 무에서 유를 창조)

丑土 : 소. 웅크리다. 잘 씹는다(재생산). 느리지만 강하다. 얼려서 지연. 포장. 냉동. 냉장. 얼음. 약물(中毒性:탕화). 공동묘지. 한약재. 온천. 광산. 석탄. 금고. 과자점(未月에 丑土가 개고를 하면 보리밭(未土)을 갈아 엎는 것이 되니 과자점이다. 밀가루. 위장(胃腸). 의료원(. 영안실. 커피원료. 각(脚 : 다리 각). 비위(脾胃). 납골당. 화장터. 장의차. 풍수지리. 유리. 광석. 도자기. 농기계. 소. 마차. 경운기. 정육점. 우유. 치즈. 영농. 파종. 채석장. 백사장. 골재(모래. 자갈). 시멘트. 터널. 동굴. 영안실. 午丑(사진현상). 북유럽. 시베리아. 유산(정신적. 金을 감춘 버려진 부동산. => 한번은 터진다)

寅木 : 호랑이. 아침. 시작. 어흥~ 소리가 멀리간다. 찢어서 올라옴. 잘 자란다. 어린이. 유아. 의류. 사각. 아삭거린다. 생과일. 새싹. 기르는 행위(보육). 역마. 무역. 통신. 드러내다. 광고. 간판. 목재. 여관. 호텔. 빌딩. 학교. 전주(電柱). 농장. 탑. 인체에서는 사지 연결부위. 선박(水가 있을 때). 고층건물. 천막. 등산장비. 연단(演壇).

광고간판. 구기(球氣). 고원지대. 기념품. 동부. 사당. 장기. 바둑판. 정자. 장승. 피혁. 가죽(핸드백. 구두). 寅中丙火(이불장사. 항공. 관광. 휴양지). 표구. 화랑. 전시관. 고무나무. 고무제품. 관광명소. 휴양지. 골프재료. 레저타운. 축구. 세운다. 오른다. 토목. 건축. 빳빳하다. 골프재료. 마비성. 세균성. 발작성. 감염성. 알아주는 기관. 寅申(특수. 왔다 갔다. 수술. 조정. 형벌. 제조). 인화물. 현대. 울산. 먹는 것. 주식(밥). 한국. 고려. 성균관. 유산(삶의 강력한 수단. 자력갱생. 신통력)

卯木 : 토끼. 현침살. 일출. 목욕. 도화(복숭아 꽃). 밥 먹는 시간. 사물의 물상을 바꾸어 나가는 것. 세워서 올리는 것. 유(儒:선비 유). 필(筆). 붓. 인장. 인쇄물. 문필. 증권(癸水편재가 卯에 長生하고 秀氣면 증권음덕). 지물(地物). 화구(畵具). 수지(고무나무. 기름. 합성수지). 양 어깨. 머리털. 화장품. 미용실. 의상. 디자인. 인테리어. 목각. 비단. 포목. 누에고치. 인삼약초. 약초재배. 벌꿀. 야구용품. 골프장. 잔디. 궁시(弓矢). 전선. 설계. 토공. 세무. 회계. 기획. 대서소. 사진첩. 표구. 계산기. 콩나물. 푸성귀. 쌈밥. 국수. 면 종류. 분식. 맛이 덜 들인 반죽. 새싹. 일본. 유산(양적인 팽창성. 기술성)

辰土 : 용. 버라이어티 정신. 다양성. 화려함. 피부미용. 숨긴다. 세운다. 심는다. 올린다. 입힌다. 그린다. 구속. 제한. 법무. 세균박멸. 도예. 파종. 건축업. 편의점. 만물상. 페인트장사. 지물공장. 잡화. 부동산. 용상(龍床). 생토(生土). 위. 대장. 견(肩). 피부. 야토(野土). 화전. 농기구. 염색체. 복덕방. 농장. 페인트. 세탁소. 중국요리. 중국문화. 만두. 분식. 과자. 케이크. 도예. 천용(天龍). 양어장(관상용). 짙은 안개. 구중궁궐(九重宮闕). 청자. 유액. 인분. 폐수처리장. 선창. 부두. 수많은 군중. 대민업무. 辰巳(끓는다. 잡탕밥. 짬뽕). 辰戌(이것저것. 이리저리. 심고 뽑고. 세균성. 감염성(도축업). 숙박업. 목욕탕. 산부인과. 중국. 유산(종합성. 이것저것)

巳火 : 뱀. 빛. 소리. 전기. 전자. 화학. 화공. 가스. 휘발성 약품. 비즈니스. 영업. 홍보. 보험. 증권. 항공. 여행사. 비행기(巳申). 차륜. 차고. 역전. 석유. 화염. 화로. 극장가(스크린). 치아. 표면. 목구멍. 대장. 심장. 항문. 비닐하우스(병화가 더욱 가깝

다). 플라스틱. 고무. 신발. 타이어. 굴렁쇠. 카메라. 언론. 방송. TV화면. 백화점. 예식장. 공항. 보도실. 대사관. 전산실. 통신. 교차로. 시장. 전자기기. 시끌시끌한 조명. 수제비. 국수. 스파게티. 장어. 홍콩. 대만. 필리핀. 태국. 유산(자격. 학위. 중심지)

午火 : 말. 한번 씩 날뛴다. 남의 시선을 받는다. 점심시간. 시장의 논리. 역전. 조명. 영사. 화살촉. 볶은 커피. 오가피주. 신명. 안목. 정신. 기도. 등촉. 정(情). 광화(光火). 사진. 영화. 안경점. 보석진열장. 전구용품. 오락실. 주마(주유소). 주점. 자가용. 소요(시끄럽다). 가로등. 여관. 홍등가. 주차장. 뜸. 일본. 호주. 유산(상가. 명예성)

未土 : 양. 역마. 번화가. 지쳐서 지연된다. 실리. 실속. 분배. 미정. 지연. 경매. 맛이 덜 들다. 조미료. 밀가루. 보리밭. 잔디밭. 인삼밭. 약초. 사막지대. 축구장. 야구장. 골프장. 위장. 허리. 간암(木이 庫藏地). 화원. 담배. 마약. 맥주. 양 구이. 초식. 푸성귀. 중동국가. 유산(상가. 명예성)

酉金 : 닭. 서산일락. 촛대. 등잔. 정밀한 요소(분배. 저장). 판단이나 결단이 요구되는 행위. 발효. 숙성. 저장. 유산균. 금고. 부품. 주정(酒精). 유리그릇. 정밀기기. 다이야. 귀금속. 퇴근시간. 술잔. 커피 잔. 트로피. 금메달. 시계. 목탁. 청정법신. 종자. 불상. 절. 사찰. 수갑. 정(精). 오른쪽 옆구리. 방사선. 그림책. 사진. 전화기. 가전제품. 반도체. 승용차. 날카로운 칼. 면도기. 라이타. 알미늄. 공구. 마이크(식신에 임하면). 금융(관에 임하면). 복사기. 스키장. 통닭. 분쇄기. 설영(雪影). 기름. 인삼주. 장류(간장. 고추장). 생강. 마늘. 매울 신(辛). 러시아. 유산(현찰 박치기. 분리. 이탈의 분배조정)

申金 : 원숭이. 열매와 잎의 분리(금융. 재조). 무시무시한 철. 신장신(神將神). 여의봉. 도끼(법무. 사법. 군인. 경찰. 세무). 종소리(空亡일 경우). 정비공장. 불기(佛器).

사원. 수도. 중장비. 버스. 화물차. 물탱크. 양조장. 주유소. 냉동실. 술독. 대장. 경락. 폐. 기관지. 탱크. 전차. 열차. 철강. 고철. 자동차. 비행기. KAL. 금관악기. 양핵(열매). 견과류. 미국. 독일. 유산(돈을 벌어들이는 수단)

戌土 : 개. 인간 활동의 정리. 마무리. 정신적인 업무와 연결. 천문(天文). 깊은 산 속. 천서(天書). 종서(宗書). 잘 벗긴다. 개같이 지킨다(조용히). 술 처먹고 잘 시간. 옷을 벗는 시간. 섬땅. 해수욕장. 백사장. 도자기 흙. 광장. 시멘트. 문필(乙木有時. 卯戌). 원토(原土). 타일. 벽돌. 금속. 철산. 연탄. 숲. 명문. 활인. 종교. 족(발). 우퇴. 위암. 의료원. 사료. 갈비집(卯戌). 보신탕. 무대. 운동장. 주차장. 화산태(火山台). 화공약품(戌中丁火). 링(씨름터. 권투장. 레슬링 매트 등). 戌이 천의(天醫)면 의사다. 의료행위. 참선. 약재. 약품. 휴식. 유흥. 저장. 뜸 들인 것. 인도. 프랑스. 유산(선산. 지킨다. 활용도는 떨어짐)

亥水 : 돼지. 겨울의 시작. 선방(禪房). 도학(道學). 종교. 철학. 도덕. 색채(물감). 항로. 풍우. 파도(기신일 때, 목이 기신일 때도 바람이 부니까 파도로 생각할 수가 있다). 수평선. 해수. 설호(雪湖). 선창. 해변. 명도(名都). 먹구름. 전파. 文話(학문적인 대화). 두(頭). 신장. 선박. 무역.요식업(寅亥). 식품. 통조림. 식용유. 축산. 한약(탕재). 10(亥)월은 모든 곡식이 수확 저장된다. 미끌거린다. 냉동. 냉장. 저장식품. 돼지족발. 편육. 소시지. 비활동 영역. 역술업. 귀신밥. 저승문. 동유럽 국가. 유산(결과물. 이곳저곳. 먹을 것이 많다)

4. 십신 물상

비견	특수 기술(변호사,계리사,변리사,의사,기자), 체육, 대리점, 건축업, 납품업, 대여업, 출장소...
겁재	투기, 증권, 부동산, 수금, 금융, 전당포, 무역, 기술, 물장수...
식신	교육, 학문, 요리, 공사(公社), 유통, 육아, 디자인, 예술, 영상, 미술, 무용, 아나운서, 광고 선전 홍보...
상관	언변필설, 변호, 계리사, 흥행가, 알선업, 중개업, 미술, 수리업, 가수, 예술, 음악...
편재	청부업, 중개업, 금융업, 해외무역, 금융, 부동산, 유흥...
정재	금융, 투기성 없는 금융, 투자, 경리 회계, 물류관리, 계리사, 세무, 의약 관계...
편관	청부업, 조선업, 건축업, 군인, 경찰, 중개업, 용역사업, 경비, 스포츠...
정관	공사(公社), 총무, 서무, 비서, 행정직...
편인	평론, 학자, 예술, 문필, 화가, 기획설계, 광고물제작, 출판, 문화사업, 인쇄, 수예, 편물, 배우, 흥행...
정인	지식관련, 학예, 문인, 교육, 학원업, 출판, 언론...
양인	체육, 군인, 경찰, 정육, 목수, 철공, 재단...

사주 진로 적성 분석

11

십신조합(十神組合)의 직업판단

11] 십신조합(十神組合)의 직업판단

1. 비겁 중심의 직업

권투 ; 겁재+편관

막노동자 ; 비겁+무관살+무식상+불운

문학가 ; 비견(개성)+식신+정인(감수성)

수영 ; 비견(지구력)+겁재

승려 ; 비견(구도심)+정인(+편관-율사)

연구원 ; 비겁(집중력)+정인(지관-새로운발견)+식신(이치합당여부임상)+무
상관

운동선수 ; 비견+겁재+편관(극기)+상관(표현)

탐정 ; 비견(자기식)+정인+편인(의심)+관살부족-얽매이지 않기 위함

태권도 ; 비겁(두둑한배짱)+편관

형사 ; 비견(주관)+정인(단서를통한상황설정)+편인+정관(직장 종사)

강도 ; 겁재+편재+無官印

도둑 ; 겁재+관인무력

2. 식상 중심의 직업

건축설계사 ; 식신+편재

광산 ; 식신+편재

극작가 ; 식신+정관+정인

기술자 ; 식신+편관+편재

무용가 ; 식상+정인(즉흥적 표현)

매춘 ; 탁하고 식상과다 (자의로) 탁하고 관살과다(어쩔수 없어+무비겁

사업(제조) ; 식신생재

작곡가 ; 식신(창의)+편재(공간)+정인(직관)

전문가 ; 식신+편관+편재

증권분석가 ; 식신+편재(분석력)+정인+편관(많은 자료수용)

컴퓨터디자이너 ; 식신(창의)+편관(주문자존중)+정인

학자 ; 식신+재성(결론내리기)

화가 ; 식신(창작성)+정인(느낌표현)+편재(화폭공간)(+정재-정밀묘사)

계주 ; 상관+편재

관광버스기사 ; 상관+편관+무비겁

대리점 ; 상관

보험설계사 ; 상관+편관(신뢰)+무비겁(거부감제거)

부동산중개 ; 상관+정관

브로커; 상관+무정관

사업(유통) ; 상관생재

상업 ; 상관+재성

성악가 ; 상관+편관

언론인 ; 상관+정관

옷장사 ; 상관+무관살+편인보다 정인(의심없이수용)

집장사 ; 상관+편재

자동차딜러 ; 상관+정관.편관(신뢰감)

잡지기자 ; 상관(섭외)+정인+편인(의심)

중개인 ; 상관+정인(눈치)

3. 재성 중심의 직업

감독 ; 편재+비견

경비 ; 편재+편관

골프 ; 편재+정재

만화가 ; 편재+식신

비디오샾 ; (임대업) 정재 또는 편재

속기사 ; 편재+편관

심마니 ; 편재+정인+ (식상불필요)

일반기술자 ; 편재

외환딜러 ; 편재(국제정세파악)+비견(스스로 판단결정)

이비인후과 ; 편재(다양한관리)

임대업 ; 편재(관리)+ 정재(치밀)

조종사 ; 편재(공간 및 기술)+편관(인내-강력한 훈련)

촬영기사 ; 편재+정인 (직관-순간포착+편관(복종-감독에게)

탁구선수 ; 편재(공간) +정인(순간포착)

택시기사 ; 편재+상관(유쾌하고 명랑한 기사)

묵묵히 목적지까지 모시는 기사: 편재+편관

패션디자이너 ; 편재(민감한감각)+정인(객관적수용)+상관(튀는 맛)

편집인 ; 편재(내용파악관리)+정관(합리성-발행후의 여파고려)

포주 ; 편재+인성이 극받을 것-윤리적 부담 감소

풍수 ; 편재+정인과 정재(추상을 구체화)

프로듀서 ; 편재+정재(짜임새+정인(반응수용)

한의사 ; 편재(전체적인상황파악)+인성(종합결론)+비겁(질병과 대항)

항해사 ; 편재+비견(버티는뚝심)+무상관-의식이 밖으로 향하는 것 방비

변리사 ; 편재(폭넓음)+정관

안내원 ; 편재+인성(수용)+편관(인내심)

내과의 ; 정재+식신+편재

미용사 ; 정재+편관

보석감정사 ; 정재(치밀성)

사기꾼 ; 재성+상관(꾸밈)+정인(눈치)

세무사 ; 정재+정관+편재(전체상황파악)

안과 ; 정재+편재

외과 ; 정재+편재(신속통제)

은행원 ; 정재+편관

치과 ; 정재(좁은공간에서 정밀한 치료)

피부과 ; 정재(겉치료)+식신(원인분석)

회계사 ; 정재+관살(합법성)+편재(서류의전체상황파악)

4. 관성 중심의 직업

가수 ; 편관+상관+정인

간호사 ; 편관+정인+비견

경찰관 ; 편관+정관

경호원 ; 편관+정재

국악인 ; 관인(보수성)+편관

군인 ; 편관+식신

기능공 ; 편관+편재

목사 ; 편관+상관

문구점 ; 편관(기억력)+편재

신부.수녀 ; 편관+비견(초지일관)

스튜어디스 ; 편관+상관+무정재(두려움)

야구 ; 편관(극기심)+정인(직관-심리전대비)

이장 ; 편관(봉사위주)

자원봉사자 ; 편관+정인(모성애)+무재성(결실무관)

정치인 ; 편관+정관+비견(한국정치인 ; 겁재(남을밟고)+상관(번지르한사교
　　　　성)+무비견(당리당략)

통반장 ; 관살

감정평가사 ; 정관+비견+상관

교육자 ; 관살+정인+식신

국회의원 ; 정관+비견 (한국:상관+정재)

법무사 ; 정관+편관

방송인 ; 정관(공정)+편인+식신(조리)

직장인 ; 관살+무상관:자기의 주장이 없어야

판사 ; 정관(공명정대)

방사선기사 ; 편관(조심성)+정재

5. 인성 중심의 직업

감사 ; 편인+정관+비견

검사 ; 편인+편재

딴지작가 ; 편인+상관+비견

수행자 ; 편인(현실부정)+정인(직관)+食財미약

신경정신과 ; 편인+식신편재(분석력)

어부 ; 편관(인내)+겁재(고기와경쟁)

의사 ; 편인+식신->개발분야   편인+편재->응용분야

종교인 ; 편인+편관(성실경건)

면장 ; 정인(모성애)

발명가 ; 정인(영감)+식신+재성(마무리)

번역사 ; 정인+식신

변호사 ; 정인+정관+식신

부인과 ; 정인

양어장 ; 정인+정재(세심한 관리)

서점 ; 정인+편재(+식신:전문서점)

수의사 ; 정인(사랑)+인성(직관)

예언가 ; 정인

요리사 ; 정인+편재(좋게 나열)

유치원 ; 정인+편재 (사업)

음식장사 ; 정인+식신(전문성)

음악가 ; 정인+식신-작곡/ 정인+편관(반복성)+상관-연주

의상디자이너 ; 정인(자애)+편재(유행창조)

전업주부 ; 정인+정재(살림)+식신(관찰-자녀교육)+무상관-돌아다니지

　　　　　 않는다

점쟁이 ; 정인이나 편인

축구선수 ; 정인 (순간적판단) + 무비겁(단체협력중시-자기주장 없어야)

통역 ; 정인+식상+무비견(자기주장배제)

학원 ; 인성+재성(사업)

사주 진로 적성 분석

12

일주(日柱) 심리 분석

12] 일주(日柱) 심리 분석

육십갑자 심리(표면. 내면)분석으로 성향을 파악하여 진로 적성을 판단한다. 타고난 사주팔자로 서양의 MBTI 성격유형 검사보다 경우의 수가 많아 훨씬 더 세밀하게 분석할 수 있다.

1. 甲木 일주의 심리구조 파악

甲子 甲寅 甲辰 甲午 甲申 甲戌

음양(陰陽)을 참고하여 표면 심리와 내면 심리를 구분하는데 명리학과 심리학을 접목시킨 대만의 하건충(고인) 선생의 이론이다. 천간 甲木 기준으로 陽의 대표(표면심리)가 되고 庚金 기준으로 陰의 대표(내면심리)가 된다.

예를 들어 甲木일간이 된다면 표면 심리가 甲木을 기준으로 하니 비견이 되고 내면 심리는 庚金을 기준으로 하니 편재가 된다는 것이다.

甲木일간: 표면심리(비견) 내면심리(편재)

乙木일간: 표면심리(겁재) 내면심리(정재)

丙火일간: 표면심리(식신) 내면심리(편관)

丁火일간: 표면심리(상관) 내면심리(정관)

戊土일간: 표면심리(편재) 내면심리(편인)

己土일간: 표면심리(정재) 내면심리(정인)

庚金일간: 표면심리(편관) 내면심리(비견)

辛金일간: 표면심리(정관) 내면심리(겁재)

壬水일간: 표면심리(편인) 내면심리(식신)

癸水일간: 표면심리(정인) 내면심리(상관)

甲木의 기본적 특성은 활동적이고 호기심이 많고 미래지향적이며 1등 기질이 있으며 순수한 마음이다. 그러나 시작은 잘하나 마무리가 부족하다.

1. 甲子

甲木의 비견과 일지 子水 정인의 결합 관계로서 癸水 정인의 빠른 이해력과 수용력을 바탕으로 甲木의 강한 추진력이 돋보이는 형태로서 순수하지만 학자적 고집이 느껴지는 심리구조로 본다. 甲子는 水氣가 많은 나무로 장점으로는 이해력이 빠르고 안정감과 여유가 느껴지는 구조이다. 그러나 단점으로는 나태하고 게으르다. 소극적으로 안주하려고 한다. 정인 子중 癸水는 학습 태도가 좋다. 안정감이 있고 나대지 않으며 말을 잘 듣는다. 甲木 일주 중에서 甲子는 덜 나댄다. 그러나 甲午는 엄청 나대고 적극적이다.

2. 甲寅

뿌리 깊은 나무(아름드리나무)로 바람에 흔들리지 않는다. 甲寅은 水가 없어도 갑갑하지 않는다. 자부심. 배짱이 있지만 강하면 오만하다. 지지 寅木 비견으로 인해 스스로에 대한 자부심이 대단하다. 내가 최고이고 친구 위의 나로 골목대장 스타일로 추진력. 주체성. 당당. 고집이 강하고 자신감이 넘친다. 寅중 丙火(열정)의 영향으로 한곳에 대한 집중력(식신)이 있다.

3. 甲辰

辰중 乙木 겁재가 있어 타협. 실속형. 무리하지 않고 맞춘다. 건드려도 참는다. 辰중癸水 정인이 있어 빠른 이해력과 긍정적 생각을 한다. (잘 되겠지 하는 생각) 일지 편재는 자기 의지대로 행동(자기주도형)한다. 즉흥적이고 스케일이 크다. 리더십은 있으나 덜렁거린다. 여유로운 심리를 가져 낙천적 성향. 풍류기질. 한량(멋쟁이). 辰土 水氣가 있는 땅(습토)으로 안정감. 여유가 있다.

4. 甲午

午火 상관으로 자기의 재능을 과시하는 성분이다. 甲木의 비견성과 일지 상관의 결합이 강하여 육십갑자 중에서 甲午는 상관성이 가장 두드러진다. 상관은 다재다능. 임기응변. 도전적. 언변 뛰어남. 반복 싫어한다. 재치, 새로운 것을 좋아한다. (호기심) 火氣 위의 甲木으로 다혈질. 조급. 초조. 압박. 가만히 있지 못함. (여유가 없다) 주관이 강하고 재능 많고

우월감이 있다. 일지 火는 열기(다른 지지 火가 있는 경우). 조열. 서두름. 압박

5. 甲申

庚金 바위 위의 나무나 어려운 환경에서 살아가는 고아를 생각한다. 다소 불안하면서도 자신의 입장을 고수하고 유지 해가는 구조이다. 끈기. 인내. 환경 적응력이 강하다. (乙木 같다. 실속. 인내) 강박관념이 있으며, 자신의 의지를 자신 있게 추진하기보다는 주어진 여건에 충실한 사람이다.(관인상생) 지장간의 관인상생의 구조로 명분 속에서 스스로 자제를 할 줄도 알며 환경에 대한 적응력이 좋으며 삶에 대한 끈기와 인내가 느껴지는 구조이다. 절처봉생(壬水)하지만 내면은 편관으로 억압. 불안. 강박관념이 있다. 甲申일주는 甲木중에서 스스로 최고라는 기질을 내면에 숨겨두고 있어 乙木처럼 보이기도 한다. 갑신은 불안정하여 보여주는 것에 민감하다.

甲午: 초조. 불안

甲申: 불안. 억압. 자신감 부족

甲戌: 성급. 불안. 도전도 잘하고 포기도 잘함

6. 甲戌

戌중 辛金 정관으로 건드리면 오기 발동한다. 丁火 상관은 상관견관. 도전. 도발. 혁신. 변화가 있어 바꾼다. 주변과의 마찰(잘난척)이 있다. 戌土는 가을의 土라 차갑고 메마른 땅(가을)이다. 水가 없어 불안정. 갑갑하여 움직인다(변화추구). 亥水를 기다림. 성급한 편재(불안)가 되어 변화 추구한다. 일지 편재는 자기주도 형이고 스케일이 크다. 성취욕. 물욕. 자신의

재능을 과시. 모든 일을 자신의 뜻대로 추진하려는 심리이다. 甲戌은 스케일이 크고 결단력. 사업적인 성향도 강하고 사업수완이 뛰어난 모습이다. 그러나 심리적 안정감이 부족하고 성급한 경향이 있다. 지장간 속에 상관견관, 재생관, 상관생재를 참고해야 한다. 甲辰과 甲戌은 편재라 꼼꼼하지는 않지만 상관편재가 되어 공부를 잘한 경우도 있다.

2. 乙木 일주의 심리구조 파악

乙丑 乙亥 乙酉 乙未 乙巳 乙卯
乙木의 기본적 특성은 생동감이 넘치며 현실적인 실속형으로 환경에 대한 적응력이 뛰어나나 이해타산에 민감할 수 있다.

1. 乙丑
관인상생(지장간)이 되어 선비형으로 명분을 중시한다. 乙丑은 겨울 잔디가 되어 생명력이 있고 내면에 힘이 있다. 일지 편재가 되어 자기 주도적 성향이다. (간섭하면 안되고 스스로 해나가는 스타일) 스케일이 크고 공간개념. 즉흥적이다. 乙丑은 어려움이 있어도 적극적인 태도로 나감(편재). 그러나 乙亥는 버틴다(소극적. 정인) 겉으로 보기에 다소 내성적이고 보수적인 면이 있다.

乙丑은 적응력이 좋으며 그 내면에는 자기 주도적이며 그릇이 커서 리더십이 필요한 직업이나 사업성향을 가지고 있다. 생동감이 넘치며 주어진 환경에 적응하려는 끊임없는 노력과 외형적인 체면보다는 내면적 실속을 더 중요하게 생각하며 처신을 하는데 자칫 이해타산으로 보일 수 있다.

2. 乙亥

버티는 힘이 강하다.(정신적인 면이 강함). 소극적(기다림). 환경이 좋고 뿌리가 깊고 튼튼한 잔디이다. 亥水 정인으로 상황판단이 빠르다. 균형감 (壬水). 경쟁심(겁재) 대인관계가 좋고 심리적 안정(정인)이 있다. 亥중 壬水는 내 방식대로 고집이 있다. 乙亥는 壬水 정인으로 긍정적 수용. 빠른 이해 한 면만 본다. 亥중 甲木 겁재라 경쟁. 1등 기질이 있다. 乙亥는 상황판단이 빠르고 균형감이 있으며 은근히 경쟁심이 있어서 생활력이 강하게 보인다. 대인관계에 좋고 심리적 안정감을 가지고 있는 장점을 가지고 있지만 때로는 내 방식 대로를 고집(지장간의 壬水)할 수 있다. 이해력과 창의성이 발달하였지만 경쟁심으로 이기적 일 수 있다.

3. 乙酉

뿌리 내리기 힘든 자갈밭에서 연명하는 잔디이다. 그러나 끈질긴 생명력으로 생존을 위하여 필사적이다. 정서불안으로 스트레스 민감. 강박관념. 불안심리가 소유욕으로 나타난다. 酉金 편관으로 원칙 고수하는 책임감이 있다. 甲申은 壬水가 있어 절처봉생이라 乙酉보다 낫다. 책임감이 강하고 어려운 상황을 버텨내지만 불안 심리가 있다.

4. 乙未

未중 丁火 식신이 있어 손 재능. 여유. 낙천적이지만 丁火 식신은 집중력이 약하다. 未土 메마르고 척박한 땅에서 자라는 잔디이다. 일지 편재(자기주도적 성향)라도 힘이 없어 추진력은 떨어진다. 일지 편재는 자기주도적. 공간 개념(감각적). 덜렁(甲木보다 덜함) 스케일이 크다. 식신 편재라 여유가 있고 낙천적이다. 감각적이고 섬세한 부분을 표현하는 기능이 발달되어 있다. 때때로 충동적이고 즉흥적인 성향을 보인다. 손재주가 있거나 미각의 발달, 그리고 공간개념의 발달로 설계에 연관된 일에 흥미를 느낀다. 자기주도형으로 감각적이고 손 재능이 있으나 성급한 면이 있다.

5. 乙巳

巳중 丙火 상관으로 잘 따진다. 巳중 庚金 정관으로 상관견관이 된다. 상관은 재치. 임기응변. 승부욕. 변화. 도전적. 반복 싫어한다. 언변이 좋다. 물이 부족한 땅에서 자라는 잔디이다. 일지 火는 서두른다 (예외: 戊午.丙午.己巳.丁巳) 천간 상관은 말을 잘하지만 지지 상관은 말이 매끄럽지 못하다. 丙火는 급하고 옳고 그름을 따지며 구설수가 있다. 甲午는 행동은 적극적이지만 내면은 소극적이고 신중(丁火.배려)하다. 그러나 틀어지면 폭발한다. 乙巳는 행동은 소극적이고 내면은 적극적(丙火 옳고 그름 따짐) 사교적이며 재능이 많고 감정이 풍부하며 말주변이 뛰어나다. 성격이 급하고 옳고 그름을 잘 따지는 특성이 있어 구설수에 오를 수 있으니 주의해야 한다. 재능과 논리적 언변이 있으나 끈기 부족과 따지는 성향이 있다.

6. 乙卯

뿌리가 튼튼한 봄의 잔디라 생존에 대한 고집이 강하다. 붙임성. 소탈. 고집(독보적). 정재 성향(소유)을 가지고 있다. 주관. 의지력. 끈기가 있다. 甲寅은 적극적. 추진력(비견). 당당. 꺾이지 않음. 티가 난다. 실속이 없다.

그러나 乙卯는 조용히 추진한다. 소극적. 고집(소유욕->정재성향). 실속. 내실(乙木). 티가 안난다. 주위 사람들과 붙임성도 있고 소탈한 면도 있지만 고집이 단연 독보적이다. 주관이 강하고 의지력이 남달라서 어떤 일을 만나도 노력해서 성취하는 끈기를 가지고 있다. 주체성과 추진력이 강하나 포기하지 않으려는 고집이 세다.

3. 丙火 일주의 심리구조 파악

丙子 丙寅 丙辰 丙午 丙申 丙戌

丙火 기본적 특성은 열정적이며 급하고 직선적이며 솔직담백함 그리고 정의감과 사리 분별에 민감하다. 단점으로는 뒷심이 부족한 면이 있다.

1. 丙子

丙火는 편관(내면심리). 癸水는 정관으로 의무감. 책임감이 있다. 추진력이 약하다. 마치 丁火 같지만 직선적인 면은(丙火) 남아있다. 사리분별력이 뛰어나며 합리적인 생각이 강하다. 일지 子水가 丙火의 특성을 가로막아 약해진 丙火는 스스로 억압하는 형태가 되고 추진력이 떨어지는 모습을 보일 수 있다. 열정이 있어 적극적이며 의협심이 강하여 불의에 대응하고 약자를 도우려 한다. 그러나 직선적이고 옳고 그름을 따지므로 주변과 충돌이 일어날 수 있고 뒷심이 부족하다. 합리적인 선택과 책임감이 있고 스스로 감정통제를 잘한다.

2. 丙寅

寅중 甲木은 꼿꼿하고 주관이 뚜렷하며 추진력이 있다. 乾木으로 木生火 잘한다. (열정. 직선적) 일지 寅木 편인으로 자기확신이 강하고 소신 뚜렷하다. (일지 편재: 자기 주도적) 丙火는 다혈질(주변과 마찰 주의) 옳고 그름을 따진다. (편인은 양쪽을 다 본다) 강한 丙火에 의해 선이 분명하고 직관에 대한 성분이 매우 활발하게 작용하여 주관이 뚜렷하다. 탁월한 통찰력을 발휘하고 자신의 재능을 연구하여 강력히 추진하려는 성향이 있다. 창의성이 뛰어나지만 자기 확신과 주장이 너무 강하다.

3. 丙辰

辰중 戊土 식신은 손 재능. 여유. 집중력. 꾸준히 몰두 노력. 반복. 연구 (전문가) 관인상생으로 명분이 있어야 집중(식신)한다. 학자. 교수. 작가. 평생직업(직업을 쉽게 바꾸지 못함) 한 가지 일에 몰두하여 자신의 재능을 발휘하여 깊이 있는 창의성과 탐구심으로 이름이 높아지는 학자적 구조(지장간의 관인상생)를 가지고 있다. 항상 꾸준히 노력하려는 심리가 강하게 작용한다.(식신) 손재능이 있고 명분이 있는 일에 집중력이 뛰어나다.

4. 丙午

의협심과 옳고 그름을 분명한 독불장군식의 성향이 아주 강하다. 고집과 자존심이 정말 강해서 누구도 막을 수 없을 것 같지만 극한 상황에서는 겁재에 의해 타협을 취하는 능력이 있다. 열정과 강한 추진력을 가지고 있으나 때때로 뒷심이 부족하여 용두사미의 결과를 가져오기도 한다. 고집과 추진력이 뛰어나지만 타협과 남을 배려할 줄 안다. 丙午일주보다 丙寅일주가 더 고집이 세고 다혈질이다. 丙午 일주는 남좋은 일을 많이 하나(배려.열정.의협심.정의감) 손해를 본다. 일지 비겁에는 평소에는 유하게 보이나(강자의 여유) 건들면 강하다.

5. 丙申

소신이 강하고 즉흥적인 순발력과 수완 그리고 의욕은 강하다. 편재에 의한 자기 주도적 특성으로 자신의 의지대로 밀고 나가는 성향이 강하지만 편재 속의 壬水 편관에 의해 의외로 극단 상황까지 가지는 않고 스스로의 자제력을 발휘한다. 그로 인한 심리적 갈등이 있다. 자기 주도적이며 스케일이 커서 리더십을 보여준다. 庚金은 물러서지 않고 자기가 최고. 소신. 壬水는 자기 방향 고수. 편관(원칙) 편재는 순발력. 수완이 좋다. 일지 편재는 자기 주도적 성향이 강하여 양보하지 않는다.

6. 丙戌

戌土 식신으로 열정과 고집스럽게 자신의 생각을 밀고 나가는 작용이 강하여 탐구 연구력이 강하게 작용한다. 식신 속의 辛金 정재의 특성으로 때때로 집요한 면과 현실적인 이익에 치중할 수 있다. 집요. 집착. 정밀. 정확하니 발명. 실험. 연구. 전문가. 하나 잡으면 끝을 본다. 자신이 목표하는 곳에 집중력이 강하고 손 재능이 있다.

4. 丁火 일주의 심리구조 파악

丁丑 丁亥 丁酉 丁未 丁巳 丁卯

丁火의 기본적인 특성은 따뜻하고 항상 남을 먼저 배려하며 자신을 희생하는 사람이다. 그러나 건드리면 폭발한다.

1. 丁丑

따뜻한 성품으로 자신의 감정이나 능력을 표현하는 기능이 탁월하다. 丑土 식신속의 편재 편관의 성분으로(재생관) 주어진 여건에 충실한 느낌을 주는 식신으로 보인다. 전체 명식이 신약한 형태이면 억압의 부작용으로 작용하는 식신으로 볼 수도 있다. 따뜻하고 사교적이며 항상 남을 먼저 배려하며 도움을 주고자 하지만 스스로는 때때로 마음이 허전함을 느끼게 되어 외로움에 젖기도 한다. 그러나 자극하면 폭발하기도 한다. 주어진 일에 꾸준하게 연구하며 손재능을 가지고 있다.

2. 丁亥

亥중 甲木은 꺾이지 않음. 순수. 창의성이 있고 壬水 정인은 명분(관인상생). 상황판단 빠르다. 壬水는 감정 누름. 균형감이 있다. 정관은 합리적 통제. 보수적이다. 암합이라 극이 약하다.(戊子.丁亥.壬午.辛巳) 자신의 감정을 절제하고 자신보다 남을 배려하는 성분이 더 강하여 대인관계에서 주변으로부터 칭찬을 받지만 명분을 생각하고 소신을 꺾이지 않으려 하다 보니 소심한 면이 생겨 어떤 일을 대범하게 밀어붙이는 힘이 약하다. 상황판단이 빠르고(정인) 항상 합리적으로 일 처리하므로(정관) 직장생활에서는 인정받는다. 합리적이지만 명분을 중시하는 책임감이 강하다.

3. 丁酉

辛金은 차돌. 작다. 스케일 小. 편재라도 덜렁거림이 덜하다(아주 꼼꼼하지 못함) 편재는 겉으로는 강해 보이고(식상.재성) 편재는 빨리 할려고 한다. 일지 편재라 자기 주도형으로 자신의 의지대로 살려고 하는 신념과 기질이 강하다. 편재는 공간개념이 발달하여 기술자. 사업이다.

4. 丁未

남을 배려하고 차분하며(丁火) 궁리하고 연구하는 성향(식신)으로 보인다. 예의가 바른 사람이라서 윗사람에게 인정받는 형이다.(丁火) 자신의 생각이 옳다고 생각하면 소신을 지키려는 면이 강하다.(乙木 편인) 감각적 손재능이 탁월하여 장인(匠人)의 면모를 가진다.

5. 丁巳

내면적 주체성이 강하고 자기의 기운을 발산하려는 욕구가 강하며 경쟁심리가 강하게 나타난다.(겁재) 추진력은 강하지만 음양의 공존으로 인한 갈등 구조로서 사소한 일에 스스로 얽매여 갈등하거나 소심해져서 내면적 상처를 입을 수 있다. 丙午는 행동은 적극적이나 내면은 소극적이다. (丁火: 배려.타협) 그러나 丁巳는 행동은 소극적이나 내면은 적극적이고 옳고 그름 따진다. (丙火: 경쟁) 겁재는 결과에 대한 보상이 이루어져야 한다.(경쟁.타협) 경쟁심이 강하고 매사에 분명하지만 성격이 급하다.

6. 丁卯

일지 卯木 편인으로 강하고 배타적 성향이지만 강한 통찰력을 가지고 있어 예지력이 발달 되어 있다. 예술. 역술. 무속. 종교. 작가. 한의학. 항상 남을 위해 배려하는 따뜻함을 가지지만(丁火) 자신의 신념에 고집을 세울 수도 있다.(편인) 뛰어난 통찰력으로 예능적 특성이 강하지만 염세적인 성향을 보일 수 있다.(편인) 통찰력을 가지고 있어 상대의 심리를 읽는 능력이 있다. 丙寅은 乾木으로 생이 빠르다. 그러나 丁卯는 습목(濕木)으로 생이 늦지만 편인의 통찰력이 강하고 생각. 사고가 많다.

5. 戊土 일주의 심리구조 파악

戊子 戊寅 戊辰 戊午 戊申 戊戌

戊土 일간의 기본적 특성은 무던하고 변함이 없으며 신뢰성과 희생정신이 있지만 융통성이 부족해 보인다.

1. 戊子

癸水는 빈틈이 없다. 어디든지 침투. 움켜준다. 정재는 정밀. 현실감. 소유욕. 癸水는 戊土와 암합을 한다. 겉으로는 戊土라 무던하고 대충 하지만 (편재) 속은 癸水 정재로 계산적. 까다로움. 소유욕이 강하다. 戊土의 의연함과 중후함이 정재 암합으로 인해 의지력이 물질에 대한 한 방향으로 집중되어 재물에 대한 집착할 수 있다. 무던하게 보이지만 일 처리를 빈틈없이 정확하게 한다. 재무관리 잘하고 여자는 살림을 잘한다. 현실적이고 치밀한 면이 있어 재화의 운용 능력이 발달한 긍정적인 면도 있다. 언제나 변함없는 무던하고 우직한 모습에 중립적 입장을 견지하므로 신뢰성은 있지만 인생의 고뇌와 고독함에 젖기도 한다. 변화에 둔감하고 융통성이 없어 보인다. 정밀하고 주변 환경에 잘 순응을 하는 사교성과 재무관리를 잘한다.

2. 戊寅

甲木은 꺾이지 않고 순수하며 새로운 환경 적응력이 약하다. 관인상생으로 명분을 중시(명분이 없으면 움직이지 않는다) 편관은 통제기능. 주어진 여건에서 벗어나지 못한다. 지지 편관과 지장간의 편인으로 자신의 틀이 강하고 명분을 중시하며 스스로 옳다고 생각하면 내면의 자존심을 꺾이지 않으려는 특성이 나타난다. 순수한 마음이지만 융통성이 부족하고 자기 고집이 강하게 나타난다. 기운이 강하면 리더십이 발달하게 된다. 변화에 둔감하고 융통성이 없어 보인다. 책임감이 강한 원칙주의이지만 창의성과 내면에 동심이 있다.

3. 戊辰

辰중 乙木 정관은 실속이 있고 필요하면 따라줌(정관) 癸水 중기 정재는 소심하고 과감성이 약함(우유부단). 무모하지 않음. 중기 정재는 壬戌. 戊辰. 辛亥. 丁巳. 甲午이다. 주관이 강하고 책임감을 가지고 있지만 사소한 일에 얽매이는 경향이 있어서 고집스러운 가운데서도 다소 우유부단한 성향으로 나타난다. 사업적인 면보다는 주어진 일에 충실한 관리형에서 능력을 발휘한다.(재생관) 언제나 변함없는 추진력과 주체성이 강하지만 의외로 내면에 소심한 면이 있다.

4. 戊午

午중 丁火는 배려. 따뜻함이고 정인은 빠른 이해. 긍정적 수용. 정이 많다. 남의 말에 쉽게 현혹 당할 수 있다(사기 조심) 戊土는 근면 성실하지만, 개성 부족이다. 戊土 일주에서는 제일 힘이 세다. 무던하고 성실한 戊土가 지지의 午火를 만나 정이 많고 상황판단이 빨라서 모범적인 생활을 하는 구조이다. 자신의 소신을 꾸준히 밀고 나가는 근면하고 성실한 사람으로 보인다. 다소 개성이 부족하고 남의 말에 쉽게 현혹당할 수 있는 면도 있다. 열정과 남을 배려하고 이해력이 좋지만 욱하는 성향이 있다.

5. 戊申

申중 庚金은 바위. 전차. 탱크. 밀어붙인다. 식신은 장기전. 연구. 반복. 한 가지 일을 꾸준히 오랫동안 한다. 장인정신. 壬水는 방향성. 균형감. 냉정. 이성적이고 편재는 크게 보고 집요하지는 않다. 투기성. 사업이다. 일지 庚金 식신과 지장간의 壬水 편재로 집중력이 강하고 연구 탐구력이 있으면서도 여유를 즐길 수 있는 구조이다. 그러나 때때로 투기성이 있어서 사업적인 면에 집중할 수 있는 구조이다. 어떤 어려움이 있어도 포기하지 않는 꾸준한 탐구력이 있다.

6. 戊戌

戌중 辛金 상관은 사교적. 도전적이고 丁火 정인은 상관을 극하여 상관이 활성화된다. 가을의 戊土라 힘이 약하다. 겉으로는 약한 모습 안 보인다. 지지 戊土의 비견이 우직하고 이타적인 따뜻한 성품에 강력한 주체성을 발휘한다. 도전적이고 날카로운 카리스마와 임기응변을 가지고 있어서 리더로서 적성을 보인다. 고집과 추진력은 있지만 내면에 영리함과 센스가 있다.

6. 己土 일주의 심리구조 파악

己丑 己亥 己酉 己未 己巳 己卯

己土 일간의 기본적 특성은 성실하고 속이 깊으며 측은지심이 있어 불쌍한 사람을 도우려는 사람이지만 개성이 부족하기도 하다.

1. 己丑

식신편재는 연구하는 수완. 재능 활용. 겨울 丑土라 힘이 없다. 강력하게 밀어부치지 못한다. 주관 뚜렷. 추진력. 타협 못 한다.(비견) 기운이 약하여 주어진 업무를 연구하는 일에 적당하다. 현실감이 있어 다소 까칠해 보일 수 있지만 성실하고 자신을 희생할 줄 알며 속정(情)이 많은 사람을 도와주려는 마음이 있다. 개성이 부족한 면이 있다. 주체성이 있으며 주어진 일에 충실하지만 안빈낙도하는 면이 있다.

2. 己亥

亥중 甲木은 꼿꼿. 꺾이지 않음. 고수. 정관은 합리적이다. 壬水는 균형감각. 유연성. 대범. 이성적. 방향성. 정재는 현실적. 치밀. 빈틈없음(일 처리 분명). 정밀분야 전문가(壬水 정재), 업무 스타일은 주어진 업무 정확하게 잘함(재생관) 정재가 강해서 구두쇠이다. 아주 정밀하고 섬세하며 주어진 일에 빈틈없이 충실하다.

3. 己酉

酉중 辛金이라 강한 식신이다. 집중력이 높다 (식신 1개만 있을 때) 식신이 火의 극을 받거나 식신이 많아도 집중력이 떨어진다. 포기하지 않고 계획대로 단순하게 추진하기 때문에 전문직으로 성공할 수 있다. 식신은 여유. 연구. 탐구. 한 분야에 최고가 될 수 있는 가능성이 높다. 참고로 일지에 子午卯酉가 있는 사람은 목적이 뚜렷하고 단순한 경향이 있고 일지에 辰戌丑未가 있는 사람은 심리구조도 복잡하다. 己酉는 목표에 대한 집중력이 대단히 강하여 전문가적인 특성이 있다.

4. 己未

未土 속의 丁火와 乙木의 관인상생으로 정이 많고 남을 배려하고 명분을 중시하는 선비같이 꼿꼿한 심리구조이다. 명분이 없으면 움직이지 않음. 여름 未土라 힘이 있다. 丁火는 남을 배려하고 정이 많다. 비견은 주관 뚜렷. 고집. 추진력. 타협 안한다. 성실하고 자신의 주관이 뚜렷하여 교사나 공무원, 사회복지 사업에 어울리는 구조이다. 내면에 숨겨져 있는 강한 고집으로 가끔 주변 사람을 당황스럽게 할 수도 있다. 주체성과 자기 확신이 강한 선비형이라 고집스러운 모습을 보인다.

5. 己巳

巳중 丙火 정인은 상황판단이 빠르며 (이해력 빠름) 측은지심이 있고 (己土) 정을 베풀려는 심리가 강하나(정인) 자신의 주장을 굽히지 않으려는 성향도 있다.(庚金상관) 자신이 옳다고 믿는 부분만 받아들이려는 특성이 있어서 까칠해 보일 수 있다.(丙火) 정인이라 있는 그대로 수용한다.

戊午는 丁火 배려. 己巳는 丙火. 현실감 따짐(분별). 빨리 받아들임(빛) 이해력이 빠르고 열정이 있으나 옳고 그름을 따지는 면이 있다.

6. 己卯

乙木은 잔디. 생존력이 강하고 일지 편관은 기가 약하고 추진력이 약하다. 편관의 특성은 원국이 신약일 때는 자신을 억압하는 형태로 나타나서 스트레스 불안의 심리가 나타난다. 신강일 때는 일관성 있게 자신의 맡은 바 일을 충실하게 수행하는 성분으로 나타난다. 己土의 희생적 특성에 관성의 책임감이 있어 이타적인 의무감이 강하다. 己卯는 원칙주의로 책임감과 어려운 환경에서 버티는 인내심이 강하다.

7. 庚金 일주의 심리구조 파악

庚子 庚寅 庚辰 庚午 庚申 庚戌

庚金의 기본적 특성은 강직하고 소신과 의리가 있으면 이성적 심리 구조를 가지고 있으나 유연성이 부족한 점도 고려해야 한다.

1. 庚子

子중 癸水 상관은 응집력 강하고 달라 붙음(물방울). 설득력 강함. 톡톡 튄다. 상관은 임기응변. 화술력. 재치. 변화 추구. 사교적(강하면 공격적) 반복 싫어함. 외교관. 영업. 강사. 모사꾼. 외형적으로는 고집스럽고 무뚝뚝한 기운이 엿보이지만 내면적으로는 자신의 기운을 발산하려는 심리와 임기응변이 강하다. 이성적이지만 변화를 추구하는 성향을 보인다. 재치가 있고 언변이 수려하여 사교적이며 타인을 설득하는 능력을 갖추고 있다.

냉철하고 강직하여 자신의 소신과 의리를 중시하며 어려움에 부딪쳐 있어도 약한 모습을 보이지 않으려고 한다. 리더의 모습을 보이나 고집으로 주변과 충돌 가능성이 있다. 재치와 논리적인 언변으로 주변을 설득하는 힘이 있다.

2. 庚寅

주관이 뚜렷하고 원칙주의자로서 배포가 있어 그릇이 크다. 자신의 의지대로 일을 밀고 나가려는 성향이 너무 강할 수도 있다. (편재) 자신이 최고라는 의식이 강하여 약한 모습을 보이지 않으려는 허세를 부리는 성향이 있지만(신약) 일간의 근이 있고 운이 받쳐 준다면 리더로서 큰일을 할 수도 있다. (신강) 일지 甲木 편재라 스케일이 크고 자기 주도형으로 순수함과 창의성을 갖추고 있다.

3. 庚辰

상관 정재로 재능의 응용성(소유욕). 활용력. 업무 잘함. 일지 편인은 부정적 수용. 통찰력(생각多). 자기 확신 강함. 통찰력이 발달하여 자기 판단력을 과신할 수도 있다. 강한 보수주의로 나타난다. 때때로 현실의 벽에 부딪히게 되며 내면적으로 소유욕이 있다.(정재) 辰土 편인 속의 상관 정재의 특성으로 이상과 현실과의 사이에서 갈등과 고민하는 모습을 보이게 된다. 庚辰은 생각이 깊고 통찰력이 있으며 내면에 욕심과 업무 수완 능력이 있다.

4. 庚午

丁火는 따뜻. 배려가 있지만 자극하면 폭발한다. 정관. 편관(庚金). 관살혼잡(책임감.자기희생:전형적인 관료형) 火로 인해 단호하고 냉철함이 떨어지고 결단력이나 소신이 약하다. 지지 午火는 자극하면 폭발한다. 그러나 辰丑土가 설기하면 폭발 안 한다. 水로 자극하면 폭발한다. 주관이 뚜렷하고 이성적이며 합리적인 성품으로 전형적인 관료적인 성향으로 나타난다. 자신의 통제력을 갖추고 있고 남을 배려하는 마음이 있어서 강한 외형과는 달리 따뜻한 마음을 보여준다. 소신을 밀어붙이는 면이 부족하여 행동의 일관성이 떨어지기도 한다. 내면에 다른 사람을 배려하는 마음과 책임감을 가지고 있다.

5. 庚申

뿌리 깊은 바위. 壬水 식신 추진력. 냉철. 고집. 배짱. 소신. 주체성이 아주 강해서 냉철하고 고집스럽다는 표현이 알맞다. 또한 한 방면으로 몰두해서 파고드는 성분이 있으며 추진력이 강하다. 구조가 온기가 부족하고 차가운 기운으로만 형성되어 火氣가 필요하다. 관성의 적당한 제어가 있으면 배짱과 뚝심이 필요한 직업에서 능력을 발휘할 수 있다. 목표를 향한 강한 신념과 배짱이 있어 업무 추진력이 뛰어나다.

6. 庚戌

겁재 辛金으로 차돌. 은근히 알아주기를 바란다. 설득이 어렵다. 타협. 丁火 정관은 합리적이다. 戊土 편인은 고집. 잡념. 공상. 외로움이다. 관인상생은 보수적. 명분. 체면 중시. 선비형이다. 일지 편인은 자기 확신 강함. 편인은 해결사(복잡->단순화). 필요한 것은 눈치가 빠르고 확실히 파악한다. 필요 없거나 관심 없는 것은 이해하지 못하고 알면 깊이 안다. 소신이 뚜렷한 원칙주의자로서 강한 통찰력을 갖추었으니 고집스럽게 보일 수 있으며 경쟁심도 있어 보인다. 안정감이 있지만 가끔씩 잡념과 공상에 빠지거나 스스로 외로움에 젖어 무겁게 보일 수 있다. 자기 확신이 강한 선비형으로 예지력이 있어 상황판단이 정확하다.

8. 辛金 일주의 심리구조 파악

辛丑 辛亥 辛酉 辛未 辛巳 辛卯

辛金 일간의 기본적 특성은 야무지고 샤프한 폼생폼사형이다. 경쟁심이 강하고 은근히 자신을 알아주기를 원하는 구조인데 강박관념이 있을 수 있다.

1. 辛丑

丑중 癸水 식신은 한곳을 파고드는 집중. 장인. 전문직이다. 일지 편인은 자기 확신 강함. 통찰력. 예지력. 부정적 수용. 아주 냉정한 심리구조이다. 일단 의문을 품으면 끝까지 파헤쳐서 해답을 얻고야 마는 성격이다. 자기 세계에 빠지게 되어 대인관계가 좁을 수 있고 사고의 폭이 한계에 있을 수 있다. 자신의 스타일을 고수하려는 멋쟁이로 은근히 알아주기를 원한다. 승부욕이 있고 가슴에 한 번 새기면 지워지지 않는 면이 있는데 강박관념이 될 수 있다. 생각과 행동을 한곳에 집중할 수 있고 자기 확신과 신념이 강하다.

2. 辛亥

亥중 甲木은 창의성. 꼿꼿. 정재는 소심하고 신중(중기정재:壬戌.甲午.辛亥.丁巳) 壬水는 일방통행. 균형감. 윤하(水:차갑다) 상관은 식신처럼 보인다(한가지에 몰두). 자기 논리 잘 펼침. 재능. 언변 논리적. 이성적. 차분. 신약하면 자기능력을 과대평가한다. 庚子는 외면은 강하나 내면은 친화. 설득. 辛亥는 외면은 약하나 내면은 일방통행. 설득력 약함. 겁재가 상관을 봤으니 멋쟁이로 폼생폼사라고 하겠다. 변화를 원하지만 변덕스럽지는 않은 것은 상관의 壬水이기 때문이다. 자신에 대해서 남들이 어떻게 생각하는지에 대해서 신경을 쓰게 된다. 남들에게 자신을 나타내기 위해서 외적인 면에 신경을 많이 쓰게 된다. 재능이 있고 논리 정연한 언변의 소유자로서 자기 능력을 하나하나 펼쳐 가는 형이다. 다재다능하고 언변이 논리적이라서 차분하게 자기 생각을 전달 할 수 있다.

3. 辛酉

한번 마음먹으면 바꾸지 않는다. 한번 빠지면 몸을 사리지 않고 일한다(극한직업). 건강 유의. 午火의 극을 받거나 식상이 많으면 정처 없이 움직이고 정착을 못 한다. 겁재성향의 비견으로 인해 일등 고집으로 자신의 주관대로 일 처리를 한다. 남의 조언을 무시하고 대책 없는 고집으로 인식될 수도 있다. 자신의 중심이 아주 강한 냉정한 사람이다. 강한 소신은 강박관념으로 나타나서 어떤 일이든 몸을 돌보지 않고 몰입할 수 있으므로 건강을 살펴야 한다. 자존심이 대단히 강하여 자신이 옳다고 생각하는 것을 절대로 포기하지 않는다.

4. 辛未

未중 丁火는 배려. 편관은 강박관념. 乙木 편재는 재생관(주어진 일 완수. 관료적 성향) 여름 土라 힘이 없다. 다음 계절이 金이라 조급해짐. 편인과 편인속의 편관으로 강박관념이 있지만 남을 배려하는 마음이 있다. 선비처럼 명분을 중요하게 생각하는 꼿꼿함을 가지고 있다. 辛未는 통찰력과 자기 확신이 강하며 주어진 일에 충실 하려고 하며 속 정(情)이 있다.

5. 辛巳
辛巳는 암합이라 극이 안됨(戊子.壬午.丁亥.辛巳) 丙火는 조급. 옳다고 하는 부분만 인정(합리적). 정관은 내면 심리가 丙火 편관으로 자기 희생 감수. 경쟁심리가 작용하고 있지만 합리적이고 순수한 면이 있어서 공무원이나 교사 혹은 기업체 등에서 자신의 업무를 수행하는데 적합한 구조이다. 조급한 심리가 나타나고 있는 점을 살펴야 한다. 책임감과 의협심을 갖추고 있어 옳고 그름을 명확하게 밝히려고 한다.

6. 辛卯
卯중 乙木은 내면 심리가 정재 성향으로 편재 성향이 덜하다. 강박관념(짜증:다독거려 주어야 함) 경쟁심이 강하며 공간개념이 발달 되어 있다. 안정감이 다소 약한 심리구조로 충동적인 사고와 행동을 보일 수 있다. 재물에 대한 과잉욕구로 투기성 사업을 할 수 있으나 운을 살펴야 한다. 편재의 공간개념과 자기주도적 성향이 있으며 재무관리 능력이 있다.

9. 壬水 일주의 심리구조 파악

壬子 壬寅 壬辰 壬午 壬申 壬戌
壬水 일간의 기본적 특성은 유연하고 대범하며 이성적이고 지혜롭지만 일방통행적 사고와 행동을 하는 성향도 있다.

1. 壬子

주체성이 강해서 고집으로 보이는데 성격에 유연성이 있어서 쉽게 고집을 알아차리기 어렵다. 그릇이 크고 포용력이 있지만 일방통행적인 사고와 행동이 강한 면을 가지고 있다. 지지 癸水 겁재의 특성은 타협을 하여 환경에 친화력이 좋고 경쟁심까지 갖추고 있다. 癸水 겁재라 상황을 보고 움직인다. 사색적이며 이성적이고 유연하여 일단 주변의 여건에 잘 따라주고 불리해도 포용하는 모습을 보여주지만 결국은 자신의 방식과 생각대로 움직인다. 사교적이고 타협하는 모습을 보이지만 자신의 고집이 대단히 강하다. 壬水 유연성이 있어 자기 스스로는 고집이 없다고 생각한다. 壬水의 일방통행 때문에 타인이 볼 때는 고집이 있다.

2. 壬寅

寅중 丙火 편재는 집요하지 못함(甲木). 甲木은 창의성. 말을 잘함(아이는 거침없이 말함). 자기주장 강하고 꺾이지 않는다. 고집스럽게 보이고 호기심 있을 때 식신 발동이 된다. 식신은 연구. 탐구. 집중(한곳에 집중). 손 재능. 여유가 있다. 壬水의 소신과 식신의 탐구력을 바탕으로 한 학자적인 심리구조라고 한다. 판단력과 탐구력 그리고 결과를 도출하는 능력과 여유로움을 갖추고 있어 전반적인 분야에서 능력을 발휘할 수 있는 구조이다. 壬寅은 창의성이 발달하여 번뜩이는 아이디어와 꾸준히 연구 탐구하는 특성이 함께 있다.

3. 壬辰

상관제살로 도전적. 변화. 틀을 깬다. 힘이 없으니 나가지 못한다. 행동양식은 壬戌보다 강하게 보이지만 실제는 약하다.(겉는 강하나 실제로는 약

하다:편관) 편관이 강하면 자기 세계에 안주한다. 일간 주변에 관성이 있으면 틀이 강해 일간이 약하면 고집스럽게 보인다. 외형적으로는 편관으로 인해 책임감과 원칙주의적인 사고로 억압적인 심리가 있다. 지장간의 乙木 상관에 의하여 내면에 도전적이고 변화를 원하는 심리 구조를 가지고 있다. 壬辰은 원칙주의로 책임감이 강하지만 내면에는 새로운 일에 도전하려는 성향이 있다.

4. 壬午

壬水 물이 탁해진다. 壬水의 차분. 午火의 폭발로 이중적. 욕심과 배려의 양면성 지님. 세상과 타협은 다소 적당히 타협. 인간미. 이해심. 이기적. 壬午일주는 사귀어 봐야 한다. 유연하고 재치 있는 특성이 있다. 정재합으로서 水氣와 火氣의 조화를 이루므로 섬세하고 현실적인 감각으로 업무처리를 잘하는 구조로 보인다. 소유욕과 재물욕으로 나타나게 되어 스스로 고민하는 면도 있다. 정밀하고 섬세하며 소유욕이 있다. 그러나 남을 배려하는 따뜻한 마음이 내면에 있다.

5. 壬申

壬水의 일방통행으로 자기가 최고라고 생각한다. 냉정(배려 없다). 이성적. 냉철(庚金). 남의 말을 안 들음. 인간미 약함. 너무 깨끗하여 원칙. 소신(자기 컬러 확실). 융통성이 약하고 여유가 없으며 타협하지 않는다. 일지 편인은 자기확신이 강하고 의심이 많다. 통찰력(사고력). 부정적 수용을 한다. 차갑고 냉정한 성향을 보이는 것은 강한 편인의 성분으로 너무 한 방향으로 치우친 구조를 이루고 있어서 부정적인 사고방식을 가질 수 있다. 자기 세계에 빠질 수 있지만 뛰어난 통찰력과 이지적인 사고력을 가지고 있다. 냉철한 통찰력이 있으며 자기 확신이 대단히 강하여 목표의식이 분명하다.

6. 壬戌

관인상생으로 명분 중시. 재극인으로 예민하다. 재생관으로 주어진 일 충실히 수행한다. 辛金이 있어 土尅水를 덜 받는다. 살만하니(힘이 있음) 자기 틀을 안바꾼다(안주) 중기 정재(壬戌.甲午.辛亥.丁巳)는 소심. 무리한 행동 안 한다. 신중. 강한 편관의 작용으로 억압받는 심리구조이지만 내면에 이해력이나 상황인식을 꼼꼼하게 판단할 수 있지만 명분을 중요시하기 때문에 고집스러운 면이 강하게 나타난다. 壬戌은 원칙주의로서 책임감이 강하며 이해력이 빠르고 선비같이 곧고 꼿꼿함이 있다.

10. 癸水 일주의 심리구조 파악

癸丑 癸亥 癸酉 癸未 癸巳 癸卯

癸水 일간의 기본적 특성은 명랑사교형으로 응집력이 있어 대인관계가 좋지만 속내를 잘 알 수 없기도 하다.

1. 癸丑

관인상생으로 명분 중시. 소신. 안주하고 싶음(조직생활. 직장). 교수. 공무원. 예술(편인). 습토(濕土)라 힘이 있다. 명분을 중시하는 선비 같은 모습이 있어서 조직 생활이나 공무원 등에서 자신의 능력을 펼쳐 나갈 수 있다. 항상 밝고 사교적이라서 주변 사람과 쉽게 친해지며 새로운 환경에 빠르게 동화되므로 대인관계가 좋고 집중력이 있어서 일을 빈틈없이 잘 처리 하지만 속내를 알 수 없다. 癸丑은 원칙주의로서 소신이 강하고 명분을 중시하는 선비 기질이 있다.

2. 癸亥

亥중 甲木 상관은 사교적. 壬水 겁재는 겉은 타협하지만 속은 꺾이지 않음(내면 갈등). 경쟁. 이중성이라 이해하기 힘들다. 자신 속내 안 드러낸다.. 壬水 겁재는 자기 뜻대로 살려고 하는 심리. 겉이 사교적(癸水)이라 고집이 있는지 모른다(壬子는 고집을 느낌). 총명하지만 고집이 세게 보인다. 일지가 壬水 겁재의 영향으로 자기 뜻대로 살려고 한 심리구조가 있어서 일이 잘 안 풀리면 방황하게 되며 자신의 속내를 잘 드러내지 않는 특성도 있다. 주체성과 경쟁심이 대단히 강하지만 일단은 주변과 타협한다.

3. 癸酉

酉중 辛金은 차돌. 단단. 강박관념. 폼생폼사이다. 편인은 의문. 자기 확신. 통찰력. 부정적 수용을 한다. 자기 확신이 강하여 소통이 안 된다. 겉으로는 사교적이다. 맹신도 주의해야 한번 빠지면 못 벗어난다. 예술인은 자기 세계 구축한다. 신념, 소신이 강하다. 처음에는 인정해주고 서서히 다가서야 한다. 강한 편인의 작용으로 통찰력이 뛰어나 판단력이 돋보이는 구조이다. 그러나 대범한 면이 부족하고 자기 확신에 너무 몰입하는 경향이 있다. 자기 확신이 대단히 강하여 한번 깊이 새긴 것에 집착 한다.

4. 癸未

식신 편재로 여유. 낙천적(급하지 않음). 능력발휘. 결과 응용력. 己土 편관은 벗어나고 싶음. 조토(燥土)라 힘이 없다. 순간적 판단이 빠르고 재주는 많으나 강한 편관의 통제를 받아서 뜻을 펼치기가 쉽지 않아 갑갑해 보이는 구조이다. 주어진 일에 최선을 다하며 내면에 자신의 재능을 응용하는 노력을 하는 구조이다. 책임감이 있고 남을 배려하지만 자기를 억압하는 심리가 있다.

5. 癸巳

丙火 정재로 정밀. 꼼꼼. 한 분야에 집중. 포인트에 강하다. 재극인으로 예민. 조급. 불안하여 사소한 것을 예민하게 바라본다. 정확한 부분을 파악하는 특성에 강함. (오타 수정) 癸水가 품고 있는 상관 성분이 정재를 본 형태라서 소유욕이 있지만 丙火 정재는 정밀하고 시시비비를 분명하게 가려야 하며 특히 한 포인트에 정확한 특성이 있다. 조급하고 안정감이 부족한 심리가 항상 따라다닌다.(丙火) 내면의 열정과 어느 한 부분에 정밀하게 접근하는 성향이 있다.

6. 癸卯

卯중 乙木은 생존력. 집요. 창의성. 식신은 집중력. 연구직. 정밀분야. 꼼꼼. 정재같은 식신이다. 사교적이고 창의성과 재능이 많아 자기 능력을 발휘할 수 있는 구조이다. 집중력이 대단히 강하여 자신에게 필요한 부분에서는 집요한 모습을 보이는데 자칫하면 너무 한곳에 빠져서 외골수가 될 수도 있다. 집중력이 대단히 강하여 자신이 필요한 부분에 올인한다.

Tip. 사주공부 지름길

첫째로. 초급과정이다. 왕초보 사주 학인들은 아주 저렴하게 수강할 수 있는 문화센터나 온라인을 통해 수강하시고 사주이론 기초공부와 사주 뽑는 연습과 오행. 십신. 상생상극이 한눈에 볼 수 있도록 손으로 직접 쓰면서 훈련을 해야 한다. 사주 명조 500~1000명을 노트에 작성하여 음양. 오행. 십신. 신살. 공망 등을 직접 기입하면서 사주명식을 보면 머릿속에서 8글자가 떠오를 정도로 연습해야 한다. 각자의 역량에 따라 3개월에서부터 수년이 걸릴 수 있다.

둘째로. 중급과정이다. 대부분은 스승을 찾아 헤 매이는 과정이다. 시간과 금전 비용이 엄청날 수 있다. 사주 강사들의 사주 이론 설명이 상이하는 경우가 많기 때문에 스승이 바뀔 때마다 새롭게 다시 공부해야만 하는 악순환의 연속이 될 수 있다. 따라서 중급과정은 독학을 권장한다. 역학의 3대 보전이라 하는 적천수(억부용신), 자평진전(격국용신). 궁통보감(조후용신) 기본서를 해석해 놓은 책 3권과 쉽게 1권으로 설명되어진 책을 선정하여 다독하시고 이해만 하시면 된다. 그러나 이것으로 사주통변을 한다는 것은 큰 오산이다. 아직도 여기 고전에 매달려 허송세월 보내는 학인들이 많다.

셋째로. 고급과정이다. 여기서부터 제대로 스승의 가르침이 필요한 단계이고 독학으로서는 너무나 많은 시간이 필요하다. 스승 없이 책을 보고 독학을 하시어 자기 간법을 터득하신 선생들을 보면 최하 20년 이상 고생했다고 한다. 그렇지만 겉만 화려하고 엉터리 선생도 많다. 중급과정을 스스로 터득 못하신 학인들은 분별력이 약해 선생 찾아 삼만리를 떠난다. 저 또한 그런 경험이 많다. 이 단계는 실전 통변의 마지막 단계이다. 사주 명조를 보고 핵심을 집어내고 분석해야 하며 운세대입과 육친관계. 현재 당면문제 파악. 실제 현장에서 역술가 상담을 할 수 있도록 지도를 해주는 선생을 만나야 한다.

사주 진로 적성 분석

13

학생 자녀 학습 지도법

13] 학생 자녀 학습 지도법

1. 비겁 多

자신감과 추진력이 좋지만 고집이 있으므로 무리하게 부모님의 의견을 강요하면 더 말을 듣지 않고 삐뚤어질 수 있으므로 차분하게 설명하는 것이 좋다.
1. 상대방을 존중하고 배려하는 마음을 가져야 한다.
2. 무모할 수 있으니 되는 일과 안 되는 일에 대해 분명하게 선을 긋는 노력이 필요하다.
3. 멤버십과 팀워크가 중요하다.

비견 有
자존감이 강하기 때문에 주변 친구들과 비교하는 것을 싫어하므로 칭찬과 믿음을 보여주어서 스스로 자신감 있는 학습 태도를 가지도록 해야 한다.

겁재 有
경쟁심과 타협하는 심리구조가 있으므로 학습 동기부여를 위해서는 주변 친구들에 대한 경쟁심리 유발과 목표 달성에 대한 보상을 제시하면 적극적인 반응을 보이게 된다.

2. 비겁 無

자신감과 강한 추진력이 부족하므로 어느 한 분야에 집중하여 성취감을 가지게 하는 것이 필요하고 가급적 학생을 억압하지 않도록 해야 한다. 항상 용기를 북돋아 주고 격려를 해주는 것이 좋다.

1. 취미. 특기 활용하여 자신감을 살려야 한다.
2. 함께하는 교육체계 필수가 필요하다.
3. 활발한 친구 관계 적극적 지원이 필요하다.
4. 자심감을 가질 수 있는 주특기 배양이 필요하다.
5. 직장 조직체계의 종사하는 것이 좋다.

비견 無

스스로에 대한 자신감이나 자존감이 부족하여 자신의 의지를 적극적으로 밀고 나가지 못하게 된다. 항상 용기를 북돋아 주고 격려를 해주는 것이 좋다.

겁재 無

경쟁심이 부족하므로 주변에서 지나친 경쟁심을 유발하거나 주변의 친구들과 비교하는 것은 오히려 부작용이 생기므로 주의를 해야 한다.

3. 식상 多

다방면에 재능이 많아서 목표가 분산되기 쉽고 공부도 한 가지에 집중이 어려우므로 과목의 변화를 주면서 단시간에 집중하는 학습 스케줄을 만들어 주면 좋다.

1. 말과 행동을 바르고 예쁘게 하려고 노력해야 한다.

2. 잡다하게 아는 것보다 하나라도 똑바로 알아야 한다.

3. 바른 자세와 예절교육은 필수이다.

4. 말하기 전 한 번 더 생각해야 한다.

5. 남의 장점을 보는 습관을 길러야 한다.

식신 有

한 가지 일에 집중하고 반복하여 탐구하는 특성이 있으므로 공부에 재미를 붙이면 스스로 공부를 하게 된다. 손 재능이 있으므로 전문 기술직 방향으로 진로를 선택할 수 있다.

상관 有

재치 있고 언변이 논리적이지만 두뇌형이라서 반복을 싫어하고 눈으로만 공부할 수 있으므로 연필로 쓰고 짧은 시간에 집중하고 휴식을 갖는 공부법이 필요하다.

4. 식상 無

자신의 속내를 잘 드러내지 않고 새로운 일에 소극적이므로 단체캠프 등을 통하여 대화를 하고 스피치 교육 프로그램으로 적극성을 길러주는 것이 좋다.

1. 매사 열의 가지고 적극적. 능동적으로 일해야 한다.

2. 현대는 자기 PR시대이니 끼를 표현하고 발산해야 하고 취미활동을 열심히 해야 한다.

3. 표현력을 길러야 한다. (웅변, 발표력 등)

식신 無

한 곳에 꾸준하게 파고드는 부분이 부족하므로 필기구를 이용하여 기록하는 습관을 길러야 하며 단시간에 집중하는 훈련을 해주는 것이 필요하다.

상관 無

임기응변과 변화에 빠르게 대처하는 면과 새로운 일에 도전하려는 점이 부족하므로 다양한 경험과 독서량을 높이면 재치와 논리적인 언변을 갖출 수 있다.

5. 재성 多

욕심이 많아 바쁘게 움직이지만 잡기에 관심을 가지기 쉬우므로 쉬는 시간에 하는 게임 등을 주중 1일에만 충분한 시간을 하도록 훈련을 해야 한다.

1. 과정 없는 결과가 없듯이 결과에만 집착하지 말아야 한다.
2. 금전 관계를 명확하게 하여야 한다.
3. 어릴 적부터 공평 분배를 생활화 시켜야 한다.
4. 횡재수나 투기를 바라지 말아야 한다.
5. 인내심과 자기 절제를 가져야 한다.

편재 有

숫자 개념이 부족하고 대충하는 특성이 있어서 시험문제를 꼼꼼하게 읽지 않고 실수를 하게 되며 마음이 급해서 차분하게 공부하기 어려우므로 마음을 다스리는 책을 읽는 것이 좋다.

정재 有

정밀하고 섬세하여 수학을 하기에 유리하다. 사소한 것에 매달려서 학습 진도가 빨리 나가지 않을 수 있으니 일단 전체 진도를 완료하고 세부적으로 정리하도록 해야 한다.

6. 재성 無

일의 마무리가 부족하므로 학습 내용을 차근차근 정리를 하는 훈련이 필요하며 금전 관리가 어려우므로 어릴 때부터 저축하는 습관을 길러야 한다.

1. 경제 관념을 가져야 한다.
2. 책을 읽더라도 끝까지 읽히는 습성을 배양하고 독후감은 필수이다.
3. 어려서부터 과정과 결과를 스스로 확인 할 수 있도록 길러야 한다.
4. 숫자놀이나 계산능력 배양시켜야 한다.
5. 고진감래를 좌우명으로 삼아야 한다.

편재 無

전체를 보는 거시적 공간개념이 부족하므로 교과과정 전체를 읽어 처음에서부터 마지막 부분까지의 흐름을 파악하는 학습법을 시도해 보는 것이 좋다.

정재 無

기본적으로 꼼꼼하고 정밀한 부분이 부족할 수 있으므로 유치원이나 초등학교 저학년 때부터 사칙연산을 집중교육 하지 않으면 수학에 흥미를 잃어버릴 수 있다.

7. 관성 多

주어진 환경에 충실하여 규범적이지만 내면에 갑갑한 마음이 생겨서 벗어나고 싶은 이중적인 심리 구조를 가지고 있는데 가끔씩 여행이나 영화감상 등이 필요하다.
1. 과도한 스트레스나 강박관념을 갖지 않도록 노력해야 한다.
2. 너그럽고 여유로운 마음을 가져야 하고 자기 자신을 사랑하고 소중히 생각해야 한다.
3. 건강에 힘써야 하고 사색과 철학적 마인드를 키우고 서정적인 시집을 읽는 것도 좋다.

8. 관성 無

자신의 감정통제가 어렵고 주변에서 지나친 간섭하는 것을 싫어하므로 자유로운 분위기에서 스스로 공부할 수 있는 분위기를 만들어 주어야 한다.
1. 준법정신. 도덕 정신을 가져야 하고 약속은 반드시 지켜야 한다.
2. 허명에 집착하여 과욕을 부리지 말아야 하고 다소 절제된 환경과 습관을 길러줌이 가장 필요하다.
3. 위인전기를 읽히는 것이 좋고, 약속하면 필히 문서화를 시켜야 한다.

9. 인성 多

잡념이나 공상이 많으므로 집중력이 부족하고 마감 임박형으로 나태하게 보이기 쉬운데 입으로 소리를 내면서 공부를 하는 습관을 만들면 좋다.

1. 행동으로 실천하고 자기중심적이 아닌 타인도 배려하는 마음을 가져야 한다.
2. 더불어 살아가는 법을 배우고 언행일치 습관을 배양시켜야 한다.
3. 자신의 할일을 부모나 타인에게 미루지 말아야 한다.
4. 다양한 대인관계 통한 자신 성찰이 필수이다. (안정된 정서 배양)
5. 창의력, 응용력을 요구하는 지적인 직업이 적합하다.

편인 有

의문스러운 수용을 하고 사물의 이면을 생각하므로 수업 태도에서 집중력이 떨어진다. 독학을 할 수 있는 심리 구조이므로 스스로 학습계획을 세워서 공부하는 것이 유리하다.

정인 有

이해력이 빠르고 학습 태도가 좋아서 공부하는 데 유리하지만, 단면만 보는 특성으로 인하여 응용력이나 문제를 단순화시켜서 해결하는 면이 부족하므로 깊이 있는 공부가 필요하다.

10. 인성 無

다른 사람의 말에 오해할 수 있으므로 상세한 설명이 필요하며 잘 삐지는 성향이 있으므로 항상 칭찬하며 사기를 높이는 것이 좋다.

1. 교육 환경을 만들어 줘야 하고 지혜와 지식을 동반한 인성을 키워야

한다.

2. 행동하기 전에 한 번 더 생각하는 마음을 가져야 하고 관찰력, 집중력 훈련 시켜야 한다.

3. 통찰력, 응용력 배양시켜야 하고 의무감, 책임감 심어주는 환경을 제공해야 한다.

4. 뭐든 기록하는 습관을 길러 줘야 하고 시청각적인 경험으로 재미있는 인성 배양이 필수이다.

5. 직업은 단순하고 심플한 직업이 좋고. 수직적 구조보다 수평적인 구조가 좋다.

편인 無

예지력 혹은 통찰력이 부족하므로 예술 방면으로 진로를 설정할 때 심사숙고해야 합니다. 비록 기능적인 면이 우수하여도 예지력이 약하여 독창성을 기대하기 어렵다.

정인 無

이해력이 약하므로 상세하게 설명하는 선생님을 찾아야 하며 인원이 많은 공간에서는 학습 능력이 떨어지기 때문에 그룹 지도나 개인지도에서 효율성이 좋아진다.

11. 소용돌이(선전)

남과 다른 생각이나 행동을 할 수 있으나 어떤 한 분야에 전문성을 갖추는 데 유리하므로 창의성을 계발하도록 지도하여 전문직으로 진로를 유도

하는 것이 좋다.

12. 일지 췐

가끔 중심이 흔들려 슬럼프에 취약하므로 주변에서 안정감을 느끼도록 격려하고 다독거려주시며 공부는 단시간에 집중하는 습관을 길러야 한다.

13. 인성 췐

자극에 예민하므로 강하게 나무라기보다는 칭찬하고 기분 상하지 않도록 설명을 하는 것이 효과적인데 이 학생은 예민하지만 새로운 아이디어와 사물을 보는 감각이 뛰어나다.

14. 일간 습

매사에 신중하고 모험보다는 안정적인 선택을 하는 사람이므로 적극적인 사고와 행동을 하는 교육이 필요하며 자신감을 갖도록 격려를 해주는 것이 좋다.

15. 식상생재

재능의 응용력이 뛰어나므로 각 교과목의 기본 원리에 대한 교육을 확실하게 하면 스스로 문제를 해결하는 능력이 있으므로 학습 효율성을 기대할 수 있다.

16. 재생관

주어진 일에 충실하므로 일정한 과제를 제공하고 그것을 수행하는 과정을 체크해 나가면 학생은 성취감을 맛보게 되고 그러면서 자신의 학습 패턴을 만들어 가게 된다.

17. 관인상생

왜 공부해야 하는지를 먼저 인식시켜 주고 스스로에 대한 자존감을 가질 수 있도록 해주어야 하는데 주변을 의식하고 남들이 나를 어떻게 보는가에 민감하기 때문이다.

18. 식제관

도전적인 성향이 강하기 때문에 학생과 논쟁을 하면 역효과가 나타나게 되므로 새로운 목표를 주고 성취에 대한 보상을 해주는 학습지도법이 효과적이다.

사주 진로 적성 분석

14

사주 구조의 분석

14] 사주 구조의 분석

1. 식신有정재無

분석적 사고력은 있으나 아주 꼼꼼하고 정밀하게 일 처리 하는 것은 부족하다.

2. 인성의 충극

자극에 예민하게 반응을 하며 엉뚱한 행동을 할 수 있으나 감각이 발달할 수도 있다.

3. 일지의 충극

스트레스를 받게 되면 중심이 흔들려 우왕좌왕 할 수 있으니 수양이 필요하다.

4. 식상생재

1. 적극적이고 진취적인 성향을 보이게 된다.
2. 일을 기획하고 추진하는 능력을 강하게 하는 성분으로 직장에서의 업무 추진과 사업에서의 기획과 진행에 유리한 구조이다.
3. 특히 재물을 다루는 수완을 가지는 구조라고 하여 사업가에게 유용한 구조이다.

5. 상관편재

자기 능력을 응용하는 능력이 탁월한 수완가이지만 너무 일을 벌일 수 있다.

6. 상관정재

자기 능력을 잘 활용하지만 지나친 소유욕을 가지게 될 수 있다.

7. 식신편재

자기 능력을 잘 활용할 수 있고 낙천적인 모습으로 여유를 부린다.

8. 식신정재

자기 능력을 잘 활용하고 한곳에 집중력이 강하여 지나친 집착을 할 수 있다.

9. 재생관

1. 현재의 상황을 유지하려는 보수성과 업무나 상황을 적극적으로 담당하려는 현실적인 심리 구조라 할 수 있다. 현실 참여적인 보수형이다.
2. 성실하게 책임을 완수하려는 특성이므로 직장이나 조직 생활을 할 때 필요한 심리 구조이다.
3. 자신에게 주어진 일을 성실하게 수행하는 관료적 특성을 가지고 있다.
4. 가치판단과 명예 추구의 심리가 강하여 사람들을 관리하고 조직력을

구성하는 우수한 선천적 직업 적성 소유이다.

5. 인성이 개입되면 목표지향적으로 행동과 실천에 절차를 중요시하는 계획성이 부여된다. 식상이 개입되면 주변의 환경과 조건들을 타진해 나가는 스타일이 되므로 원만한 대인관계를 형성하는 사회성을 갖게 된다.

10. 관인상생과 식상생재의 혼합형

자유형으로 전문직, 프리랜서, 강사, 중개 등 개인 전문성을 활용하는 직업 유형이다.

11. 관인상생

1. 강한 보수 성향을 보이게 되고 명분을 우선으로 하는 보수성으로 분류를 한다.
2. 정신세계를 중시하거나 관심을 가지게 되는 모습을 보인다.
3. 명분을 중시하고 남의 이목과 체면을 중시하는 선비적 특성으로 정도를 고수한다.

12. 상관견관 & 식신제살

1. 진보적이고 개혁적인 혹은 투쟁적인 심리구조를 보이게 된다.
2. 남성에게는 카리스마 넘치는 기질을 나타내기도 하고 여성에게 있어서는 남편과의 충돌을 의미하는 심리 성향이 나타나기도 한다.
3. 상관견관은 현재보다 더 나은 미래를 위해 노력하는 형태라는 기본적인 시각을 가지고 살펴보는 것이 필요하다.

4. 상관견관은 직장의 변동이나 직장에서 충돌로 인한 어려움을 겪을 수도 있는 것이다.
5. 식신제살은 어려움에 부닥쳤더라도 전화위복의 결과를 가져올 수 있는 의미로 해석한다.

13. 식제관

항상 도전적이고 역동적인 특성을 가지게 되는데 주변과 충돌을 주의해야 한다.

14. 재극인

1. 스트레스에 민감하게 반응을 한다.
2. **편재췐인수**: 목표를 설정하거나 전체를 바라보는 공간개념의 사고력이 뛰어나다.
3. **정재췐인수**: 현실이나 정밀하고 섬세한 부분을 바라보는 감각이 뛰어나다.

15. 인극식

상관은 너무 튀는 특성이 있으므로 인성의 다스림을 받으면 오히려 자신의 재능을 잘 발휘 할 수 있게 된다. 식신이 극을 받으면 꾸준하게 탐구하는 성향이 문제를 일으켜 자신의 재능을 인정받지 못하는 경우가 되기도 한다. 그러나 이 점도 주변 여건에 따라서 변할 수 있다는 점을 간과해서는 안 된다.

16. 인비식 구조 : 전문가형

1. 학문의 수용력과 응용력이 우수하여 학자풍의 직업 적성이다.

2. 학문적 성취의 노하우를 통하여 컨설팅 업무 가능하다.

17. 식상생재 구조 : 사업형

1. 생산력과 연구력이 우수하여 생산 및 판매를 겸한 경제 활동에서 우수하다.

2. **관성이 개입되면** 조직력을 추구하여 공적인 단체를 구성하거나 브랜드를 활용한 생산 및 판매 활동을 한다.

3. **인성이 개입되면** 학문적 분야와 자격을 갖춘 사회적 활동을 한다.

18. 관성이 뚜렷하고 강왕하거나 관인상생이 적극적인 구조

1. 계급사회 상하 직계 구조의 종적 직업 유형의 수직 구조 직장형이다.

2. 자유직업을 선택할 경우 원칙을 고수하기 때문에 신용은 있으나 이익 창출에 비능률적이다.

3. **관성이 무력: 수평 구조 자유형**

19. 인비식재가 활동적인 구조

인비식재(印比食財)가 활동적인 구조이다.

1. 자유직업, 전문적, 자영업, 예체능 구조의 횡적 직업 유형이다.

2. 창조적이며 자유로운 일에 능동적이다.

20. 관성이 보존되고 인비식재가 공존

직장 생활, 자유직업, 프리랜서, 체제 구조 등의 선택으로 **혼합 구조 선택 유형이다.**

21. 선전(소용돌이)

1. 역발상으로 엉뚱한 생각이나 행동을 하는 구조이므로 특별한 분야에 천재성이 있다. 특이한 발상과 차별화된 능력을 가지지만 일관성이 요구 되는 직업에 맞지 않는다.
2. 엉뚱한 면에서 두뇌 회전이 빠른 반면에 돌발적인 사고와 행동을 할 수가 있다. 선전도 일간의 강약이나 구조에 따라 차이가 난다.

22. 일간 합

항상 안정적인 선택을 하며 모험하지 않으려고 하므로 과감한 추진력은 아쉽다.

23. 월지.일지 십신의 특성

월지가 비겁이면 대외적으로 동료와 협력해서 일을 추진하려는 성향이 강하다. 오랫동안 지치지 않고 일을 추진하는 모습으로 나타난다.

월지가 식상이면 대외적인 면에서 적극적이다.

월지가 재성이며 대외적인 일에서 자기 주도적이다.

월지가 관성이면 대외적인 책임감이 강하게 나타난다.

월지가 인성이면 환경에 적응하고 인내심이 있으나 대외적으로 소극적이다.

일지가 비겁이면 자신감과 강한 추진력이 있고 어떤 일이든지 순간적인 추진력을 발휘하며 자신감이 넘치는 모습이다.

일지가 식상이면 자기에게 적극적이다.

일지가 재성이면 자기 하는 일에 자기 주도적이다.

일지가 관성이면 자기를 다스리는 힘이 있다.

일지가 인성이면 내면적 자신감은 있지만 의존적이다.

일지가 식상이고 월지가 인성이면 자기 하는 일은 열정적이나, 대외적인 일은 소극적. 수동적 성향을 보이는 사람이라고 보면 된다.

사주 진로 적성 분석

15

직업과 학과 적성 선택

1) 오행에 따른 직업 선택
2) 십신에 따른 학과 적성

15] 직업과 학과 적성 선택

1. 오행에 따른 직업 선택

(1) 사주에 木이 많은 사람

사주에 목(木)이 많은 사람은 금(金)이 필요하다.

◆ 진학 : 철과 관계가 있는 금속공학, 기계공학, 섬유공학, 산업공학, 항공공학, 재료공학, 자동차공학과 등

◆ 직업 : 기계 기술자, 금속 기술자, 공학 계통의 연구소 연구원

● 金氣가 필요한 사주에 <귀인, 도화, 화개, 문창성>이 있으면 산업미술 또는 컴퓨터그래픽 디자이너, 과학자의 적성이 있다.

金氣가 필요한 사주에 <괴강, 장성>이 있으면 정치학과, 법학과, 행정학과에 진학한다.

● 장사 : 자동차나 기계 부품, 만물상회 등을 취급하면 좋다.

(2) 사주에 火가 많은 사람

사주에 화(火)가 많은 사람은 수(水)가 필요하다.

◆ 진학 : [상업, 경영계열] 경제학, 경영학, 회계학, 무역학, 호텔경영학과 등

◆ 직업 : 공인회계사, 경영지도사, 회사원, 은행원, 전문경영인 등

● 장사 : [물 관련] 요식업, 커피숍, 화장품

(3) 사주에 土가 많은 사람

사주에 토(土)가 많은 사람은 목(木)이 필요하다.

◆ 진학 : 건축, 토목과

◆ 직업 : 건축설계사, 현장 감리사 등

● 木 오행 식신, 상관이 자기에게 필요하면 어문학과나 신문방송학과에 진학하여 저술가, 번역전문가, 동시통역사, 기자, 중·고등학교 교사, 대학교수, 역사학자 등의 직업을 가질 수 있다.

● 장사 : 의류, 문방구, 서점

(4) 사주에 金이 많은 사람

사주에 금(金)이 많은 사람은 화(火)가 필요하다.

◆ 진학: 전기, 전자 적성 전자계산학, 정보처리학, 전산통계학, 전자과, 정보공학, 정보관리학과

◆ 직업: 컴퓨터설계자, 프로그래머, 시스템엔지니어, 시스템 분석가, 컴퓨터 그래픽 디자이너

● 장사 : 전기, 전자 제품 등을 취급하면 좋다.

(5) 사주에 水가 많은 사람

사주에 수(水)가 많은 사람은 토(土)가 필요하다.

◆ 진학 : 농업학과

◆ 직업 : 농원, 과수원, 목축업, 조경, 임학, 꽃(화훼)

(6) 오행에 따른 십신 업종

木

비겁 : 농업, 원예, 토목, 상업, 회사원

식상 : 필방, 문방구, 서화, 악기점, 의약, 의사, 기획, 광고

재성 : 공예, 직물, 의류 디자인, 미용, 금융 관련

관성 : 음식, 숙박업, 악세서리, 화장품, 접객업

인성 : 문필, 예능, 음악, 연극, 설계, 교육

火

비겁 : 귀금속, 철물, 기계, 금융, 스포츠맨, 운전사

식상 : 역술인, 변호사, 시인, 평론, 화가, 보도, 카메라맨

재성 : 식품, 요리, 영양사, 에너지, 전기 관련

관성 : 법조인, 무관, 회계사, 은행원, 승려, 종교인

인성 : 서점, 교육, 복지가, 예능

土

비겁 : 제조, 연료, 수산업, 목욕탕, 세차장

식상 : 경찰(사복경찰, 형사), 선원, 의사, 도예

재성 : 청과물, 제조, 조경, 완구, 부동산, 운수업

관성 : 사법, 평론, 점술가, 서예, 의사, 철학, 디자인

인성 : 인쇄, 미술, 골동품, 조명, 기상학

金

비겁 : 악기, 가구, 실내장식, 목재, 레저사업.(재다신약)

식상 : 심리학, 외과 의사, 무역, 목축업, 건재상

재성 : 귀금속, 세공, 치과의사. 완구, 경제 평론

관성 : 종교인, 장의사, 무속인, 관광업, 청부업, 해결사

인성 : 연예 프로덕션, 아나운서, 광고, 출판인쇄업, 사법

水

비겁 : 개인기업, 경리직, 전산, 컴퓨터, 화학 관련

식상 : 소방 관련, 화랑, 오퍼상(무역), 의사, 병원, 음식, 유흥업

재성 : 양조업, 주류업, 그룹경영, 해운업, 무역업

관성 : 항공, 선박, 운송, 감독, 브로커, 감정사, 경비사업

인성 : 교육, 산림업, 학자, 종교가, 법관 등

2. 십신에 따른 학과 특성

비겁

◆ 체육과. 자유업

● 다른 십신을 선명하게 드러내 주는 촉매 역할

식신

◆ 각종 연구학과. 미래과학과. 미술학과. 작곡과. 문학과. 연구원. 기술
  자

  연구. 추리. 실험. 인공지능. 유전공학

● **식신+정인**: 문학

  편재+식신: 미술

  정재+식신: 경제분석

상관

◆ 정치외교과. 성악과. 관광통역과. 무역학과(언론인.세일즈맨.탤렌트).
  프리랜서

◆ 남들 앞에서 떠벌리는 것을 좋아한다.

◆ 깊이 있는 연구(식신)보다는 넓게 활용 쪽으로 관심이 있다.

● **비겁+상관**: 정치

　정관+상관: 외교관

　상관+편재: 무역업. 사업가

　상관+정인: 통역. 관광학과

편재

◆ 디자이너. 예술가. 건축과. 토목과. 물리학과. 설계사. 자영업

◆ 모든 물질의 구조를 잘 이해한다.

● **정인+편재**: 건축가

정재

◆ 식품영양학과. 경제학과. 경영학과. 금융계. 샐러리맨

◆ 미각 발달. 치밀하고 꼼꼼한 금전 관리

● **정재+정인**: 식품학자

편관

◆ 무기공학과. 국방대학. 경찰대학. 경호과. 사관학교. 군경·검. 모험가. 스턴트맨

◆ 많은 사람들에게 유익을 주는 일에 보람을 느낀다.

● **편관+정재**: 청부업

　편관+식신: 무관. 사관학교

정관

◆ 법학과. 사회과학과. 공무원

◆ **정관+상관**: 사법고시. 사회운동

   정관+식신: 법학자

   정관+정인: 행정고시

편인

◆ 종교학과. 철학과. 의학과. 약학과

● **편인+식신**: 비교 종교학 분야

   편인+정재: 의대. 약대 (**+편관**: 수술)

정인

◆ 교육학과. 국문학과. 사학과. 유아교육과. 어문계학과(교사. 교육공무원)

● **정인+정관**: 교육공무원 (사업 금물)

   편인+식신: 시인. 소설가. 문학가. 작가

   편인+상관: 유아교육

사주 진로 적성 분석

16

삼합(三合) 간합(干合)의 물상

16] 삼합(三合). 간합(干合) 물상

1. 삼합(三合) 물상

(1) 申子辰(水局)

12 운성으로 申은 水가 지상에 모습을 나타내는 장생지(長生地)이고, 子는 水가 제일 힘이 강한 제왕지(帝旺地)이고, 辰은 水가 목적을 마치고 모습을 감추는 묘지(墓地)에 해당한다. 水가 12 운성을 통해서 윤회하는 모습 중 가장 핵심이 되는 장생과 제왕, 묘지를 모아서 강력한 국을 이루어 삼합을 만들어 낸 것이다. 물은 높은 곳에서 낮은 곳으로 흘러내리고, 모이는 성질이 있어 윤하(潤下)라고 하며, 무엇에나 잘 섞이며 어디든지 유유히 흐른다.

물상

유랑, 무역, 유흥, 침투, 정보, 연못, 저수지, 댐, 항구, 바다. 상하수도, 수자원, 선박, 해운업, 비밀, 특수정보, 무허가, 약물중독, 죽음 등의 뜻으로 해석 할수 있다.

(2) 亥卯未(木局)

12 운성으로 亥는 木의 장생지이고 卯는 木의 제왕지이고 未는 木의 묘지가 된다. 木은 상승하는 氣가 있어 하늘을 향해 곧게 뻗는 성질이 있

고, 남에게 고개 숙이거나 지는 것을 싫어하며 한번 결정한 일은 뒤집지 않으려는 고집이 있어 곡직(曲直)이라 한다. 성실하고 창조적이며 인정이 많고 적극적이나 우월감과 자존심이 너무 강하다. 큰 숲을 이루어 수많은 화초와 나무들이 모이는 형태로 여러 종류의 곤충과 짐승이 사는 모습이다.

물상

나무, 종이, 섬유, 가구, 목재, 펄프, 건축자재, 건물, 과수원, 농장, 언론, 문하예술, 문서사업, 학원, 교육, 서점, 옷감, 목장 등의 뜻으로 확장할 수 있다.

(3) 寅午戌(火局)

寅午戌 火局을 하루의 시간을 통하여 설명하면 어둠이 걷히고 날이 밝아 오는 시간 寅時(3시-5시), 태양이 가장 높고 뜨거운 시간 午時(11시-13시), 해가 지고 어둠이 깔리는 시간 戌時(19시-21시)로 火를 상징하는 태양으로 설명할 수 있다. 매사에 정열적이고 화끈 하며 규모가 크고 화려한 특성이 있다.

물상

방송, 통신, 음악, 미술, 예술, 정신문화, 스포츠, 가스, 기름, 화학공업, 색소, 전기, 전자 제품, 예언, 종교, 문화시설, 사회사업, 화장품, 악기, 성악, 연예 등으로 확장할 수 있다.

(4) 巳酉丑(金局)

巳는 金의 長生地이고 酉는 金의 제왕지(帝旺地)이고 丑은 金의 묘지(墓地)이다. 단단하고 강하며 겉보기에는 냉정하고 차가우나 속으로 여린 면이 있다. 정의를 위해서는 죽음도 불사하고 과감하고 신속함이 있어 군인이나 경찰계통의 행동력이 필요한 곳에 적당한 기질. 대인관계에서 맺고 끊는 점이 확실하고 냉혹함이 있고 자기의 속마음을 내보이지 않아 속마음을 알수 없는 사람이 되어 대인관계에 문제가 되기도 한다.

물상

금, 은, 보석, 고기, 열매, 쌀, 곡류, 공구, 기계, 관공서, 통조림, 중장비, 무기, 제철소, 화폐, 투쟁, 공장, 의협심, 통솔, 정복, 전쟁, 소음 등의 뜻을 내포하고 있다.

2. 천간합(天干合) 물상

(1) 甲己合 물상

토목. 건축. 건축자재. 가옥. 아파트. 담. 도로. 주택공사. 바둑. 논밭. 섬유류. 의류. 목재류. 실내장식. 지물류. 어류. 곡물류. 서책류 창고. 도서관. 서점. 보관업소. 전신주. 대문. 미닫이. 농산물. 과일류. 화훼원예. 분재. 약재. 삼. 영지버섯. 난초. 식물원

(2) 乙庚合 물상

쇠로 된 연장. 연장에 베인 나무. 나무로 만든 물건. 실내장식. 직조기. 섬유류. 가죽류. 도마 위에 생선류. 난도질. 절단기. 재단기. 생선회. 건어물. 가공식품. 사료. 재봉틀. 약초. 종이. 조류요리. 편물. 자수. 이발. 면도. 나무에 달린 쇠붙이. 정미소. 가공된 식품. 곡물류. 과일류. 의류생산. 안경. 농기구. 출판물. 박제. 신발류. 금형. 닭의 목. 화폐. 인쇄. 필기도구

(3) 丙辛合 물상

금형. 철금속류. 금은 세공. 패물. 자동차. 항공기. 선박. 전자제품과 부품. 안경. 금속성 치아. 중화기. 냉방. 온방기계. 카메라 등 촬영기. 방사선. 통신. 가죽류. 시계. 용접. 방전. 건전지. 소화기. 엔진. 발동기. 동력. 수도꼭지. 염색 물감. 유류. 전등. 가공한 음료수. 빙과류. 주방기구. 전동차. 기관차. 증기기관. 자석

(4) 丁壬合 물상

밤하늘. 달. 별. 번개불. 불빛. 조명. 야광. 수력. 화력. 원자력. 발전. 용접. 충전. 방전. 합선. 건전지. 화재. 에너지. 자동차. 세차. 원동기. 발동기. 양수기. 중기기관. 전동차. 엔진. 카인테리어. 실내장식. 비. 구름. 목욕탕. 온천. 온수. 냉수. 자동차헤드라이트. 통신. 소화기. 텔레비전. 주방기구. 가스류. 주류. 유류. 이미용. 술집. 식당. 염색. 페인트. 전자파. 레이저. 물에 비친 달

(5) 戊癸合 물상

화산. 용암. 온천. 목욕탕 더운물. 이사. 숙박업소. 자동차. 중장비. 중화기.

굴삭기. 땅 파는 기계. 부동산. 건축물. 건축자재. 엔진. 동력. 발동기. 물. 호수. 수원지. 샘. 계곡. 저수지. 수맥. 정수기. 물탱크. 수도꼭지. 다리. 산. 정상. 백두산. 고층 건물. 단독주택. 난방. 배관. 유류. 주유소. 주류창고. 술. 물그릇. 염료. 증기기관. 반죽류. 제과류. 화덕. 도자기. 골탈. 포장도로. 운전면허증. 수증기. 연기. 옹기

사주 진로 적성 분석

17

実전 감명 사례

17] 실전 간명(看命) 사례

학생상담은 유아기. 초·중·고생뿐만 아니라 대학생. 취업생 등 또한 중·장년층에서 퇴직하고 이직을 위한 새로운 업종 변경 모두 해당하기 때문에 특별히 학생상담뿐만 아니라 진로 적성을 통하여 직업을 유추하는데 핵심이 있다. 명조를 보고 운세 파악이나 육친 통변 등은 모두 배제하고 각자의 명조를 보고 강점(강한 것)과 약점(약한 것)을 파악하고 구조적 특성을 통하여 성향. 진로 적성을 통해 직업을 유추하는 데 목적이 있다.

단순히 진학. 취업 등 합격 여부는 배제하기 때문에 초보자 학인 입장에서는 사주 구조 파악하는 데 굉장히 중요한 핵심이고 정해진 룰이 있어 쉽고 이해만 하시면 매뉴얼을 만들어 활용하시면 바로 통변할 수 있다. 아래 실전 간명 사례를 통하여 공부해 보고자 한다.

1. 중학교 3학년 남자 사주진로적성분석

2019년 己亥년 그 당시 16세 중학교 3학년 남자로 진로 적성분석을 해 보면 우선 사주 구조 파악이 먼저 선행되어야 한다. 아래 표에서 제일 먼저 辛金 일간이 酉월 중추절 가을에 태어난 명조이다. 거기에 巳酉丑 金 비겁국을 형성하고 지지가 모두 金局으로 변질되었다.

			歲運	大運	時	日	月	年
성 명						男 **女** **16** 세		
			己	乙	癸	辛	癸	甲
			亥	亥	巳	丑	酉	申

正印	偏印	正官	偏官	正財	偏財	偏印	食神	劫財	比肩	甲壬	甲壬	戊庚丙	癸辛己	辛	戊壬庚
음양		오행		천간		지지		육십갑자		십성	오행십성	십성조합	십성구조	세운	기타

음양 구조로 보면 木火 기운은 약하고 金水 기운이 강하니 이성적이고 분석적이며 차분하고 침착하다. 그리고 시작보다는 결과 마무리를 반드시 이루어내는 성향을 보인다.

오행 구조로 보면 사주 원국 8글자와 해당 연령 대운 2글자를 합하여 일간 포함 총 10글자 오행으로 분석한다. 오행의 태과. 無. 중복으로 구분해 보면 총 오행 10글자 중 金은 개수는 3개이지만 월지 金은 다른 간지 오행보다 2,5배의 힘을 가진다. 그리고 巳酉丑 金局으로 일간 辛金으로 투간하니 金의 기운이 6개 이상의 힘을 가지니 金이 태과가 된다. 火의 기운과 土의 기운이 약하며 木과 水는 어느 정도 힘을 갖고 있다.

金의 태과로 결단성과 과감성이 있어 고집이 있다고 하지만 水의 유연성과 木의 추진력으로 결과를 이루어낸다. 火가 金으로 변질이 되어 활동력이 저하될 것 같지만 木이 火를 生 하는 역할을 하니 그렇지 않다. 오히려 土의 기운이 火의 생이 약하니 자기 중립적인 성향이 강할 수 있다.

천간 구조로 보면 辛金, 癸水, 甲木이 모두 지장간에서 투출하여 이 명조의 성향이 잘 나타난다. 甲木은 꿈과 이상이 크고 남보다 앞서가는 스타일이고 용두사미라고 하지만 그렇지 않다. 강한 金의 성향으로 결과를 중시하고 소신이 강하여 甲木의 특징을 가감해서 분석해야 한다. 癸水는 상황에 잘 적응하며 눈치가 빠르며 겉으로는 사교성이 있지만 강한 辛金의 기운으로 차가운 기운과 뒤끝이 있어 자신의 실속을 위해서 乙木처럼 타협을 하는 경우가 있다.

지지 구조는 본기 천간 위주로 바꾸어 파악한다. 巳酉丑金局으로 庚金 기운이 강하게 표출된다. 강직하고 소신이 있으면 고집이 강하다. 겉으로는 癸水 모습이지만 속으로는 壬水의 성향으로 일방통행적 사고방식과 다루기가 힘들다. 따라서 겉으로는 유연하고 명랑사교적인 모습이 나오지만, 집안에서는 자신의 틀에서 나오지 않는 강한 주관이 나온다.

육십갑자 구조로는 대부분 일주 辛丑 위주로 성향을 설명하지만, 현재 대운 亥水 상관이 원국 巳酉丑을 깨고 식상 壬癸水와 재성 甲乙木이 투출 혼잡이 되어 辛丑보다는 甲申. 乙亥 癸巳의 특성이 잘 나온다. 따라서 여명(필자)이 말하는 기본내용만 반복숙달하여 진로 적성분석 순서대로 파악하면서 가감하는 응용력만 갖추면 완벽한 심리분석을 할 수 있다.

십성으로 가장 강하게 표출된 것은 비겁과 식상, 정재, 편재가 된다. 비겁이 태과해도 식상으로 설기하고 재성으로 생재하니 비겁의 태과의 단점을 너무 강조해서는 안된다. 상황에 따라 비견의 추진력과 자기 이익을 위한 겁재의 타협과 식상 혼잡으로 여러 가지 업종에 호기심이 강하다.

재성 혼잡으로 가만히 있지 못하고 욕심이 많아 바쁘게 움직이니 공부가 잘 안되는 학생이 이러한 상황이라면 부모로서는 무조건 공부만 시켜서는 안 되고 다양한 체험을 할 수 있도록 경험을 갖게 해야 한다. 왜냐하면 이 시기에는 상관이 정관을 깨기 때문이다. 그러나 결과물인 재성의 목표가 있으면 정관을 살릴 수 있다.

오행 십성으로는 辛金일간 기준으로 천간 식신 癸水와 정재 甲木을 조합하여 설명하면 辛金의 단호하고 식신 癸水를 자신의 목표를 향해 집념을 보이고 정재의 치밀한 욕심과 甲木의 창의성이 발휘한다. 그러나 여기에서 乙木 편재가 대운에서 나와 목표했던 스케일이 현실적으로 자신의 방향으로 이끌고 나갈려는 성향이 강해진다.

십성 조합이나 구조로는 가장 강한 조합은 비겁의 중복과 혼잡이 되었지만, 식상으로 설하여 큰 문제가 없다. 비겁이 식상으로 생 하는 조합으로 자신의 주관과 고집이 식신의 노력과 상관의 승부욕이 재성으로 이어지니 결과가 좋다. 식상 혼잡을 인성의 제어가 안 되어도 재성의 설기가 잘 이루어지니 크게 나쁘지 않다.

이 사주는 재성의 역할이 중요하다. 재성이 약하다면 상관견관으로 매사 불평불만이 많아지고 스트레스를 많이 받는다. **십성 구조로** 대운과 사주 원국 천간 식상생재가 강하게 표출된다. 지지로는 상관견관이 되어도 재성이 막아주고 있다.

세운으로는 己亥년 편인과 상관운이 된다. 亥水는 대운지 亥水에서 발동되며 원국 년간 甲木이 생을 받고 있다. 그리고 세운 己土와 甲己合을 하는데 대운간 乙木 재성이 합을 방해한다. 16세 중 3으로 새로운 진로 모색과 변화가 일어난다. 이 사주의 특징은 비겁 태왕이 식상생재로 흐르고 있고, 대운에서도 식상 재성운으로 흐르고 있다.

[결론]

여기서는 공부를 잘하는 유무를 따지는 것이 아니라 자녀가 공부를 잘하는 학생이라면, 한 분야의 전문 연구 기술. IT. 의료직이나 교수. 변호사 등이 적합하며, 공부를 못하는 학생이라면, 예체능, 기술 계통이 적합하다. 일반 사무 직종이나 일반 공무원은 부적합하다. 우선 당장 대학 입시 위주로 학교를 선택하여 명문대를 졸업한다고 해서 예전처럼 만사형통이 해결되는 것이 아니다.

고교졸업 후 취업할 것인가. 공무원 준비를 할 것인가. 아니면 대학 졸업 후 대학원 입학을 해야 할 것인가. 학교와 학과를 마음에 안들어 편입해야 할 것인가. 해외 유학을 가야 할 것인가. 수많은 고민하게 된다. 초중고 12년을 입시 위주로 공부하고 대학에 가더라도 또 다른 취업 전쟁이 시작된다.

취업한다고 하더라도 얼마 안 되어 이직을 준비하는 경우도 많다. 타고난 사주로 진로 적성을 파악하여 어떤 특성을 가지고 장단점이 있는지 구분하다 보면 진로나 공부 설정하는 데 유용하게 참고할 수 있으니, 자녀를 둔 부모는 이 점을 간과해서는 안 된다.

2. 60세 남자(미혼) 사주진로적성분석

봄에 태어났지만, 현재 대운의 시기는 가을에 속한다. 천간의 구조는 金水 기운으로 음습하다. 火의 기운도 戌중 丁火 밖에 없다. 타고난 원국에는 봄에 태어나 꿈과 이상을 향하는 목표가 있지만 차갑고 냉정한 辛金 기운이 누르고 있다. 癸水 일간이 卯월에 태어나 대운간으로 乙木 식신이 투간하여 乙木식신의 기운과 년시지와 대운지에서 나온 辛金 편인의 성향이 대표적인 오행의 특성으로 나온다.

외면적으로는 차갑고 냉정한 모습으로 나타나지만, 내면적으로는 밝고 활동적이며 살아있는 생명력을 지니고 있다. 그러나 火 재성이 없어 뜨거운 온정은 없지만 癸水가 사교성이고 乙木 식신이 강하여 활동력이 있지만 식신이 혼잡하여 다양한 호기심이 있어 한가지 목표가 분산될 수 있지만 그러나 자신이 필요한 것은 꾸준히 하는 스타일이다.

식신 乙木과 辛金 편인의 이 명조 주인공의 대표적 심리적 특성이다. 편인 辛金은 상당히 부정적으로 수용하기 때문에 남의 말을 잘 듣지 않는다. 乙木 식신의 손 재능과 편인의 예술 방면에 소질을 가지고 있다.

편인 辛金의 단호하고 자기 확신이 乙木 식신을 극하여 자신이 필요한 부분에는 집중력을 가지고 받아들이는 태도를 지닌다. 지지 식신제살은 내면에는 일정한 틀을 깨는 도전적 성향이 있다. 무리하게 일을 추진하고 집착하게 되면 火가 없고 냉습하여 건강에 문제가 생긴다.

火가 없고 습한 기운이 많으면 건강에 유의해야 한다. 火 재성이 없어 재무관리가 약하고 마무리나 결과가 약하다고 할 수 있으나 본인은 완벽한 재무관리나 투자를 한다고 생각하여 손해를 볼 수 있다.

식신제살은 도전적 성향이고, 관인상생이라 명분과 체면을 중시한다. 따라서 두 가지 성향이 혼합해서 나온다. 추진력이 있다가도 고민. 생각이 많아 결정을 놓치는 경우가 있다. 여자에게는 잘해주지만, 의심도 많다. 편인과 식신이 강하여 자기 틀에 갇혀서 몰두하고 있다. 자기하고 잘 맞는 사람은 베푸는 성향이 강하고 사교성을 나타낸다.

년운 己亥년은 편관.겁재운으로 원국 어디에서 나왔는지 부터 판단하면 편관은 년주 편인 辛丑에서 발동하고, 亥水 겁재는 시주 겁재 壬戌이 발동되었다. 그리고 亥卯合으로 식상이 발동되니 **己亥년 일년의 심리적 분석은** 辛金편인.壬水 겁재. 乙木 식신. 戊己土 관살로 다양하게 분석해야 한다.

己亥년 편관.겁재의 특성을 己土편관+辛金편인. **壬水겁재+乙木 식신의 특성으로** 이 사람의 한해 심리적 성향을 종합적으로 분석한다. **己亥년은** 자신의 틀 안에서 중립을 지키는 모습이 단호하지만 유연성을 가지고 새로운 활동성으로 주변 현실과 타협하면서 실리를 추구하는 모습으로 나간다.

이런 식으로 음양오행과 십성의 특성과 기본 구조를 숙달하여 사주팔자와 해당 대운 5자 10자를 우선 분석하고 한해 세운(년운)이 5자 10자속 어디에서 나왔는지 구체적으로 판단하면 그 사람의 마음 상태를 읽어 볼 수 있다.

왕초보 사주학을 끝내고 초급사주 공부를 이런 식으로 반복 숙달하면 중급이론을 조금 추가한 뒤 바로 고급 수준의 운세 파악으로 도달할 수 있다. 이 공부법에 빨리 숙달하는 것이 사주 분석의 빠른 지름길이다. 처음부터 사주 명조를 가지고 아는 것만큼 통변하는 습관을 지녀야 한다.

3. 의학 전공한 여자 사주진로적성분석

이 명식 주인공은 辛巳대운 癸巳년 한국 최고 의과대학에 입학한 명조인
데 지금 합격 운세를 보는 것이 아니라 이 명조가 어떤 성향과 적성을
가지고 의학과를 전공했는지 분석하는 것이 중요하다. 단순히 사주팔자가
좋아서 혹은 운이 좋아서 공부를 잘했다는 운명을 예측하는 것이 아니고
또한 대학이나 취업 합격운을 판단하는 것도 아니다.

사주 진로 적성분석은 말 그대로 타고난 사주팔자를 통하여 자신에게 맞
는 전공이나 업종을 잘 선택하여 각자 보람찬 사회생활을 영위하는 것이
목적이다. 이 글에 공감한 독자들은 현시대에 무엇이 먼저 더 중요하고
가치가 있는지 이해가 될 것이다. 현세대들은 돈을 어떻게 활용하고 소비
하는 패턴에 더 중점을 두게 된다.

우선 이 사주명식표를 보면 누구나 일간을 보고 일주를 분석하여 설명한
다. 일간은 십신을 구분하기 위하여 기준을 삼는 것이지 무조건 '나'라는
인식에서 벗어나야 한다. 또한 일주 己亥를 보고도 나 자신으로 판단하여
성향을 분석 한다. 이제부터는 좀 더 다른 관점에서 시야를 확장해야 한
다. 생년월일시와 대운, 년운이 평면이 아니라 입체적인 원형으로 겹쳐져
함께 순환한다고 보시길 바란다.

연월일시주와 대.세운 즉 6주 12자를 하나로도 볼 수도 있고 6개. 12개로
도 구분해 볼 수 있다. 이러한 확장된 사고방식을 가져야 동양의 역학에

소질이 있다. 역학은 고정된 것이 아니라 끊임없이 변화성을 만들어 내고 창의성을 지니고 있으니 수많은 역학 이론이 봇물 터지듯이 나오는 것이다.

사주 명식을 작성하고 대운과 년운을 대입하면 6주 12자가 나오고 오행과 십신의 개수를 분류해 놓았다. 대부분 사주팔자만 가지고 진로 적성분석을 한다. 그러나 대운은 월주 계절에서 나온 10년간의 변화된 또 다른 월주 개념이다. 년운은 누구나 동일하게 오는 일년운이지만 사주팔자와 대운에 따라 해석이 달라진다.

年運	大運	時	日	月	年	拱命	
癸	辛	癸	己	己	乙	木	2
巳	巳	酉	亥	卯	亥	火	2
丙庚戊	丙庚戊	辛庚	壬甲	乙甲	壬甲	土	2
比肩 劫財	食神 傷官	偏財 正財	偏官 正官	偏印 正印		金	2
2 0	2 0	2 2	2 0	0 2		水	4

첫 번째는 사주팔자를 보고 음양을 구분해보고 음팔통.양팔통인지도 파악합니다. 이 명조는 음팔통(陰八通)에 해당되며 양력 3월 봄 태생으로 양(陽)의 기운이 넘치지만 음습한 金水 기운이 많다. 그런데 현재 巳대운으로 여름 기운으로 가고 있으니 습하다고 보아서는 안 되고, 사주팔자에 없는 인수 火가 없다고 적성 파악하면 안 된다.

巳火 즉 천간 丙火 정인이 辛金 식신에 앉아 10년간 내재 되어 있다. 물론 천간으로 나오면 더 확실한 인수 기운이 발동되는 것이다. 그러나 본인은 인수 기운을 느끼고 잘 안다. 거기에 일년운 癸巳년 巳火가 나오면 대운 巳火가 사주명식 지지로 움직인다. 다시 처음으로 돌아가 이 사주명식을 보고 나타난 특징을 하나씩 살펴보겠다.

여자 음팔통이 먼저 보이면 소극적. 내성적이지만 내면은 강하고 대인관계가 서툴다고 배웠다. 그런데 가을겨울생이면 확실한 음(陰)의 기운이지만 봄에 태어나 亥卯合으로 월지 장간에서 년간 乙木 편관으로 강하게 발동하니 봄의 기운 즉 陽의 기운도 강하다는 것을 알 수 있다. 여기서 통변하는 법은 음팔통 기질도 있지만 알고 보니 陽의 기운 적극적인 나대는 성향도 강하다는 것이다.

그럼 강하게 천간으로 투출한 乙木의 오행적 특성과 편관의 십성의 특성을 조합을 하면 乙木은 약한 듯 강하고 실속이 있으며 편관은 자신을 통제하고 책임감이 있으며 자기 절제를 잘한다. 그런데 乙木 편관은 亥卯合으로 재성의 도움으로 강력한 편관 국을 이루고 있으니 편관은 큰 권위집단을 말하고, 乙木이지만 지지의 亥卯 삼합의 기운은 甲木 같은 기운이 되어 최고 권위가 있는 집단과 인연이 된다.

사주명식을 보고 판단할때는 지지에서 나온 천간을 우선 참고해야 합니다. 이 사주는 己土 비견의 성향도 2개 겹치면 己土+비견의 특성이 나온다. 己土는 현실적이며 포용력이 있으나 건들면 까칠한 성향이 나온다.

비견의 특성은 자기 주체성과 자존심. 추진력이 강하니 이것을 배합하면 건들지만 않으면 강한 자존심은 겉으로 표출하지 않고 상대를 맞추어 주지만 추진력은 木의 특성이 나오니 강하다. 항상 십성과 오행의 특성을 배합하여 파악하는 습관을 가져야 한다.

그 다음에는 癸水 편재가 천간으로 나와 있고 지지에는 정재가 있어 재성태과가 되어 있으니 욕심이 많고 항상 바쁘게 살며 편재의 성향인 대충하는 것처럼 보이지만 정재의 성향인 정밀하고 꼼꼼한 성향이 나온다. 癸水와 壬水라는 水의 특성이 강하니 차갑고 냉정하고 유연성이 강하여 이 사람은 덜렁거리는 면이 있는 것 같아도 한번 목표가 생기면 정확하게 빨리 파고드는 심리를 가지고 있다.

시지 酉金 식신이 대운 천간으로 투출하면 대운 10년동안 식신 辛金의 영향을 강하게 작용한다. 巳火 정인과 巳酉合으로 식신의 집중력. 연구. 탐구하는 능력이 탁월하며 辛金의 단호함과 마무리 확실한 성향이 나온다. 천간 6개를 보면 천간 土生金 金生水 水生木로 乙木 편관으로 최종 모이는 것이 한눈에 보여야 한다.

지금까지 이 사주의 강점인 특성을 파악했다면 이제부터 **보완점으로는 오행과 십성의 유무에 따라 판단한다.** 인성인 火가 사주팔자에 없으나 대운 지지에서 나와 있으니 火가 없어 열정이 부족하다고 하거나 인성이 없다고 공감능력이 떨어지거나 수용기능이 약하다고 해석해서는 안된다. **타고난 팔자에는 인성 火가 없지만 10년간 대운에서 火운이 오면 火 인성의**

성향이 나온다. 그리고 누구나 두 번째 대운은 학창시절로 학과나 업종을 구분할 때 이 대운을 많이 참고한다.

상관이 없으니 순발력과 새로운 것에 호기심과 도전정신은 약하다고 보고, 겁재도 없으니 악착같이 누구와 경쟁심을 유도하거나 비교하면 안된다. 지장간이나 지지에서 천간으로 투출한 오행을 보면 乙木 편관과 辛金 식신이 제일 강한 성향으로 나온다. 이 두 가지만 가지고도 장단점을 설명 해주어도 된다. 己亥일주 성향보다 더 확실한 성향이 나온다. 사명감이 강하고 어려운 환경에서 버티는 힘이 있으며 힘든 직종이 적성이고 꾸준히 연구 탐구하는 전문직 계통이나 어려움을 극복하여 목표를 달성하는 직업이 적성이다.

이 사주의 보완점으로 약한 것이 甲木 정관과 丁火 편인. 겁재 戊土가 된다. 경쟁을 하여 한발 남보다 앞서가거나 타협하는 업종이나 독창성이 필요한 예술계통이나 단순한 직장생활이나 일반공무원 등 업종에는 적성이 어울리지 않는다.

그 다음에는 사주십성구조로는 재생관, 식신생재구조로 되어 있는데 현재 대.세운에서는 식신생재가 강력하게 투출하였다. 천간에 식신편재가 나와도 오행이 金水기운이 되어 오히려 꼼꼼하고 정확하고 치밀한 계산능력이 필요한 정재성향이 나온다. 단순히 십성으로만 본다면 식신편재가 지지에 있는 식신정재보다 외면적으로 표출하였으나 오행의 특성상 金水기운이 강하니 식신정재성향이 더 강하다는 것이다.

실제로 수학을 잘한 영재였다고 한다. 오행상 水의 물상으로 수학으로도 본다. **재생관은** 주어진 일에 충실하고 **상관과 겁재가 없으니** 보수적 성향이다. **월지가 관성이 되면** 대외적으로 책임감이 강하며, **일지가 재성이면** 자신이 하는 일에는 자기 주도적이다. 그런데 **丁火 편인이 있어야** 공부를 잘하면 의약업이고, 못하면 예술업인데 편인이 없다. 공부를 너무 잘하여 의대 입학이 가능했지만 가능하면 연구직. 의대교수나 월급의사가 적합하다.

이와같이 오행과 십신(십성)의 특성으로 비교 분석하는데 **지지에서 우선 천간으로 투출한 것부터 파악하고 합이나 오행의 힘을 따져 장단점을 파악한다. 그리고 십성의 구조를 파악하여 진로적성을 판단한다.** 따라서 음양과 오행. 십성의 유무와 십성 구조를 완벽하게 반복 숙달하여 숙지한다면 좀더 깊게 다양하게 진로 적성을 판단 할 수 있다.

내 자녀 사주가 궁금하다면 이런 식으로 공부해야 올바른 지름길이다. 음양오행. 十性의 특성과 구조, 合. 이것으로 다 응용하는 것이다. 여기까지는 일반인 누구나 사주팔자를 적용할 수 있는 영역이고, 전문적인 역술업으로 지향하기 위해서는 여기에 나머지 사주 이론을 하나씩 확장해 나가면서 수많은 실제 사주 명식에 대입하여 비교, 분석, 통계를 내어 적중률을 높여 나가는 공부가 현업 역술인의 자세이다.

4. 경찰 공무원 남자 사주진로적성분석

사주진로적성분석

성 명				男 女	

歲運	大運	時	日	月	年
壬	辛	甲	戊	戊	
戌	未	寅	午	辰	

	1	1		1	4	1			1

辛丁戊	丁乙己	戊丙甲	丙己丁	乙癸戊

음양	오행	천간	지지	육십갑자	십성	오행십성	십성조합	십성구조	세운	기타

현재 기혼이며 경찰 공무원으로 근무 중이다. 이 명조는 여름 甲寅 일주로 태어난 戊土 편재가 발동하여 상관생재의 기운이 강하지만 시간 辛金 정관은 뿌리가 약하고 甲木에게는 만족할만한 官의 역할을 못하고 있다. 그러나 정관 辛酉대운에 강한 관성의 기운으로 들어와 경찰 공무원에 합격하였다. 타고난 사주팔자 진로 적성으로는 공무원은 약하고, 사업이나 활동적인 업종에 더 적합하다. 그러나 대운의 영향을 받아 모든 기운이 官으로 집중되어 있으니 **항상 사주팔자와 대운을 함께 참고해야 한다.**

제일 먼저 甲木일간의 특성과 甲寅일주를 파악한다. 甲木의 기본적 특성은 어린 순수한 마음을 지녔으며 새로운 것에 대한 호기심이 많고 미래지향적이며 활동력이 강하다. 튀려는 기질(잘난척. 1등기질). 창의성이나 아이디어가 많지만 뒷마무리가 부족하다.

甲寅 일주의 특성은 스스로에 대한 자부심이 대단하고 골목대장 스타일

로 추진력이 강하다. 주체성이 강해 때로는 고집스럽게도 보이지만 비교적 강자의 여유로움도 느껴진다. 한곳에 대한 집중력을 기대해 볼 수 있다. 언제나 동심(童心)으로 호기심이 많아 창의적이고 미래지향적인 사고를 하며 스스로 최고 라는 기질이 있어서 꺾이지 않으려는 고집과 마무리가 약한 점이 있다. 따라서 매사에 자신감이 있어 당당함과 목표를 향한 추진력이 뛰어나다. **사주팔자에 강한 오행과 십신을 분석하고 특히 월지와 일지에서 투출한 것을 중점적으로 판단한다.**

년,일지와 대운지에서 투출한 戊土 편재가 년월간으로 투출하여 강하게 발동하여 장단점을 분석하면 戊土 편재는 중립적이고 쉽게 변하지 않는 묵묵함과 자신의 손해를 감수하는 희생정신이 있다. 그러나 중재와 타협 능력이 떨어지며 완고하고 고집이 있다. 생각이 많고 근심걱정이 많고 희생적이며 손해를 보고 산다.

재성태과 (정편재 3개이상)로 인하여 욕심이 많아 열심히 바쁜 생활을 하게 되지만 잡기에 빠질 수 있으니 주의해야 한다. 항상 부족하며 만족을 못하고 돈이나 일에 대한 욕심이 많다. 오히려 예민하고 옆 사람 눈치를 보며 남을 의식하는 성향도 나타난다. 역마의 성향으로 바쁘게 살고 일복이 많고 재무관리를 잘한다.

지지의 기운이 강한 월지 상관은 寅午合으로 午火 상관의 기운이 戊土 편재를 향하고 있다. **또한 일주 甲寅은 월주 戊午와 순행을 하고 있어 상관생재로 흐르고 있다.** 임기응변과 변화를 추구하며 단순 반복을 싫어한다. 공부를 하더라도 장기간 공부보다는 단기간 집중 공부가 강하다. **일지 비견은** 주체성. 자존감. 추진력이 강하고 겁재와 인수가 약하니 타협을 쉽게 하지 않는다.

뿌리가 약한 시간 정관 辛金은 합리적이고 책임감은 있지만 辛金은 은근히 자신을 알아주기 바라는 스타일이다. **일간 기준으로 시간은 수용궁이고 월간은 표현궁에 해당된다. 그러나 십성으로 수용하는 성향은 인성이 되며, 표현하는 성향은 식상이 되니 모두 참고해야 한다.** 辛金 수용궁과 壬水 편인은 남의 말을 잘 안듣는다.

그 다음은 사주명조를 보고 없는 오행이나 십신을 파악한다. 사주팔자에는 水 인수가 없다. 辰中癸水가 지장간에 있고, 대운에서 壬水 편인이 나와 있다. 융통성이 부족하고 유연하게 대처하거나 자신의 감정을 조절하고 누를 수 있는 면이 부족할 수 있지만 현재 壬水 편인 대운에는 유연함을 지니고 감정조절을 할 수 있다. 그러나 대운은 월주에서 나와 흘러가는 운이기에 환경적인 상황에 성향이 수시로 달라진다.

인성이 없다는 것은 수용기능이 없으니 자신의 방식으로 상대를 이해하며 공감력이 떨어진다. 따라서 상대를 오해를 잘해 마음의 상처를 받고 잘 삐진다. 인성이 없거나 수용궁이 약하면 칭찬. 상세한 설명을 해주어야 오해하지 않는다. **그러나 인성이 없거나 아주 약하면** 단순하여 오히려 뇌를 효율적으로 잘 활용하고 운이 좋으면 성공할 확률이 높다는 장점이 있다. 유혹을 받지 않고 목표지향적으로 집중력이 높다는 것이다.

참고적으로 **木火가 많으면(陽)** 활동적이고 감정적이다. **金水가 많으면 (陰)** 이성적이고 분석적이며 차분하고 침착하다. 이 명조는 사주팔자는 양의 기운이 강하지만 대운은 가을 겨울 陰의 기운으로 흘러가고 있어 음양의 균형을 이루고 있다.

그 다음은 사주구조를 파악하여 주요 특성을 살펴본다. **상관생재가 강하 니** 적극적이고 진취적인 성향을 보이게 된다. 재능을 응용하는 능력이 강하여 사업이 어울리고 공무원계통은 윗사람이 안 좋아할 수 있다. 일을 기획하고 추진하는 능력을 강하게 하는 성분으로 직장에서의 업무 추진과 사업에서의 기획과 진행에 유리한 구조이다.

특히 재물을 다루는 수완을 가지는 구조라고 하여 사업가에게 유용한 구조이다. 그러나 **상관편재는** 자신의 능력을 응용하는 능력이 탁월한 수완가이지만 너무 일을 벌일 수 있다. 창의성과 공간개념 및 리더십이 있어 임기응변에 능하여 관리, 영업, 기획 업무 등의 업종이다.

시주 未土가 辛金을 재생관 하는 것은 약하지만 대운지 편재 戌중辛金이 시간으로 투출하여 재생관을 이루고 있다. 현재의 상황을 유지하려는 보수성과 업무나 상황을 적극적으로 담당하려는 현실적인 심리구조라 할 수 있다. 현실 참여적인 보수형으로 현재 경찰직에 종사하고 있다.

성실하게 책임을 완수하려는 특성이므로 직장이나 조직생활을 할때 필요한 심리구조라고 하겠다. 자신에게 주어진 일을 성실하게 수행하는 관료적 특성을 가지고 있다. **재생관 구조는** 가치판단과 명예추구의 심리가 강하여 사람들을 관리하고 조직력을 구성하는 적성을 가지고 있다.

여기에 **인성이 개입되면** 목표지향적으로 행동과 실천에 절차를 중요시하는 계획성이 부여된다. **식상이 개입되면** 주변의 환경과 조건들을 타진해 나가는 스타일이 되므로 원만한 대인관계를 형성하는 사회성을 갖게 된다.
월지가 午火 식상이면 대외적인 면에서는 적극적이고 활동적이다. 자신의 내부적인 모습인 **일지가 寅木 비겁이면** 자신감과 강한 추진력이 있고 어떤 일이든지 순간적인 추진력을 발휘하며 자신감이 넘치는 모습이다. 앞서 말한대로 **표현방식(대인관계)은 월간과 식상으로 파악한다. 십신은 항상 오행의 특성과 함께 적용하여 판단한다.**

월지 午중丁火+상관은 상대의 입장을 생각하며 기분 좋은 얘기를 하지만 화가 나면 공격적으로 바뀐다. **월간 戊土+편재는** 공평무사하며 사소한 표현 보다는 큰 핵심을 얘기하지만 즉흥적인 면이 있다.
수용하는 태도 (학습지도)는 시간과 인성으로 파악한다. 辛金+정관은 합리적인 수용 태도를 취하지만 쉽게 받아들이지 못하는데 인정을 받으면 수용한다. 그러나 현재 대운에서 壬水+편인이 나와 壬水의 유연성이 나오지만 편인의 자기위주의 수용성을 가진다.

현재는 경찰 공무원이지만 진로 적성으로 보아서는 공무원보다는 좀 더 자유로운 직업이 적성에 맞다. 대운에서 강한 金 관성이 들어와 재생관

구조가 되어 20대에 화려하게 놀다가 일년만에 경찰 순경 시험에 합격했다고 한다. 이런 식으로 진로 적성상담 통변을 하면 빠른 시간 안에 사주구조 파악에 능통하게 된다. 왕초보 공부를 끝낸 초급 학인은 중급수준으로 도달하기 위해서는 이렇게 통변 연습해야 한다.

5. 보험회사 팀장 여자 사주진로적성분석

위 명조를 보고 보험회사 팀장의 직업을 가졌는지 유추해 보자. 丙火가 가을에 태어나 申子合으로 재생관을 이루어 대운에서 壬水 편관으로 발동되었다. 년지 상관 丑중 辛金 정재가 년간과 시간으로 투출하고 己土 상관이 세운(년운)간으로 투간하였다. 천간의 구조는 丙辛合이 쌍으로 이루어졌다.

천간 丙火가 뿌리 없이 2개가 연좌되어 있고 양쪽으로 丙辛合으로 재와

313

합을 이루고 있으니 같은 업무로 경쟁하면서 일주와 연결되는 구조로 되어 있다. 일간 丙火가 약하고 냉습하지만 대운은 봄기운으로 가는 陽 기운이라 丙火의 꿈과 이상을 지닌 열정적인 기질은 잘 나타난다.

丙子일주는 정관을 깔고 辛金 정재합을 하고 있다. 일지 子중壬水 편관은 대운으로 투간하고 대운 寅木 편인은 丙火의 강한 뿌리가 되고 있다. 丙子의 특성은 사리분별력이 뛰어나며 합리적인 생각이 강하다. 일지 子水가 丙火의 특성을 가로막아 약해진 丙火는 스스로 억압하는 형태가 되고 추진력이 떨어지는 모습을 보일 수 있다.

丙火의 기본 특성으로 보면 열정이 있어 적극적이며 의협심이 강하여 불의에 대응하고 약자를 도우려 하지만 직선적이고 옳고 그름을 따지므로 주변과 충돌이 일어날 수 있고 뒷심이 부족하다. 子水 정관의 특성으로 합리적인 선택과 책임감이 있고 스스로 감정통제를 잘한다.

사주원국에는 재성태과가 되고 대운에서는 관성태과로 이루어져 있다. 재성태과는 재무관리를 잘하고 항상 일복이 많아 바쁘게 살고 소유욕이 강하다. 관성태과는 억압심리가 있으며 책임감이나 의무감이 있으니 조직관리의 형태이다.

월지 申金 편재는 대외적으로 목표지향적이고 적극적이며 대운 壬水 편관으로 발동되어 재생관을 이루니 현재의 상황을 유지하려는 보수성과 업무나 상황을 적극적으로 담당하려는 현실적인 심리구조라 할 수 있다. 현실 참여적인 보수형이다. 성실하게 책임을 완수하려는 특성이므로 직장이나 조직 생활을 할 때 필요한 심리구조라고 하겠다. 자신에게 주어진 일을 성실하게 수행하는 관료적 특성을 가지고 있다.

일지가 관성이면 스스로의 다스리는 힘이 있다. **일간 합을 이루면** 항상 안정적인 선택을 하며 모험을 하지 않으려고 하므로 과감한 추진력은 아쉽다. 년주 辛丑은 월간 丙火와 합을 하고 상관생재가 일주 丙子와 子丑 슴으로 관성과 연결되어 십성구조가 상관생재, 재생관을 이루고 있으며 대.세운을 통하여 관인상생으로 이어져 가고 있다.

관인상생은 명분과 체면을 중시하고 스스로 자제도 할줄 알며 주어진 여건에 충실한 사람이다. **식상생재는** 적극적이고 진취적인 성향을 보이게 된다. 일을 기획하고 추진하는 능력을 강하게 하는 성분으로 직장에서의 업무추진과 사업에서의 기획과 진행에 유리한 구조이다.
丙火의 열정적인 陽의 기운도 나타나지만 가을에 태어나 **金水가 많으면(陰)** 이성적이고 분석적이며 차분하고 침착한 성향도 동시에 잘 나타난다. **이 명조는 관인상생. 재생관. 재성합. 식상생재구조로** 금융. 보험 등 조직관리업종에 적합하다.

丑土財庫(금융.보험)속에서 辛金재성이 나와 다른 사람(월간)과의 재물과 서로 연관이 되어 있으며 **子卯刑의 관인상생구조는** 생명과 관련된 업종이며 직접 영업하는 월주 丙申직원들을 총체적으로 관리하고 있는 구조이다. 독립적인 업종보다는 조직내에서 여러 사람들과 성실하게 수행하는 관료적 특성이 강하다.

6. 신발 제조업 남자 사주진로적성분석

甲木 일간이 亥월 겨울에 태어나 인성의 기운이 강하고 대운은 癸卯로 완연한 봄의 겁재 기운에 있다. 일간 甲木은 뿌리가 튼튼하며 丙火 식신은 년간 丙火보다 시간 丙火가 튼튼하다. 己土 정재는 일간 甲己合을 하는데 약하다. 대운 癸水 인수는 월.일지의 根을 받아 아주 튼튼하다.

甲子일주는 시주 丙寅과 순행하여 식신으로 향하며 寅亥合으로 월주 己土와 합을 하고 있어 식신생재를 이루고 있다. 또한 일지 子중癸水와 년지 편재 辰중癸水 인수가 대운으로 투출하여 발동하니 식신편재를 이루고 있다.

먼저 **甲木일간의 특성과 甲子일주 특성을 파악한다. 甲木은 겨울에 태어 났지만 현재 대운은 木의 기운인 봄이라 甲木의 성향이 그대로 나타난다.** 새로운 것에 대한 호기심이 많고 미래지향적이며 활동력이 강하다. 어린 아이처럼 꿈이 있고 꺾이지 않는 자존심이 있다. 튀려는 기질과 창의성이 나 아이디어는 많지만 뒷마무리가 부족하다.

甲子일주의 특성은 심리적으로 안정감과 여유가 있고 순수하지만 학자적 고집이 느껴지는 심리구조이다. 언제나 동심(童心)으로 호기심이 많아 창 의적이고 미래지향적인 사고를 하며 스스로 최고 라는 기질이 있어서 꺾 이지 않으려는 고집과 마무리가 약한 점이 있다. 이해력이 빠르고 긍정적 이며 심리적 안정감을 가지며 여유가 있다.

사주팔자에 가장 강한 오행과 십신을 분석하고 특히 월지. 일지에서 투출 한것을 중점적으로 판단한다. **월지와 일지에 水 인성이 대운 癸水로 발동 하여 강한 인성의 水 기질이 나타난다.** 자신의 감정을 다스리는 이성적 평정심과 주어진 여건을 수용하는 유연성이 있다. 차갑고 냉정한 심리이 며 유연성이 있고 균형감이 있지만 옹고집이 있다.

인성혼잡이 되거나 태과가 되면 생각이 많고. 잡념. 공상. 아이디어가 풍 부하다. 그러나 편인은 자기가 필요한 부분만 집중력이 강하다. **丙火 식 신은** 꾸준히 반복. 연구. 손재능(몸). 그러나 丙火 식신이 2개라 이곳 저 곳에 다 관심이 있어 상관 기질로 나타난다. **丙火는** 옳고 그름이 분명한 성향이다.

식신이 정재와 편재와 결합하여 두가지 성향이 나오니 재성혼잡으로 본다. 재무관리 잘하고 정재는 꼼꼼. 정밀하고 편재는 스케일이 크고 즉흥적이다.

이 명조에서 전혀 없는 오행이나 십신은 金 관성이 된다. 金이 없으면 가슴에 새겨두고 잊지 않는 기억이나 확고한 신념 등이 부족할 수 있다. 우유부단하고 용두사미이고 결단력이 부족하며 노력에 비해 결과물이 적고 의지력이 약하다.

관성이 없으니 자신을 통제하는 기능이 약하여 직장생활이 힘들다(사업 多). 자유인. **金이 없으니** 축장성(蓄藏性)이 약하고 깡이 없다. 간섭이나 잔소리를 아주 싫어하므로 조직생활에 부담을 느끼며 감정조절이 어렵다.

장점은 통제하는 성분이 없으니 자유로운 활동력을 바탕으로 소신을 마음껏 펼칠 수 있다는 점이다. 조직생활보다는 자기 사업을 항상 염두하고 있다. **관성이 없는데다 비겁이 있으면 이러한 성향이 더 심하게 나타난다.**

사주 구조에 나타난 주요 특성은 **인성 혼잡으로** 이해력은 강하나 양자선택을 못한다. (멘토필요) 식상생재가 되니 재능의 응용력이 강하여 사업이 적합하다. **식신정재가 되면** 집요. 집중력이 강하여 정밀한 기술관련 사업이나 직장생활도 할 수 있다. **식신편재는** 공간개념을 활용한 제조 생산업에도 적성을 가지고 있다.

일간합(정재)는 모험하지 않고 안정을 추구한다. **현재 신발 제조업을 하는 것은** 정밀(정재). 손재능(식신). 편인(감각.통찰력.예술). 공간개념(편재)으로 제조 생산업에 적성을 가지고 있기 때문이다. **월지가 인성이면** 주어진 환경에 적응하고 인내심이 있으나 대외적으로는 소극적이다. **일지가 인성이면** 내면적 자신감은 있지만 의존적이다.

대인관계는 표현방식(월간.식상으로 파악) 수용태도(시간과 인성)을 파악한다. 월간 己+정재는 현실에 기반을 두고 섬세하고 정확한 표현을 하지만 자기주장이 약하다. **시간 丙+식신은** 자신이 옳다고 생각하면 아주 이해가 빠르고, 집중력을 발휘해서 받아들인다. **水 인성이 되면** 자기 감정을 다스리는 유연성을 가지고 상대를 수용하는 태도를 가진다.

편인과 식신과 정재의 조합으로 공부를 많이 했다면 전문적이고 창의적이고 예지력이 발달하여 연구를 하거나 의료. 예술분야나 전문직에서 종사할 수 있으며 손재능이 강하여 기술적인 분야에서 꼼꼼하고 정밀하게 일 처리를 잘하는 직업에 종사하게 된다. 대운이 癸卯가 되어 식신편재에서 나와 제조사업 쪽으로 흐르고 있다.

신발업은 가죽으로 金의 물상이지만 사주명식에 없는 오행과 많은 오행도 직업이 되니 이 명조는 金의 오행이 없으니 신발업에 종사하는 것이고, 이 명조에서 많고 강한 오행은 寅卯辰木局 방합으로 甲木은 가죽의 물상이 된다. 그러나 재성이 약하여 재능이나 능력에 비해 결과가 좀 약하다. 따라서 사업확장보다는 장기적인 재테크로 계획을 세운다면   65세

이후 재물운이 좋다.

7. 본업은 경찰, 부업은 인테리어 사주진로적성분석

직업은 경찰이고 부업으로 인테리어를 한다. 어릴적 미술을 하였으나 부모반대로 포기하고 도자기학과 전문대를 졸업하였다. 사주명조를 보고 진로적성을 파악해보자.

丁火일간이 봄에 태어나 대운은 甲申 초 가을로 가고 있다. 천간으로는 식신정재와 일간 丁火는 壬水 정관과 합을 하고 있다. 지지로는 卯戌合과 일지 酉金 편재는 시지 寅木 인성을 극하고 있다. 대운 甲申은 지지 인성이 甲木으로 투출하고 申金에서 천간 壬水와 庚金이 투출하니 식신생재와 재생관, 관인상생을 이루고 있다.

먼저 **일간 丁火의 특성은** 내성적이고 조용하지만 사교적이며 정이 많고 따뜻한 성품을 가지고 있다. 헌신적 봉사 정신과 모성애적 기질이 강하다. 항상 남을 배려하며 인정이 많고 희생정신이 강하다. 겉으로는 조용하고 약하게 보이나 내면적으로는 자존심과 집념이 강하다. 약한듯하면서 강하고 강한듯하면서 부드러우며 부드러운듯하면서 폭발적인 면을 지니고 있다.

스스로 따뜻하고 남을 배려하는 성향이 있다. **명식에 丁火가 없으면** 타인의 어려움에 대한 배려하는 면이 부족하다. **그 다음 丁酉일주의 특성은 일지 편재라** 자기 주도형으로 자신의 의지대로 살려고 하는 신념과 기질이 강하다. 공간개념이 발달하였다.

일지 酉金 편재에서 나온 년주 庚戌은 또다른 일주의 성향으로 강하게 나타난다. 소신이 뚜렷한 원칙주의자로서 강한 통찰력을 갖추었으니 고집스럽게 보일 수 있으며 경쟁심도 있어 보인다. 안정감이 있지만 가끔씩 잡념과 공상에 빠지거나 스스로 외로움에 젖어 무겁게 보일 수 있다.

냉철하고 강직하여 자신의 소신과 의리를 중시하며 어려움에 처해도 약한 모습을 보이지 않으려고 한다. 리더의 모습을 보이나 고집으로 주변과 충돌 가능성이 있다. 자기 확신이 강한 선비형으로 예지력이 있어 상황판단이 정확하다. 따라서 丁酉일주 특성과 일지 투출한 庚戌년주 특성을 파악하면 이 명조의 성향을 알수 있다.

일간합(정관)은 매사 모험보다는 안정을 취하고 합리적이며 명예를 추구한다. **木 인성혼잡은** 수용력의 혼잡으로 판단력은 오히려 발달될 수 있으나 정작 양자 선택의 상황에서는 머뭇거리는 심리가 나타나며 따라서 우유부단하게 보여지는 경우가 많다.

金 재성혼잡은 소유욕이 강해지며 남자인 경우 이성으로부터 주목을 받을 수 있고 따라서 이성관계가 복잡할 수 있다. 직업 외에 잡기에 빠져들 수 있다. 그러나 재화의 운용능력이 발달하게 된다.

이 사주의 비겁은 지장간에만 있는데 甲申대운 寅申沖이 되면 寅중丙火겁재가 투출하여 나타난다. 비겁은 주체성을 의미하는데 **비겁이 없으면** 이러한 주체의식이 없으면 배짱도 부족하고 추진력도 떨어진다. 주체성이 부족해 자신의 소신을 밀고 나가는 힘은 약하지만 사람이 순하여 대인관계는 원만하다.

비겁이 없는 명은 현실안주 성향과 어려운 현실에 대한 적응력이 부족하기 때문에 사업이나 장사에는 불리하다. **사주구조의 주요 특성에서 식상생재는** 적극적이고 진취적인 성향을 보이게 된다. 일을 기획하고 추진하는 능력을 강하게 하는 성분으로 직장에서의 업무추진과 사업에서의 기획과 진행에 유리한 구조이다. 특히 재물을 다루는 수완을 가지는 구조라고 하여 사업가에게 유용한 구조이다.

일지와 시지의 재극인의 구조는 스트레스에 민감하게 반응을 한다. 정재에 의한 작용은 현실문제에 대한 반응이고 편재에 의한 작용은 목표나 이상문제에 대한 반응을 기준으로 심리구조의 변화를 살펴야 한다.

卯戌合은 극합인 편인과 상관의 조합으로 상관은 너무 튀는 특성이 있으므로 인성의 다스림을 받으면 오히려 자신의 재능을 잘 발휘 할 수 있게 된다. **그러나 인성에 의해 식신이 극을 받으면** 꾸준하게 탐구하는 성향이 문제를 일으켜 자신의 재능을 인정받지 못하는 경우가 되기도 한다. 그러나 이 점도 주변여건에 따라서 변할 수 있다는 점을 간과해서는 안된다.

천간의 구조가 식신생재가 재생관으로 이루어지고 대운에서 관인상생 구조가 되니 어릴적 이루지 못한 자신의 재능을 살리지만 재생관과 관인상생의 구조로 절대로 안정을 탈피하여 무리하게 모험하지 않는다. 따라서 본업에 충실하면서 부업으로 경력을 쌓아 자신의 재능을 정년퇴직 이후 실속있게 제 2의 직업을 준비하고 있다.

이 명조는 편인과 상관의 卯戌합 춘추지합으로 예술적 손재주를 지니고 있고 **戌土화개가 丁火일간으로 투출하여 확실히 예술적 재능을 가지고 있다.** 그러나 **정관과 일간합으로** 현실적인 안정감을 취하는 성향이 강해져 군대제대 후 현실성 없는 도자기 전공을 포기하고 순경시험에 합격하여 성실한 공무원 스타일로 살아왔지만 정의감에 넘치는 강력형사 스타일은 전혀 아니다.

불혹의 나이에 경찰 퇴직 후 노후대책으로 인테리어에 관심을 갖고 경력을 쌓고 있다. 이러한 성향이 사주 명조와 대운에 심리적으로 그대로 나타나고 있다. 그러므로 대운의 간지 구성에 따라 후천적 환경에 따라 변

할 수 있으니 대운을 무시하고 사주팔자 원국만 가지고 심리 파악을 해
서는 안된다.

8. 실용음악 전공 여자 사주진로적성분석

성 명					男	女	22세		
					歲運	大運	時	日	月	年
							甲	癸	丁	壬	丁
							辰	卯	酉	寅	丑
己丑	傷官	正官	偏官	正印	偏印	正財	食神	劫財	比肩	
1	2	1	1		1	1	1		2	
음양		오행		천간		지지		육십갑자	

	乙癸戊	甲乙	庚辛	戊丙甲	癸辛己
심성	오행심성	심성조합	심성구조	세운	기타

丁火 일간이 寅월에 태어나고 대운은 늦봄으로 여름을 향해 가고 있다.
따라서 木火 陽의 기운이 약하지 않다. 그러나 전반적인 주변 세력은 土
金水 식,재,관의 기운이 강하다. 丁酉 일주는 월주 壬寅과 동순(同順)하
여 丁壬合이 되지만 년월간 丁壬合으로 당기니 壬水 관을 두고 쟁합을
하고 있다.

시간 癸水 편관이 년지 식신 丑에서 나와 관살혼잡이 되었다. 지지는 일
지 酉金 편재는 양쪽 寅卯木과 극을 하고 있는 구조이다. 현재 두 번째

甲辰대운으로 월지 인수 寅에서 甲木이 나오고 지지 상관 辰土는 壬癸水 관살의 뿌리가 된다. 대학생으로 실용음악학과 전공을 하고 있다.

丁酉일주의 특성은 丁火의 따뜻하고 사교적이며 항상 남을 먼저 배려하며 도움을 주고자 하지만 스스로는 때때로 마음이 허전함을 느끼게 되어 외로움에 젖기도 한다. 그러나 丁火를 자극하면 폭발하기도 한다. 丁火는 정관 壬水의 쟁합과 시주 癸卯와 천극지충으로 예민한 성향을 지닌다. 일지 편재의 자기 주도적인 특성과 목표에 대한 확신이 강하지만 인성의 극으로 편재의 성향이 약해진다.

寅木 정인의 발동으로 창의력과 함께 빠른 이해력을 갖추고 있으나 깊은 생각이 부족하고 즉흥적이다. **壬水 정관으로** 합리적이고 이성적인 처신으로 스스로의 감정을 잘 통제하고 명예를 중시하지만 **癸水 편관으로** 원칙주의로 책임감과 명분을 중시하며 꼿꼿하지만 자존심을 건드리면 폭발한다.

년간 丁火 비견으로 자존심이 강하며 항상 남을 배려하지만 자신이 해야할 일은 하고야 만다. **丑土 식신으로** 깊이 연구 탐구하는 집중력과 현실감이 **癸水 편관으로 나오니** 원칙과 책임감을 갖고 받아들인다. **卯木 편인으로** 부정적 수용을 바탕으로 의문을 가지고 있는 점은 끝까지 파고들어 생각한다.

대운 정인 甲으로 투출하여 인성의 혼잡이 되니 잡념과 공상이 많아 행동으로 옮기는 것이 늦고 우유부단하지만 아이디어는 많다. **원국에는 상관이 없지만 대운 辰土 상관이 나왔지만 寅卯辰 木 방합을 이루고 酉金 편재를 극하니** 상관의 순간적인 두뇌회전의 재치와 변화에 대응하는 임기응변이 떨어진다. 酉金 편재는 목표에 대한 확신과 자기주도적인 일처리를 하지만 인성의 극으로 정밀함은 떨어진다.

인성의 충극으로 자극에 예민하게 반응을 하며 엉뚱한 행동을 할 수 있으나 감각이 발달할 수도 있다. **관성의 혼잡으로** 자신의 세계에서 안주하고 억압심리를 가지게 되지만 규범적인 생활을 한다. 책임감과 자신을 희생하며 타인을 위해 일하는 것을 마다하지 않는다.

월간 壬水 정관으로 균형감이 있고 유연하지만 자기방식으로 자신의 생각을 전달하려는 성향이다. **시간 癸水 편관으로** 이해력이 좋고 주변의 상황을 잘 수용하지만 자신의 원칙을 고수하는 범위를 가진다. 그러나 **인성 혼잡으로** 생각이 깊고 이해력이 뛰어나지만 방향 설정이 어려우므로 멘토가 필요하다.

대운에서 강한 인성운이 되어 관인상생으로 흐르니 명분을 중시하고 남의 이목과 체면을 중시하는 선비적 특성으로 정도를 고수한다. 명분과 명예 그리고 정신세계를 중시하고 책임감이 있어서 교사. 학자. 사회복지 등의 업종이 맞다. **편인의 통찰력이 강하여** 예능. 의학. 법률. 정신세계 등이 적성이다.

식신과 편관의 조합으로 어떤 일이든 꾸준하며 집중력이 강한 특성으로 연구원. 기술자. 예능 등 전문직 업종이 맞다. **가수나 음악을 하는 것은 소리 음과 관련이 되어 있으니 오행상 소리는 金이 되고 木으로 두드려야 소리가 난다. 그러므로 金木이 식상이 되어 沖 또는 원진(元嗔)이 되어야 소리를 낸다.** 원진은 한(恨)을 말하는 것이니 沖보다는 元嗔으로 소리를 내어야 환희와 애절한 한이 서려 있어 심금을 울리게 된다.

이 명조를 보면 인성 寅,卯가 寅酉원진과 卯酉沖을 이루고 있다. 식신 丑은 酉丑 金으로 연결되고 상관 辰은 寅卯辰으로 木으로 연결되어 있다. **丁壬合의 물상은** 전기, 전자파, 통신, 조명. TV 등으로 방송과 관련된다.

참고로 가수(歌手)는 노래를 부르는 것을 직업으로 삼는 사람을 말한다. 歌자를 분석하면 입구(口)가 두 개가 있고 입을 벌려 하품(欠)하는 모습이다. 일품 가수 구강구조는 확실히 일반인과 다르다. 가수는 예능인으로 편인, 화개. 도화가 있어야 한다. **음악은 귀를 듣는 청각이기 때문에 水가 있어야 한다. 또한 음악은 문곡성(文曲星)이 있어 작곡, 작사를 할 수 있다.**

일간	甲	乙	丙	丁	戊	己	庚	辛	壬	癸
文曲星	亥	子	寅	卯	寅	卯	巳	午	申	酉

따라서 **음악가는** 문곡성이 더 필요하고, **작곡가는** 심금을 울리는 곡을 써

야 하니 원진이 필요하고, **성악가는** 가수와 마찬가지로 金木원진을 이루어야 한다. **기악 연주는** 악보자체에 원진이 있으므로 沖이 있어야 한다.

또한 **귀문살(鬼門殺)은** 본능적 감각이라 할 수 있다. 그러므로 본능적 동물적 감각을 요하는 예체능에서 크게 두각을 나타내기도 하며, 연예인으로 큰 성공을 하는 사람에게도 귀문살이 많이 나타나 있는데 이 역시 본능적 원초적 감각의 발현 작용이다.

9. 사관학교 지망생 남자 사주진로적성분석

사주진로적성분석

성 명			男 **女** 19세			
			歲運	大運	時	日	月	年

歲運	大運	時	日	月	年
		乙	壬	壬	癸	庚
		酉	寅	辰	未	辰

비겁	일로	군겁	편겁	군처	편형	편집	金처	정처	출원
1	1	1	2			1	1	1	2

					庚辛	戊丙甲	乙癸戊	丁乙己	乙癸戊
음영		오행		천간		지지		육십갑자	십성	오행십성	십성조합	십성구조	세운	기타

壬水일간이 늦여름에 태어나고 대운은 완연한 가을이라 전반적으로 음습한 陰의 기운이 강하다. 천간은 비겁 壬癸水가 태왕하고 대운에서 乙木 상관이 투출하여 년간 庚金 편인과 乙庚合을 이루고 지지는 辰酉合으로 관인상생을 이루고 있다.

축구선수를 하다가 몸을 다쳐 丁酉년에 운동을 그만두었다. 丙申,丁酉년
은 군비쟁재가 일어나 몸을 다친 것이다. 공부를 열심히 하여 현재는 어
느 정도 실력을 갖추었으나 직업군인(사관학교)이 되기 위해서 재수를 선
택했다. 공부를 하는 것은 乙庚合, 辰酉合이 되어 관인상생이 되고 戊戌,
己亥년. 관이 살아나 천간 비겁을 다루니 열심히 공부를 하게 된다.

사주 구조의 특성은 지지 戊,己土 관살이 대운 乙木 상관으로 나오고 비
겁 양인으로 투출하니 년간 庚金 편인이 辰酉合으로 살아나니 자신이 좋
아하는 일에는 경쟁하고 힘들고 강한 업종에 어울린다.

壬辰 일주의 특성은 사색적이며 이성적이고 유연하여 일단 주변의 여건
에 잘 따라주고 불리해도 포용하는 모습을 보여주지만 결국은 자신의 방
식과 생각대로 움직인다. 편관의 원칙주의로 책임감이 강하지만 乙木 상
관 내면에는 새로운 일에 도전하려는 성향이 있다.

**월지 未土 정관에 양쪽 辰土 편관이 대운과 辰酉合이 되어 관살혼잡이
관인상생으로 흐르니** 합리적으로 현실에 대응하고 명예를 중시하며 어려
운 이웃에 봉사하려고 한다. 원칙을 고수하는 과묵함과 대범하고 그릇이
크지만, 융통성이 부족하고 답답하다. 자신이 목표한 곳을 향해 조용하지
만 쉼 없이 추진하지만, 자신의 방식을 고수한다.

癸水 겁재(양인)은 가슴에 담아둔 경쟁심이 있지만 사교성으로 주변과 타
협하며 조용히 내실을 다진다. **寅木 식신으로** 꾸준히 연구 탐구하는 성향

에 창의성까지 갖추었고 내면에는 스스로 최고라는 의식도 있다.

火 재성이 지장간에만 있고 약하니 일의 마무리가 약하고 결단력이 부족하며 자신의 금전 관리 능력이 취약하다. **지지 관살혼잡은** 자신의 세계에서 안주하고 억압심리를 가지게 되지만 규범적인 생활을 한다.

스트레스를 받게 되면 중심이 흔들려 우왕좌왕할 수 있으니 수양이 필요하다. **관인상생은** 명분을 중시하고 남의 이목과 체면을 중시하는 선비적 특성으로 정도를 고수한다. 책임감과 자신을 희생하며 타인을 위해 일하는 것을 마다하지 않는다.

표현방식은 표현궁인 월간과 식상으로 판단하는데 월간 癸水 겁재는 사교적이며 친화력이 있고 주변 환경에 타협을 하지만 내면에 경쟁심이 강하다. 乙木 상관은 이해타산에 민감하고 실속형이고 생동감이 있다. **수용하는 태도는 시간 壬水 비견과 인성의 판단하는데** 유연하고 자신감이 있어 대범한 태도를 보이지만 庚金 편인이라 자신이 필요한 부분만 수용한다.

진로 적성으로 사물의 속성을 파악하는 통찰력과 한 곳에 집중력이 있어 이과 혹은 예능형이다. 합리적이고 명예를 중시하므로 일반적인 직장생활에서 성실함을 갖는 샐러리맨이 적성이다. 명분과 명예 그리고 정신세계를 중시하고 책임감이 있어서 교사, 학자, 사회복지 등의 업종이다. 의무감과 자기감정을 잘 통제하며 어려운 환경에 잘 버티므로 경찰, 군인, 법조인 등의 업종이다.

사관학도를 희망하는 것은 월지 정관은 문관이고 편관은 무관으로 대운에서 辰酉合으로 관인상생으로 이루나 문무관을 모두 겸할 수 있다. **축구선수를 한 것은** 단체업종이라 천간에 비겁 중중하고 운동장은 戊己土가 되고, 乙木은 잔디가 되며 상관과 편인의 조합을 이루고, 정인 酉金은 순간적인 판단에 강하고, 寅未 귀문이 상관 乙木으로 발동하여 예체능에 쪽에 적성이 맞는다.

참고로, 비겁이 많고 상관이 유력하면 스포츠를 즐기므로 체대와 인연이 있고, **合多면** 농구, 구기종목이고 **沖多면** 격투기, **沖合多면** 야구, 골프, 볼링, **재성.인성이 많으면** 코치나 교수, **卯戌 춘추합이 있으면** 무용이다.

자녀 학습 지도법으로 주어진 환경에 충실하여 규범적이지만 내면에 갑갑한 마음이 생겨서 벗어나고 싶은 이중적인 심리 구조를 가지고 있는데 가끔씩 여행이나 영화감상 등이 필요하다. 일의 마무리가 부족하므로 학습 내용을 차근차근 정리를 하는 훈련이 필요하며 금전 관리가 어려우므로 어릴 때부터 저축하는 습관을 길러야 한다.

10. 특수학교 교사 여자 사주진로적성분석

(현재 상황)

현재 직업은 특수학교 교사이고 아직 미혼이다. 최근에 만난 남자와 궁합을 보기 위해 상담실에 내방을 하였다. 남녀가 궁합을 보기 위해 같이 내방을 하는 경우에는 기존 궁합 상담 방법으로는 궁합이 안 좋을 경우는 솔직하게 좋다 나쁘냐를 대답하기가 난처하다. 왜냐하면 상담 분위기에 따라서 서로 간의 긍정적인 호감도가 떨어질 수 있기 때문이다. 대부분 여자에 의해서 상담실을 오는 경우가 대부분이다.

심리 사주 상담은 궁합이 좋고 나쁨을 떠나서 서로 간의 갈등 요소를 심리적으로 분석하고 서로 보완해줄 수 있는 상담이기 때문에 혼자 와서 상담 받는 경우보다는 남녀가 함께 방문하여 상담받는 것이 굉장히 중요하고 효과적인 상담법이다. 우선 사주팔자의 개념과 인식을 다시 한번 파악하고 여자 명조부터 사주 구성을 살펴본 다음 사주 심리 분석의 순서에 따라 일관성 있게 분석해 보겠다.

이 명조를 기존 격국으로 보면 관살혼잡 파격에 상관견관. 子卯형살. 도화살. 온갖 이론을 갖다 붙이면서 이 女命사주가 결혼 불길 운이나 빈천한 명이라고 상담을 할 것이다. 대한민국에 이 명조와 동일한 사주가 70명 이상 존재하는데 동일한 사주가 동일하지는 않더라도 비슷한 운명을 가지고 살고 있다면 어느 정도 사주팔자는 운명예정설에 입각하여 부귀빈천 팔자는 정해져 있다는 개념을 갖고 상담을 시작해야 한다.

저 또한 이런 개념으로 가지고 책이나 선생님들로부터 가르침을 받았고 언젠가는 공부가 완성되면 인간을 운명을 족집게 도사처럼 훤히 볼 수 있는 희망을 품고 많은 시간과 비용을 허비하면서 상담하였다.

운명 팔자를 바라보는 개념이나 시각이 처음부터 바로 보지 못하고 눈뜬 봉사처럼 안개 속에서 헤매고 진리를 제대로 인식하지 못했다. 동일 사주도 태어난 후 각자의 환경과 교육에 따라서 살아가는 형태는 동일하지 않다. 이 명조와 동일한 명조도 현재 기혼자도 있을 수 있고 이혼녀도 있을 수 있다.

우리가 아직 알지 못하는 운명의 또 다른 영역이 있을 수 있고 정해져 있다면 인간이 그 미래의 운명을 알고 사는 것이 오히려 불안하고 더 불행해질 수 있다. 사주명리학을 점술적인 형태로 복잡하고 일관성 없는 수많은 이론에 갖다 붙이고 상담하면 족집게 신비주의 운명 환타지 소설에 빠지게 된다. 사주 심리 사주 상담에서는 수명. 질병. 사건. 사고. 합격. 매매 등의 상담을 배제한다.

(사주 구성)

丁火 일간이 子월에 태어나 주변 상황은 너무 냉습하여 卯木은 습목(濕

木)으로 일간을 생 해주기는 역부족이다. 전체적으로 음습하고 火 기운이 약하여 水火 기운의 균형이 깨지면 건강에 힘써야 한다. 일간 丁火를 억압하는 관살의 기운이 너무 강하고 일간은 약한 卯木에 의지하지만 습목이라 큰 도움이 되지 못하고 무력하다. 여기서는 주로 심리적 성향을 가지고 진로 적성을 분석하니 일반적인 사주분석은 생략한다.

(기본 특성)
丁火일주는 따뜻하고 사교적이며 항상 남을 먼저 배려하며 도움을 주고자 하지만 스스로는 때때로 마음이 허전함을 느끼게 되어 외로움을 젖기도 합니다. 그러나 丁火는 자극하고 건드리면 폭발하기도 한다. 일지 편인 卯木 습목이라 丁火에게 생이 늦어 편인의 통찰력이 더욱 강하고 생각이나 사고가 많으며 또한 통찰력이 있어 상대방의 심리를 읽는 능력이 있다. 그러나 이 명조는 金水 재관기운이 강하여 丁卯일주의 특성은 약해진다. 일간 丁火는 壬水 정관과 합이라 안정을 추구하고 모험을 싫어한다.

(사주의 강점)
사주의 강점은 원국의 팔자에 나타나는 강한 오행과 십성을 우선으로 보고 나머지 월지. 일지 시주. 년주 순서대로 파악한다. 壬水 정관이 강하고 일간과 합이 되어 합리적이고 이성적인 처신으로 스스로의 감정을 잘 통제하고 명예를 중시한다, 또한 子水 편관이 강하여 원칙주의로 책임감과 명분을 중시하며 꼿꼿하지만 자존심을 건드리면 폭발한다.

<u>일지 편인의 특성으로</u> 부정적 수용을 바탕으로 의문을 가지고 있는 점은 끝까지 파고 들어 생각한다. <u>정재의 특성으로</u> 자신에게 주어진 일을 빈틈 없이 꼼꼼하게 처리하며 현실에 대한 자신감도 있다. <u>상관의 특성으로</u> 재 능의 응용력이 뛰어나고 언변이 논리적이다.

(사주의 보완점)

<u>사주의 보완점은 원국의 오행이나 십성이 아주 강하거나 약하거나 없는 것이나 충극 등을 파악한다.</u> <u>丁火일간을 제외하고 비겁이 없어</u> 배짱이 부 족하고 어려움을 헤치고 나가는 과감한 추진력이 아쉽다. 또한 <u>식신이 없 어</u> 한곳에 오랫동안 집중하고 반복하며 연구 탐구하는 꾸준함이 부족하 다.

<u>관성이 태과하여</u> 자신의 세계에서 안주하고 억압심리를 가지게 되지만 규 범적인 생활을 한다. <u>火가 없어</u> 가슴속의 뜨거운 열정이나 따뜻한 온정이 부족할 수 있고 건강에 신경을 써야 한다. <u>편재가 없어</u> 전체를 바라보는 거시적 공간개념과 큰 목표를 갖는것이나 과감한 결단력이 부족하다.

(재능의 특성)

<u>재능의 특성으로는 십성의 생극관계이나 혼잡. 오행. 선전. 합. 암합 등을 참조하여 파악한다.</u> 生의 개념인 **관인상생(官印相生)의 구조로** 명분을 중 시하고 남의 이목과 체면을 중시하는 선비적 특성으로 정도를 준수하는 특성을 지니고 있다. 또한 <u>재생관 구조로</u> 자신에게 주어진 일을 성실하게 수행하는 관료적 특성을 가지고 있다.

극(훤)의 개념인 식제관(食制官)의 구조로 도전적이고 역동적인 특성을 가지게 되는데 주변과 충돌을 주의해야 한다. **일간합으로** 항상 안정적인 선택을 하며 모험을 하지 안으려고 하므로 과감한 추진력이 약하다.

또 주의깊게 살펴야 할 것은 일,시주의 선전(소용돌이)이다. 선전은 역발상으로 엉뚱한 생각이나 행동을 하는 구조이므로 특별한 분야에 천재성을 가지고 있거나 또 다른 측면으로 보면 일관성 있는 직업에 종사하기 힘드는데 이 명조는 관성이 강하고 일간합이나 관인상생. 재생관 특성이 강해 일관성 있는 직장생활을 할 수 있지만 내면은 갈등이 심해 정신적으로 힘들 수 있다.

(자기 생각의 표현방식)

상대방에게 전달하는 표현방식으로 말투나 표현 스타일을 파악한다. 표현궁은 월간을 참조하며 표현성은 식상의 형태를 보고 파악한다. 표현궁에 **월간 壬水 정관은** 균형감이 있고 유연하지만 자기방식으로 자신의 생각을 전달하려는 성향이 강하다. 표현성은 **지지에 戌土 상관으로** 때로는 무던하게 표현을 안하지만 상관으로 한번 표현하면 강하다.

(타인 입장의 수용태도)

상대방으로부터 받아들이는 태도나 모습을 파악한다. 수용궁은 시간를 참조하며 수용성은 인성의 형태를 보고 파악한다. **시간 庚金 정재로** 냉철함과 섬세한 수용태도를 가지고 있어서 받아들이는데 반복과 시간이 걸린다. **수용성은 卯木 편인으로** 무리하지 않고 실속 있지만 편인이라 부정적인 수용이 강하다.

(배우자에 대한 심리)

기존의 궁성이론에서는 부부궁은 남녀 모두 일지를 보고 판단한다. 그러나 사주진로적성분석에서 심리궁합을 보는데 **남자는 일지를 처궁으로 보고 여자는 월지를 남편궁으로 판단한다.** 그 이유는 아직까지도 우리 사회에서 결혼 후 남자는 집안의 가장의 의미로서 책임을 지는 경우가 많아 일지 앉은자리 가정궁에 배우자를 두고 여자는 남편의 영향을 받고 사는 경우가 많기 때문에 사회궁인 월지에 남편궁으로 파악한다.

따라서 배우자에 대한 심리분석을 파악하는 방법은 남편궁 월지 편관을 보고, 배우자성인 관성의 유무와 상태를 보고 판단한다. 남편에게 불만이 있어도 남편의 뜻을 따라주는 형으로 남편 입장에서는 편하겠지만 본인 입장에서는 답답하게 살 수 있다.

원국에 관살혼잡으로 남성들에게 인기나 호감을 받는 부분이 많고 월지나 관성을 극하는 식상이 있어 남편을 자극하는 기운이 있어 서로 궁합이 맞지 않고 소통이 되지 않으면 결혼생활이 순탄치 않을 수 있다.
그러나 심리 궁합 상담은 배우자 이외에는 육친관계를 판단하지 않고 서로 소통이 안되어 문제가 되면 각자의 명조를 서로 분석하여 원인과 문제점을 파악하여 해결할 수 있는 상담 분석해야 합니다.

(진로 적성)

<u>진로적성은 어떤 직업을 선택하기 위해 자신의 특성에 맞는 직업군을 제시하고 있다.</u> 주어진 일에 충실하고 책임감이 강하므로 교사. 공무원. 샐러리맨 등의 업종이 어울린다. 명분과 명예 그리고 정신세계를 중시하고 책임감이 있어서 교사. 학자. 사회복지 등의 업종이 적합하다.

특이한 발상과 차별화된 능력을 가지고 있어 일관성이 요구되는 직업보다는 본인이 흥미를 느끼고 빠질 수 있는 업종이 맞는데 현재 특수학교 장애인을 상대하는 교사로 근무하고 있는데 인연이 있다고 본다.

(운세 분석)

운을 보는 방법은 명조 운세 파악하기 위해서는 용신(用神)과 기신(忌神)을 구별하여 희기(喜忌)를 참고하고 명조의 사주 구조나 천간 지지의 오행의 생극의 강약에 따라 용신운이 들어와도 凶할 수도 있고, 기신운이 들어와도 吉할 수 있는 것이 운세 대입법인데 이게 일률적이지 않고 천차만별 다르게 용신을 보는 사람마다 다르게 판단하니 용신 무용론(無用論)이 나오고 억부용신, 격국용신. 물상오행용신 등의 다양한 관법이 나오게 되는 것이다.

용신 운이라는 것은 명조의 주인공이 사회활동을 하는데 있어서 시작과 과정에 대한 결과의 만족도를 보는 것이다. 용신 운이 와도 사주 주인공의 주변 환경의 과정이 조성되어 오지 않았다면 용신 운은 의미가 없다고 본다. 운이 없어도 누구나 다 살아간다. 일에 성과의 기대치를 따지는 환경이 아니라 안정적인 직업과 주부 등 단순한 삶 자체를 선택한 분들에게는 운의 희기를 따지는 자체가 모순이라고 본다.

지금까지 단순한 글자 오행에 얽매여 용신 운이 왔으니 만사형통이 된다는 식으로 단순한 상담방식은 원국과 운의 개념을 제대로 인식하지 못하고 명조 주인공의 주변 상황에 끼어 맞춰 용신 타령하는 현실이 안타깝다. 운세 분석은 일반 사주론에서 언급하는 것이고, 여기서 사주 진로 적성분석에서는 길흉 운세 분석은 배제한다.

현재 직장생활에 스트레스가 심하고 부업으로 아파트 매매를 몇 년째 하고 있다고 했는데 소규모로 부동산 투자를 하여 어느 정도 이익을 보았고, 안정적으로 하고 있다고 한다. 만약 부동산 투자를 하고 있다면 원국의 명조가 관살태과에 정재와 편인을 가지고 있으면 대개 꼼꼼하게 따지고 불안심리가 큰데 투자가 타고난 적성에 적합하다고 보지 않는다.

11. 커플 심리궁합분석 사례 1

커플 심리 궁합	
己 壬 庚 辛　37세 酉 午 子 酉 (男)	庚 丁 壬 壬　38세 子 卯 子 戌 (女)

(기존 궁합법)

기존 궁합법은 서로 남녀의 사주 년월일시궁이 合이 되며 길하고, 沖이나 헨이 되면 흉하다고 판단하거나 사주에 필요한 오행(용신)이 상대방이 가지고 있으면 길하고 없으면 궁합이 약하다고 판단한다. 또한 남자는 어느 정도 신강 해야 좋고, 여자는 약간 신약 해야 좋으며, 신약인 경우 상대의 년지(띠)가 비견(건록)이 좋고 배우자성인 재성(남). 관성(여)이 약하면 상대에게 재성이나 관성이 강하면 궁합이 좋다고 한다.

일지 배우자궁 상태를 파악하고 용희신이면 배우자덕이 있다고 판단한다. 이외에도 삼합.격국.귀인.살.공망 등을 파악하여 종합적으로 판단하는 기존 궁합법이 있다. 그러나 심리 상담 분석에서 커플 심리 궁합은 기존의 복잡한 이론을 배제하고 오행의 생극의 개념으로 배우자궁과 배우자성을 참고하여 심리적으로 두 사람 사이에 서로 영향을 주는 관계를 파악하고 서로간의 수용할 수 있는 태도를 분석하여 소통의 상관관계를 유지할 수 있는 방법을 제시한다.

따라서 커플 심리 궁합의 핵심은 서로 간의 소통의 관계와 관계 유지의 방법을 심리적으로 간단하게 분석한다. 기존 궁합법은 인연법을 중시하여 상대에 따라 운명의 길흉을 결정하는 점술적인 형태의 상담방식으로 혹세무민할 수 있어 기존 궁합법으로는 현대 사람들에게 올바르게 인식되는 궁합법이 아니라 잘못하면 더욱더 인연에 대한 욕심과 탐심을 벗어날 수 없다. 그리고 궁합분석은 일차적으로 기본형을 참고하고 각각의 개인의 사주를 종합적으로 분석할 수 있어야 가능 하기 때문에 궁합분석의 완성은 사주 분석의 완성이라고 해도 의심할 여지가 없다.

(커플 심리 궁합)

1. 두 사람의 심리적 호감도

<u>남녀의 일간 오행을 참고하여 판단한다.</u> 남자는 壬水 일간이고. 여자는 丁火 일간이다. 丁壬合으로 보지 말고 남자 壬水가 여자 丁火를 극하는 오행의 생극으로 분석한다. 극 하는 관계이기 때문에 서로 간의 부담감이 있으며 여자 입장에서는 불편함을 느끼고, 남자 입장에서는 큰 불편함이 없다.

2. 선천적으로 타고난 배우자상에 대한 선호도와 자신의 행 동방식

<u>남녀의 배우자궁 십성을 참고하여 분석한다.</u> 남자는 일지가 정재이면 아내를 리드하는 특성이 강하고, 순종적인 여자를 원하며 말대꾸를 싫어하지만, 애처가이고 상황에 따라 부인을 잘 다룬다. 여자는 월지가 편관이면 순종적인 여자이고 따뜻하게 챙겨주는 남편을 원하지만 그렇지 않으면 우울해질 수 있다.

3. 두 사람간에 서로가 영향을 주는 심리적 기운의 교류방식

<u>남녀의 배우자궁을 참고하여 오행이 동일하거나 생극의 주고 받는 방향성으로 분석한다.</u> 남자의 경우에는 일간과 일지를 분석하면 남자가 여자에게 극을 하기 때문에 주는 방향이다. 여자의 경우에는 일간과 월지를 분석하면 여자가 남자에게 극을 받기 때문에 받는 방향이다. 이런 경우는 한쪽이 리드하면 한쪽이 받아들이는 이상적인 조합으로 서로 소통이 잘 되므로 큰 충돌 없이 무난하게 살아갈 수 있으며 부부싸움 이후에도 빨

리 사이가 회복될 수 있다.

4. 두 사람 사이에 기질적 소통의 상관관계

남자가 선천적으로 타고난 배우자에 대한 심리적 영향력은 일지 배우자궁 午火가 子水에 의해 극을 받고 있어 아내를 자극할 수 있는 기운이 있고 예민해질 수 있으니 조심해야 한다. 여자의 수용태도는 시간 庚金 정재와 乙木 편인. 일지의 상태를 보고 판단한다.

상대방의 의견을 잘 듣지 않거나 수용하는데 시간이 걸리지만 수용하면 잘 받아들인다. 여자가 선천적으로 타고난 배우자에 대한 심리적 영향력은 배우자성인 壬癸水가 戌土 상관의 자극하는 기운을 받아 남편을 자극할 수 있는 기운이 예민해질 수 있으니 조심해야 한다.

남자의 수용태도는 시간 己土 정관과 인성 金. 일지의 상태를 보고 판단한다. 상대방의 자극에 잘 견딜 수 있는 심리적 안정감을 가지고 있지만 평소에는 별 문제없이 받아들이나 자신이 자극이나 압박을 받으면 폭발하여 충돌할 수 있다.

5. 두 사람 사이에 배우자로서 관계 유지를 위한 적합도 평가

기본적인 궁합은 맞으나 서로 자극하는 기운이 있고 서로 수용하는 부부에 있어서 여자는 억압과 쉽게 수용을 하지 못하고 남자는 표면적으로는 수용하지만 내면적으로는 갈등이 오래갈 수 있어 적합도의 평가는 보통이다. 두 사람 사이에 일정 부분 맞지 않는 부분이 있어 갈등의 요소는 있으나 함께 취미생활을 하거나 대화를 통하여 서로 이해하려고 노력하면 극복할 수 있다.

6. 두 사람 사이에 배우자 관계를 유지 하기 위한 방법

두 사람의 성격과 타고난 배우자 성향으로 볼 때 이 경우에는 서로 양보하지 않으려는 기운이 강하므로 서로의 자신과 배우자의 성격을 인정하고 동시에 양보하지 않으면 불행해진다.

7. 결론

두 남녀의 사주에서 보면 여자는 통제와 억압기능이 강하여 예민하고 표현궁과 수용궁이 자기방식과 틀이 강하며 상관견관으로 남자를 자극하는 기운이 있어 상대의 남자사주 성향이 무던하고 편안하게 여자를 잘 다루어 나가야 한다. 남자는 인성태과 사주로 일지 정재 午火를 심하게 손상시키고 표현궁과 수용궁에서 겉과 속이 많이 달라 여자를 편안하게 다루기가 어려운 구조이다.

기본적인 궁합이 맞아 일시적으로는 호감을 가지나 시간이 지나면 갈등요소 발생시 이별할 가능성이 높다. 기존 궁합법으로 보아도 각자 궁합이전에 서로의 부부궁이 약하다고 감정할 수 있다. 만약 이런 경우 두 사람이 결혼에 대한 확신이 강하면 결혼 후 부부 갈등 발생시 대처할 수 있는 방법을 제시하고 결혼 확신이 약하면 이별이 유도하기보다는 현재 두 사람 만난 지 얼마 안 되었고 또한 결혼도 서두르지 않는다고 하니 두 사람 40세 이후가 지금보다 좋은 운이 되니 인연이 되면 그때 결혼하고 현재는 뜨겁게 열정적으로 연애 감정에 빠져 행복의 시간을 가지는 것이 현명하다고 상담해주어야 한다.

12. 부부 심리궁합분석 사례 2

(현재상황)

남편은 서울대 출신에 삼성그룹 차장직으로 근무하고 있으며 현재 부부 사이가 깨져 있으며 남편왈. 출세에 지장이 있기 때문에 현재로서는 이혼을 할 수 없다고 하며 배우자에게 서로 간섭하지 말고 자유롭게 서로 살자고 하며 생활비도 주지 않고 바람을 많이 피웠다고 한다.

부인은 초등학교 교사로서 자식은 2명이다. 부부관계가 깨진 지 오래되어 거의 체념하고 살고 있고 甲寅생 노총각 애인이 있다. 왜 이 부부는 갈등 속에서 주변 눈치와 체면 때문에 이혼을 하지 못하고 무늬 부부로 살 수밖에 없는지 분석해보자.

부부 심리 궁합		
己 戊 乙 戊　　41세		己 甲 己 丁　　42세
未 寅 卯 午 (坤)		巳 戌 酉 巳 (乾)
64 54 44 34 24 14　4		62 52 42 32 22 12　2
戊 己 庚 辛 壬 癸 甲		壬 癸 甲 乙 丙 丁 戊
申 酉 戌 亥 子 丑 寅		寅 卯 辰 巳 午 未 申

坤命 戊土일간은 관성태과, 관인상생구조로서 명분과 체면을 중시하는 교사 직업이 최적이라 적성에 맞는 직장이 잘 선택하였다. 관성혼잡하여 주변에 남자들에게 인기가 있고 억압심리도 강하지만 비겁도 강해 자존심도 강해 겉으로는 힘든 내색을 하지 않고 웃으면서 상담을 한다.

원래는 월지 정관이라 현모양처형이고 남편에게 잘하는데 남편 외도의 상처가 있어 寅未암합 작용력이 생겨 남편입장에서는 일지 편재라 여자가 대드는 것을 용납을 못한다. 乾命 甲木일간은 양쪽으로 己土 정재와 합을 하고 모든 기운이 월지 酉金 정관으로 몰리고 있어 土金 재관을 쓰는 사주이다. 양쪽 타고난 사주는 부부연이 불길한 구조이다.

(심리 궁합)

1. 두 부부의 심리적 호감도는 일간의 상태를 보면 남자는 甲木. 여자는 戊土로 남극녀로 서로간의 부담감이 있으며 여자입장에서 불편함을 남자입장에서 큰 불편함이 없다. -> 凶

2. 서로 배우자궁을 살펴보면 남편은 일지에 편재로 아내를 리드하려는 특성이 강하므로 순종적인 여성을 원하며 말대꾸를 싫어한다. 여자는 월지 정관으로 남편을 잘 내조하는 현모양처형이지만 남편이 리더십을 발휘하지 못하면 방관할 수 있다. 서로 배우자궁이 주고 받는 구조로 한쪽이 리드하면 한쪽이 받아들이는 이상적인 조합으로 서로 소통이 잘 되므로 큰 충돌없이 무난하게 살아갈 수 있으며 부부싸움 이후에도 빨리 사이가 회복될 수 있다. -> 吉

3. 남편 명조에 水 인성이 없어 자신의 방식으로 상대를 이해하기 때문에 상대 배우자 입장에서는 소통이 어렵다. -> 凶

4. 남편 입장에서 수용궁은 己土 정재라 현실적인 부분이 강해 자기 이익을 위해서 많이 따진다. **여자는 수용궁이 己土 겁재라** 위자료와 양육비에 대한 계산의 개념이 서로 합의가 안된다. 남편은 이혼하겠다면 돈이 없으니,조건 없는 합의 이혼을 원하고 부인은 받아드리기 어렵기 때문에 쉽게 이혼을 못 한다. 이런 관계에서 남편은 여자를 계속 만나고 있고 부인도 남자가 계속 들어올 수 있으니 이런 환경을 내적으로는 서로 즐기고 있는가 하는 생각이 든다.

13. 커플 심리궁합분석 사례 3

커플 심리 궁합	
癸 己 壬 壬　27세 酉 巳 子 申 (坤)	乙 丁 己 辛　28세 巳 酉 亥 未 (乾)
64 54 44 34 24 14 4	65 55 45 35 25 15 5
乙 丙 丁 戊 己 庚 辛 巳 午 未 申 酉 戌 亥	壬 癸 甲 乙 丙 丁 戊 辰 巳 午 未 申 酉 戌

(坤命)

己土일간 子월에 태어나 사주전체가 냉습한 사주이다. 일간이 巳火 인성
에 의지하고 있는데 巳酉合으로 巳火 인수는 金 식상으로 변질되었다.
현재 회계업무관련업종에 종사하고 있으며 공인중개사 자격증을 준비하고
있다.

(기본 성향)

현실감이 있어 다소 까칠해 보일 수 있지만 성실하고 자신을 희생할 줄
알며 속정(情)이 많아서 어려운 사람을 도와주려는 마음이 있다. 개성이
부족한 면이 있다. 이해력이 빠르고 열정이 있으나 옳고 그름을 따지는
면이 있다.

(보조 심리의 강점)

이성적이고 정밀한 특성은 섬세하고 꼼꼼하게 따져보며 계획을 세우는 성
향이다. 자기 주도적 성향으로 재무관리를 잘하며 스케일이 크므로 사업

적 기질이 있다. 다재다능하며 어려운 일에 도전하고 자기의 말이나 행동에 확신을 가지고 있다. 한 곳에 집중하여 연구. 탐구하는 능력이 탁월하여 한 분야의 전문가로 적합하다. 상황판단이 빠르고 정확하지만 자신의 생각이 옳다는 편협함에 빠질 수 있다.

(보완점)

욕심이 많아 열심히 바쁜 생활을 하게 되지만 잡기에 빠질 수 있으니 주의해야 한다. 배짱이 부족하여 어려움을 헤치고 나가는 과감한 추진력이 아쉽다. 간섭이나 잔소리를 아주 싫어하므로 조직 생활에 부담을 느끼며 감정조절이 어렵다. 자극에 예민하게 반응을 하며 엉뚱한 행동을 할 수 있으나 감각이 발달할 수도 있다. 스트레스를 받게 되면 중심이 흔들려 우왕좌왕할 수 있으니 수양이 필요하다. 새로운 일에 호기심이나 흥미를 가진 창의적 활동력은 다소 부족해 보일 수 있다. 중립적인 입장을 견지하거나 자신의 손해를 받아들이고 희생하는 면이 부족할 수 있다.

(주요 특성)

자신의 능력을 잘 활용하지만 지나친 소유욕을 가지게 될 수 있다. 자신의 능력을 잘 활용할 수 있고 낙천적인 모습으로 여유를 부린다. 스케일 크고 공간개념을 가지면서도 한편으로는 정밀한 부분이 있어 재무관리에 능하다. 총명하고 박학다식한 면이 있지만 자신의 재능을 과신하거나 논쟁적일 수 있다. 목표를 설정하거나 전체를 바라보는 공간개념의 사고력이 뛰어나다.

(표현방식과 수용태도)

유연하고 이성적이며 대범 하지만 자신의 방식을 고수하며 섬세함을 갖추고도 있다. 주변 상황의 전체를 바라볼 줄 알며 자연스러운 접근과 임기응변이 능하다.

(진로 적성)

목표지향적이라서 큰 꿈을 꾸며 일의 과정에 관심이 많으므로 사업성이 있는 직업이 적성이다. 창의성과 다재다능하고 정밀한 특성이 함께 있어서 정밀분야의 개발, 재무, 투자 등의 업종. 꾸준히 연구하는 면과 거시적 안목을 갖추어 전문분야의 관리직, 디자이너, 예술가 등의 업종이다.

(乾命)

丁火 일간이 亥월에 태어나 식재관이 강하다. 음팔통사주가 되고 재생관이나 월지가 정관으로 업무형이지만 식신재성과 식제관이 되어 재능을 발휘하는 수완 능력과 도전정신이 강하여 소극적이고 조용한 것 같아도 내면은 강하여 외유내강형의 성향을 보인다. 현재 공사계통의 직장에서 기획 업무를 담당하고 있다.

(기본 성향)

따뜻하고 사교적이며 항상 남을 먼저 배려하며 도움을 주고자 하지만 스스로는 때때로 마음이 허전함을 느끼게 되어 외로움에 젖기도 한다. 그러나 자극하면 폭발하기도 한다. 자기 주도적인 특성과 목표에 대한 확신이 강하다.

(보조 심리의 강점)

합리적이고 이성적인 처신으로 자신의 감정을 잘 통제하고 명예를 중시한다. 목표에 대한 확신과 자기 주도적인 일 처리를 하지만 정밀함은 부족하다. 깊이 연구 탐구하는 집중력과 현실감이 뛰어나지만, 자신을 희생하는 면이 있다. 경쟁심이 강하여 남에게 지기 싫어하며 이것저것 따지지만 사리 분명한 처신한다. 부정적 수용을 바탕으로 의문을 가지고 있는 점은 끝까지 파고들어 생각한다.

(보완점)

순간적인 두뇌 회전의 재치와 변화에 대응하는 임기응변이 부족하다.

(주요 특성)

자신의 능력을 잘 활용할 수 있고 낙천적인 모습으로 여유를 부린다. 자신에게 주어진 일을 성실하게 수행하는 관료적 특성을 가지고 있다. 항상 도전적이고 역동적인 특성을 가지게 되는데 주변과 충돌을 주의해야 한다. 행동이 신중하고 소극적이며 새로운 사람을 사귀는데 서툴고 시간이 걸린다.

(표현방식과 수용태도)

깐깐해 보이고 아주 정확하고 재능의 깊이가 있지만 일이나 사물에 집요함이 있다. 일단 의문과 부정적 수용을 하지만 자신의 관심 부분에 강한 통찰력을 가지고 있다.

(진로적성)

합리적이고 명예를 중시하므로 일반적인 직장생활에서 성실함을 갖는 샐러리맨이 적성이다. 꾸준히 연구하는 면과 거시적 안목을 갖추어 전문분야의 관리직, 디자이너, 예술가 등의 업종. 주어진 일에 충실하고 책임감이 강하므로 교사, 공무원, 샐러리맨 등의 업종이다. 어떤 일이든 꾸준하며 집중력이 강한 특성으로 연구원, 기술자, 예체능 등 전문직 업종이다.

(커플심리궁합)

1. 두 사람 사이의 심리적 호감도

서로 간의 호감도가 좋으며 남자 입장에서 친밀함을 여자 입장에서 안정감을 갖게 된다.

2. 선천적으로 타고난 배우자상에 대한 선호도와 자신의 행동방식

여: 남편에게 자신의 의견을 표시하며 돕고 싶지만 받아 드리지 않으면 마음의 상처만 남는다.

남: 아내의 심리를 잘 파악하여 기분을 좋게 하는 애처가 형이지만 자신이 리드 하기 원한다.

3. 배우자 간에 서로가 영향을 주는 기질의 교류방식

서로 주는 구조로 서로 적극적인 구조이므로 처음 만날 때 대화와 소통이 잘되고 쉽게 친해지지만, 시간이 지나면 의견대립이 생기므로 충돌하는 경우가 생기게 되는데 결합하기 쉽지 않은 구조로서 어느 한쪽이 완

전하게 양보하고 살아야 한다.

4. 두 사람 사이에 기질적 소통의 상관관계

여: 평소에는 별문제 없이 받아들이나 자신이 자극이나 압박을 받으면 폭발하여 충돌할 수 있다. 자극에 예민하게 반응하므로 상대를 자극하는 기운이나 기질이 강한 대상은 피해야 한다.

남: 아내를 자극하는 기운이 없으므로 배우자에게 안정적인 기운을 느끼게 한다.

5. 두 사람 사이에 배우자로서 관계유지를 위한 적합도 평가

두 사람 사이에 일정 부분 맞지 않는 부분이 있어 갈등의 요소는 있으나 함께 취미생활을 하거나 대화를 통하여 서로 이해하려고 노력하면 극복할 수 있다.-> 보통

6. 두 사람 사이에 배우자 관계를 유지하기 위한 방법

두 사람의 성격과 타고난 배우자 성향으로 볼 때 이 경우에는 서로 양보하지 않으려는 기운이 강하므로 서로의 자신과 배우자의 성격을 인정하고 동시에 양보하지 않으면 불행해진다. -> **서로 양보형**

14. 커플 심리궁합분석 사례 4

(현재 상황)

두 사람은 이별한 지 2달 정도 되었다고 한다. 3년을 사귀고 이별했는데 여자 쪽에서 매달려도 남자는 받아주지 않고 있다고 한다. 사귀는 동안에는 남자가 여자보다 더 잘해주고 맞추어 주었는데 결국은 남자가 많이 참다가 폭발한 것 같다. 이제 와서 여자는 자기 잘못을 뉘우치고 이만한 남자가 없다고 하면서 앞으로 결혼은 할 수 있을지 고민하다가 홀로 밤 늦게 사무실에 내방한 명조이다. 현재 두 사람의 직업은 개원한 의사이며 원래 남자는 학교 후배였다고 한다. 여자는 상당한 미모에 전문직업으로 남자들에게 인기가 많아 보이는데 연애를 잘 못한다고 한다.

커플 심리 궁합 (이별)	
壬 丙 壬 丁　　42세 辰 辰 子 巳 (坤)	乙 庚 乙 癸　　36세 酉 子 丑 亥 (乾)
74 64 54 44 34 24 14 4	70 60 50 40 30 20 10
庚 己 戊 丁 丙 乙 甲 癸 申 未 午 巳 辰 卯 寅 丑	戊 己 庚 辛 壬 癸 甲 午 未 申 酉 戌 亥 子

(심리 궁합)

1. 두 사람 사이의 심리적 호감도

▶ 여克남

처음에는 여자가 이 남자를 좋아하지 않았고 다른 남자를 좋아했지만, 이 남자가 일방적으로 좋아했다고 한다. 좋아하는 남자는 떠났고 결국은 이 남자와 3년간 사귀었는데 남자는 여자로부터 극을 받아 3년 동안 많이 힘들었고 결국 이별 선고를 남자가 했다. 이별한 뒤에는 여자가 매달리는 상황이다.

2. 배우자궁에 대한 선호도와 자기 행동 방식과 서로 간 기질의 교류방식

남자: 남자 일지에 子水 상관으로 여자에게 기분 좋게 적극적으로 잘해 주지만 자기 하는 일에 방해가 되고 간섭하면 싫어한다.

여자: 여자 월지에 子水 정관으로 남편 위주로 안주하려는 아내형이다.

남편이 기분 좋게 자신을 리더를 해주기를 원하고 또한 내조하는 마음도 강하다.

▶ 주고 받는 구조

한쪽이 리드하면 한쪽이 받아들이는 이상적인 조합으로 서로 소통이 잘 되므로 큰 충돌 없이 무난하게 살아갈 수 있으며 부부싸움 이후에도 빨리 사이가 회복될 수 있다.-> **기본궁합은 보통**

3. 두 사람 배우자궁의 구조 파악

남자: 일지를 약하게 자극할 수 있는 구조로 수용기능이 강한 여성이 아

니면 인연을 이어가기 어렵다. 식상이 강하여 언변이 여자를 자극

할 수 있다.

여자: 월지 관성을 자극할 수 있는 구조로 수용기능이 강한 남성이 아

니면 인연을 이어가기 어렵다. -> **두 사람 배우자궁의 구조는 불**

길

4. 표현궁과 수용궁

▶ 표현궁

남자: 乙木 정재로 정확하면서 무리하지 않게 신중한 스타일이다.

여자: 壬水 편관으로 분명하게 자기 방식 위주의 스타일이나 합이 되어

약하다.

▶ 수용궁

남자: 乙木 정재로 정확하고 실속있게 받아들인다.

여자: 壬水 편관으로 상대방의 입장을 자기 방식으로 받아들인다. 거기

에 인성도 없으니 소통이 어려울 수 있다. -> **두 사람 소통 관계**

는 보통

5. 서로 간의 사주 구조 주요 특성 파악

 남자: 일간합과 전체적으로 냉습하고 화기가 없어 매사 안정적이며 신

중하고 순간 감정에 폭발하지는 않지만 관성이 없고 庚 金의 성향으로

참다가 폭발하면 냉정해진다.

여자: <u>丙火의 성향과 화기가 있어</u> 열정이 있지만 <u>수기가 강하여</u> 조급하면서도 유연성이 있고 <u>金이 없어</u> 뒤끝은 없지만 <u>인성이 없어</u> 잘삐지고 <u>水 관성이 강해</u> 억압심리도 강하다.

15. 분양 영업사원 남자 사주진로적성분석

(현재상황)

현재 직업은 분양 영업에 종사하고 있다고 한다. 아직 미혼이고 전 직장은 사무직에 종사했는데 괜찮았다고 한다. 최근에 사귄 壬戌생 坤命의 애인이고 태어나서 지금까지 사주를 직접 한 번도 본 적이 없다고 한다. 여자에 의해서 함께 상담실을 방문하였다.

(사주 구성)

겨울의 己土 정관은 약하고 酉金 인성으로 생하고 일지 午火 재성은 양인(겁재) 子水의 극을 받고 있다. 전반적으로 사주가 냉습하고 火기운도 약하고 또한 午火 정재는 신체를 의미하는데 극을 받고 있어 건강에 유의해야 한다.

(기본 특성)

壬水 일간은 사색적이며 이성적이고 유연하며 일단 주변의 여건에 따라 잘 따라주고 불리해도 포용하는 모습을 보여주지만 결국은 자신의 방식과 생각대로 움직인다. 일지 午火 정재는 정밀하고 섬세하며 소유욕이 있다. 그러나 남을 배려하는 따뜻한 마음이 내면에 있다. 따라서 壬午 일주는 욕심과 배려의 양면성을 지니고 있다.

(사주의 강점)

子水 겁재는 가슴에 담아둔 경쟁심이 있지만 사교성으로 주변과 타협하며 조용히 내실을 다진다. 辛金 정인은 긍정적 이해력을 가지고 있지만 스스로 마음을 여는데는 다소 시간이 걸린다. 庚金 편인은 부정적이고 자기중심적 수용력으로 이해력이 늦지만 한번 기억하면 오래간다.

午火 정재는 섬세하고 꼼꼼하며 소유욕이 있지만 남을 배려하는 따뜻한 마음과 열정도 있다. 己土 정관은 합리적으로 현실에 대응하고 명예를 중시하며 어려운 이웃에 봉사하려고 한다.

(사주의 보완점)

원명에 식상 木이 없어 속내를 드러내지 못하고 가슴에 묻어두며 새로운 일에 소극적이지만 과묵하다. 또한 새로운 일에 호기심이나 흥미를 가진 창의적인 활동력은 다소 부족해 보일 수 있다. 午火 일지가 극을 받고 있어 스트레스를 받게 되면 중심이 흔들려 우왕좌왕할 수 있으니 수양이 필요하다.

원국에 정재가 있어 꼼꼼하고 정확하나 편재가 없어 전체를 바라보는 거시적 공간개념과 큰 목표를 갖는 것이나 과감한 결단력이 부족하다. 또한 인성태과로 잡념과 공상이 많아 행동으로 옮기는 것이 늦고 우유부단하지만 아이디어는 많다.

(재능의 특성)

관인상생 구조로 명분을 중시하고 남의 이목과 체면을 중시하는 선비적 특성으로 정도를 고수한다. 일.월주에 선전(소용돌이)이 있어 역발상으로 엉뚱한 생각이나 행동하는 구조이므로 특별한 분야에 천재성이 있다. 인성 혼잡으로 생각이 깊고 이해력이 뛰어나지만, 방향 설정이 어려우므로 멘토가 필요하다.

(자기생각의 표현방식)

표현궁이 庚金 편인으로 스스로의 확신과 원칙이 강하여 자기주장을 굽히지 않으며 명분을 중시한다.

(타인입장의 수용태도)

<u>수용궁이 己土 정관으로</u> 현실감각과 합리적인 수용태도를 가지며 어려운 사람의 부탁을 거절 못한다.

(진로적성)

<u>선전이 있어</u> 특이한 발상과 차별화된 능력을 가지지만 일관성이 요구되는 직업에 맞지 않는다. <u>관인상생 구조라</u> 명분과 명예 그리고 정신세계를 중시하고 책임감이 있어서 교사. 학자. 사회복지 등의 업종이 적합하다. <u>식상 木이 없고 일지 午火 재성이 극을 받아</u> 투기업, 일반적인 사업이나 장사는 부적합하다. 현재 분양 영업도 진로적성에는 맞지 않고 일반 사무직이 어울리나 현재 丙申대운이 편재와 인수가 합으로 들어오니 매출 영업이 큰 영업에 인연이 된 것이다.

16. 항공 운항학과 재학중 사주진로적성분석

현재 대학에서 항공운항과 학생이고 승무원 준비 중인데 마지막으로 최종 면접을 기다리고 있는 중이다. 항공 운항 관련 업종이 적성에 맞는지 분석해 보자.

사주진로적성분석

성 명									男	女	23세		

歲運	大運	時	日	月	年
	丁	壬	甲	庚	丙
	亥	申	戌	寅	子
	甲壬	戊壬庚	辛丁戊	戊丙甲	壬癸

正印	偏印	正官	偏官	正財	偏財	傷官	食神	劫財	比肩
1	2			2		1	1	1		2
음양		오행		천간		지지		육십갑자	

십성	오행십성	십성조합	십성구조	세운	기타

甲木일간이 자기 계절인 봄인 寅월에 태어났지만 대운은 겨울기운에 와 있어 언제나 동심(童心)으로 호기심이 많아 창의적이고 미래지향적인 사고를 하고 열정을 지녔지만, 내면에는 현실적이고 차분한 성향도 가지고 있다.

일지 편재에서 대운으로 丁火 상관이 투출하니 자기 주도형으로 스케일이 크고, 도전적이지만 성급한 면도 있다. **비견 寅木이 丙火 식신으로 투출하니** 추진력과 자신이 최고라는 자부심을 꺾이지 않으려는 태도가 강하고 한곳에 집중하여 연구하는 면이 강하지만 옳고 분명한 것을 따진다. 그러나 **庚金 편관이 시지 申金에서 나오니** 신념이 강해 자신의 영역(틀)을 고수하려는 확신이 강하지만 유연하지 못하다.

壬水 편인은 시지 申金과 대운지 亥水와 투출하여 현재 부정적 수용을 하여 이해력이 늦지만, 자신의 관심 분야에는 예리한 통찰력을 가진다. 편재는 공간개념이 있고 자신의 손해를 감수하며 덜렁대는 면이 있지만 목표가 크다.

사주에 정재가 없으니 현실감 있는 욕심과 사물을 꼼꼼하게 살피는 것이나 사칙연산이 부족하다. **대운에서 丁火 상관이 나와 편인 壬水와 丁壬 合을 하니** 순간적인 두뇌 회전의 재치와 변화에 대응하는 임기응변이 나온다.

천간 관인상생 구조가 되어 명분을 중시하고 남의 이목과 체면을 중시하는 특성으로 정도를 고수한다. **일·시주가 재생관의 구조가 되니** 자신에게 주어진 일을 성실하게 수행하는 관료적 특성을 가지고 있다. 그러나 **천간 식제관도 되니** 항상 도전적이고 역동적인 특성을 가지게 되는데 주변과 충돌을 주의해야 한다.

표현하는 방식으로는 자신의 관점에서 원칙론을 고수하지만 자신의 말이 옳다는 생각이 깔려 있다. **수용하는 태도는** 부정적 수용이 강하지만 자신의 필요한 부분은 균형감각과 통찰력이 뛰어나다.

진로, 적성으로는 자기 확신과 명분을 중시하며 통찰력이 강하여 예능, 의학, 법률, 정신세계 등이 적성이다. 꾸준히 연구하는 면과 거시적 안목을 갖추어 전문분야의 관리직, 디자이너, 예술가 등의 업종. 연구하거나 손재능이 있으며 예지력과 감각이 있어서, 예술가, 법률가, 의사 등의 업종이다.

직업 물상으로 항공업에 종사하는 것은 木일주 또는 일주에 木이 合하고 역마(驛馬) 용신을 보고 안다. 寅申巳亥와 辰, 午이 역마이고 火旺해야 비상(飛上)한다. 바람을 일으켜 하늘을 날게 되는 것은 풍(風) 즉 木이 된다.

스튜어디스의 물상은 甲木, 丁壬合木에 해당된다. 이 명조 월지 寅木 역마가 해외궁인 년주 丙火 식신으로 투출하니 해외, 외국과 인연이 있다. **배우자에 대한 심리는 여자는 월지 비견 寅木으로 판단한다.** 친구처럼 대화 소통하며 취미생활도 함께하기를 원하지만 **식제관이 되니** 자신이 자극이나 압박을 받으면 폭발하여 충돌할 수 있다. 또한 **壬水 편인이** 부정적으로 수용하므로 자기 확신이 대단히 강하기 때문에 고집스럽고 설득이 어렵다.

사주진로적성분석   - 끝 -